·修订版·

QING
YU
NIAN

【人在京都】

II

猫腻/著

人民文学出版社

图书在版编目（CIP）数据

庆余年：修订版. 第二卷，人在京都 / 猫腻著. —北京：人民文学出版社，2020
（2020.1重印）
ISBN 978-7-02-015458-6

Ⅰ.①庆… Ⅱ.①猫… Ⅲ.①长篇小说—中国—当代 Ⅳ.① I247.5

中国版本图书馆 CIP 数据核字（2019）第 207013 号

策划编辑　胡玉萍
责任编辑　涂俊杰
装帧设计　李思安
责任校对　罗翠华
责任印制　王重艺

出版发行　人民文学出版社
社　　址　北京市朝内大街 166 号
邮政编码　100705
网　　址　http://www.rw-cn.com

印　　刷　三河市鑫金马印装有限公司
经　　销　全国新华书店等

字　　数　260 千字
开　　本　890 毫米 × 1290 毫米　1/32
印　　张　9.75 · 插页 3
版　　次　2020 年 1 月北京第 1 版
印　　次　2020 年 1 月第 4 次印刷

书　　号　978-7-02-015458-6
定　　价　39.00 元

如有印装质量问题，请与本社图书销售中心调换。电话:010-65233595

目录

第一章　大劈棺与小手段 …………………001

第二章　避暑何须时 ………………………020

第三章　太子的善意 ………………………041

第四章　谈判无艺术 ………………………058

第五章　那座凉沁沁的皇宫 ………………075

第六章　千古风流 …………………………098

第七章　每个人的心中都有一把钥匙 ……119

第八章　我们都寂寞 ……………………… 138

第九章　大婚 …………………………… 159

第十章　苍山行 ………………………… 182

第十一章　河畔新丝令人倦 …………… 203

第十二章　春风化雨人考场 …………… 222

第十三章　侧伞为圣人 ………………… 244

第十四章　提司大人的第一次登场 …… 265

第十五章　老家伙们 …………………… 287

范闲心头大惊，脸上却没有流露出什么，对宫典苦笑道："大人为何摆出踏破铁鞋无觅处，得来全不费工夫的架势？那日庆庙外得罪大人，但我也咳了几天血啊。"

"踏破铁鞋"两句是刻意说给那位贵人听的新鲜俏皮话，不料出乎范闲的意料，对方却一点反应也没有。

"拿下此人。"宫典不想惊动了主子，低声吩咐道。两旁的三名侍卫听令逼上前来。一看对方气势，范闲知道断断是逃不开了，蹿身上前，竟是抢先向宫典攻了过去！

宫典不怒反喜，一挥手让侍卫退下，两只手如苍鹰搏兔般展开，指节枯劲有力，直扣范闲的脉门。范闲虽没什么精妙招式，但这些小巧功夫却是五竹锤打出来的本能反应，奇怪无比地一拧腕，指尖在宫典的脉门上一划，手臂忽长带着森森之气，骤然锁死了对方的手腕。

而此时宫典的一双铁手也已经将他的手腕牢牢控住。

二人同时大感讶异，两次交手均是甫一接触，便马上互锁，真有些莫名其妙，就仿佛算好了彼此的反应。惊讶归惊讶，宫典沉声喝道："束手，就擒！"范闲本来就没指望和宫里的侍卫头子硬拼，只是存着别的念头，强硬无比地说道："尚未可知。"他闷哼一声，后腰处雪山一热，道道烘热从那里喷薄而出，沿双臂向对方的体内攻去。

宫典眉头一皱，似乎察觉到少年的真气那种霸道无比的气势。但此时身后便是主子，自然不会让开半步，遂眼中精光一现，轻喝一声，体内蕴积了数十年的雄浑真气运至掌上。

二人互锁的手臂已经松开，双掌对在了一处。

一声闷响之后，青竹茶铺里劲气四荡，那位饮茶的贵人皱了皱眉，似乎没有什么武功护身。范闲身后的范若若也是腿一软，险些跌倒在地。

数道白光闪过，侍卫们拔刀而出，搁在了范闲的脖子上面。此时范闲双臂酸软，根本无力反抗，也没有想着反抗。宫典咳了两声，将双手收于身后，再看着范闲的眼神就有了些异样，轻声说道："少年，数月不见，你又进步了。"

这次交手显然是范闲败了，宫典也不像表面上那么轻松，只是除了那位贵人之外，没有人注意到他背在身后的双手正在不停地颤抖，范闲攻入他体内的霸道异种真气犹自留存在经脉之中，像小刀子一样刮弄着，直到片刻之后才渐渐平静。

"能文能武，天下最近似乎出了不少这样的年轻俊彦。"中年贵人看着颈在刀下犹自面不变色的范闲，流露出一丝欣赏的笑容。宫典知道这位主子最是惜才，生怕他又像上次一样让自己放人，赶紧走到茶桌旁边，低声解释了一下为何要抓这人。

贵人眉头一皱，然后却是渐渐松开，那双如同深潭一般的眸子更是渐渐明亮了起来。他望着范闲，微微眯眼轻声说道："原来是那日的少年。都出去，我与他说几句话。"

宫典一怔，心想老爷身份尊贵，怎敢让他与这危险的少年单独待在一起。贵人似乎猜到他在想什么，略一沉吟后说道："宫典留，其余人退下。"

众侍卫虽然不解，但不敢二话，急速撤出茶铺。

"协律郎范闲御前失仪，你可知罪？"

“臣不知何罪之有。”

范闲想象中的对话并没有发生。那位贵人只是坐在桌子边上，颇有兴趣地望着自己，眼光似乎比先前柔软了许多，淡淡却又仔细地在他的脸上拂过，让范闲感觉有些不自在。

贵人开口轻声说道：“你是谁家子弟？”

“我们是范家的人，昨日去田庄休息，今日贪看风景，所以游走至此，不知道你们为何要难为我们。”范闲在心里盘算过，叫对方大人应该比较合适。

宫典很吃惊，才知道原来自己要抓的人竟然就是最近在京都声名鹊起的范闲。想到范闲的父亲司南伯是老爷的心腹亲信，他不禁觉得此事好生荒唐。

贵人微笑着说道：“你是范建的儿子？”

见对方直呼父亲的名讳，范闲更是确定了对方的身份，回话也愈发地恭谨：“正是。”

贵人点点头，说道：“这是一场误会，你不要记恨在心。”

范闲断没有想到对方竟然如此好说话，半晌后才回过神来，连道不敢不敢。

贵人又道：“你入京也有数月了，过得如何？”

虽然不明白以对方的身份为什么要关心自己，但这种机会范闲是不会错过的，想着这些月来的麻烦事，感叹说道：“京都居大不易，不若故乡。”

“你是说澹州。”

“正是。”

“澹州有甚好处？”

“澹州虽偏，但人心简单，只要你不害人，便无人害你，不像入京之后，不论你愿或不愿，总有些事情会找到你的头上来。”

贵人似乎没有想到少年说话会如此直接，微微一怔后微笑说道：“京都繁华天下无双，自然艰难处也是天下无双，不过有范大人护持，如今范公子又有文武双全美誉，想来日后在京中应该过得比较安适才对。"

范闲如聆玉旨纶音，如果不是一直在伪装，此时恨不得跪下口称谢旨，再在京中大肆宣扬一番天子金口玉言……但他的脸上依然是一片平静，柔声回答道："希望如此。"

时辰不早，贵人事多，便要起身离去，离开之前他又细细地看了范闲两眼，流露出满意的微笑，说道："日后有缘再见。"又转向范若若，轻声说道："你还是婴孩的时候我抱过你，不曾想一晃已经变成大姑娘了……日后有门好婚事等着你。"

范若若微微一怔，却不知道该如何回答。贵人说完这话，朗声一笑，似乎十分快意，离开青竹茶铺，上车离去。马车离开许久，贵人有些出神，轻声地叹息道："眉目依稀仿佛，这夜夜爬墙的本事，倒是有些像朕当年。"

茶铺之中，范若若好奇地问道："这是哪位大人，似乎与父亲相熟。"

范闲终于从紧张的情绪里摆脱了出来，说道："先前是圣上……他娘的，怎么都喜欢玩微服出巡这招，真以为吓死人不用赔命吗？"这话一出口，范若若也是惊得掩嘴而呼。

咔嚓！在此时，万里碧空之上却无来由地响起一声霹雳，似乎恨不得要刺进茶水铺的青竹间，将童言无忌的某人活活劈死。

在茶铺里随便整了一些水喝，兄妹二人有些心神不宁地重新上路，走了没多久，便看见王启年一行来接自己的马车。

"圣上为什么会出现在这里？"范若若靠在车厢上，拿着手帕扇着微微汗湿的脸庞。

范闲苦笑着回答道："咱们的这位陛下一向深居简出，我早就想过，一个男子怎么可能长年待在满是宫怨脂粉味的皇宫之中，他一定会经常出来散心，走到流晶河畔来也是很自然的事情。只是先前有些好玩，我总以为那位宫典大人，会叫他黄老爷的。"

范若若扑哧一笑，说道："哪儿能事事都像哥哥说的故事一般，若真如此，你早就该去开个讲书铺子去了。"

说到讲书铺子，范闲马上想到了豆腐铺子，皱眉问道："你将来到底准备做些什么？"范若若神色一黯，如今这年月，女子出嫁之后，便是相夫教子绣花管后院，以她的学识能力，若就这般度过一生，无论怎么说都有些不愿意。

入京之后，马车直奔二十八里坡。数百年前，京都远没有如今这般阔大之时，二十八里坡是入京前最后一段山坡，离西南方向官道上最后一个驿站足足有二十八里。如今的二十八里坡早就被收到了城墙之中，变成了一条街巷，只是名字还保留着，庆余堂便在此处。

马车远远停下，范闲与妹妹走了下来，顺着街道往那边走去，沿路看见一排整整齐齐的小门面，全是那种从岭南运来的廉价木材，上面刷着清漆，木斑清晰，一眼瞥过去，感觉就像是无数个单眼怪正虎视眈眈地看着自己。

范闲微怔，这种做法他前世时的小饭馆里倒是常用，清水儿原木感觉，又便宜又清爽。

范若若说道："这里就是庆余堂了，每个门脸就是一位大掌柜的授徒之处，十七位掌柜，就有十七间屋子。"范闲数了一数，发现街道旁一共有二十几个这样的小屋子，请教妹妹这是为何。范若若道："这么多年过去，总有些掌柜的年纪大了开始养老，或者病故。"

一行人说说谈谈地走到最前面，那是一幢有些清美的宅子，院落极大，看越过院墙的飞檐，里面应该是被分割成了许多个院子。范闲心头一动，觉得有些熟悉，想了一会儿才想起来，这和先前在流晶河畔看见的太平别庄，竟是差不多的风格。

早有范府护卫上前递了名帖，看门的人一见名帖上的名字，马上便知道来者就是最近在京中大出风头的范大公子，赶紧恭谨请入。七叶掌柜正在范家帮忙打理澹泊书局，竟是连知会这道程序都免了。众人正要入府之时，朝廷负责监管庆余堂的人打横里穿了过来，正准备发问审查来客身份。王启年却是冷冷看了对方两眼，知道对方也是监察院的人，自己都不屑出面，让小组里一位小字辈去应付，随着范闲便往堂里去。

入堂，落座，上茶。

坐在首位的是位约四十岁的人，眉眼柔顺，似乎在这些年的重压之下，整个人都变得谨小慎微了起来。但范闲知道，对方是庆余堂的首席大掌柜，号称叶大，当年主营叶家最紧要的生意，断不是眼前所见这般无趣又无用的人物，便微笑着说道："一直以为大掌柜年高德劭，今日一见，才知道大掌柜原来如此年轻。"

叶大掌柜全然不知这位范公子今天来庆余堂到底是为了什么，十几年过去，叶家早已不是什么禁忌，但被变相软禁在京中十几年，他的性情早已不像当初那般跳脱豪迈，身子佝偻了起来，心气也淡了许多，苦笑着应道："早就是个老头子了，范公子讲笑讲笑。"

范闲呵呵一笑，说道："开门见山吧，今日前来，第一桩事是澹泊书局的生意极好，想来谢谢七叶掌柜，也想看看庆余堂是什么模样。"

叶大掌柜微笑着应道："范公子出钱请咱们堂里的人做事，自然要让公子挣着银钱才是，如果做生意还亏了本，这庆余堂只怕早就在京里倒了。"

说到挣钱之事，叶大掌柜的眉眼间自然流露出一股自信，浑身上下散发着光彩。范闲在心底暗赞一声，想这才是自己老妈当年教出来的人应有的模样，一拱手极有礼貌地说道："其实今日来，是有桩事情要专门麻烦一下大掌柜。"

叶大掌柜心头一凛，如果只是为了生意，对方身份尊贵，断不至于亲自前来，难道对方在想些什么？叶大掌柜要为京中庆余堂这么多掌柜伙计，还有亲眷的生命安全着想，根本不敢听对方想什么，便为难地拒绝道："朝廷有明规，庆余堂人不准离京，如果范公子心气过高，庆余堂实在是帮不上什么忙。"

范闲哈哈一笑说道："这我自然知道。据我所知，这些年来朝廷一直有些户部官员还有内库管事拜在庆余堂门下专学经营之道，我与七叶掌柜合作舒服，故而也想介绍位学生。"

叶大掌柜好奇地问道："不知道是什么人？"

范闲微微一笑，没有说什么。叶大掌柜会意，轻声地说道："贵客远来，不如让家妇带着范小姐去后园逛逛？"他微笑地望着范若若说道，"我们这院子虽然不出奇，但当年也是家主亲手设计，颇有可观之处。"

范若若早就明白，微微一笑，自与掌柜夫人往后园去。而王启年等人也被范闲一挥手赶了出去。见他这般谨慎，叶大掌柜不禁有些不安，心想究竟是谁要来学经商之道。

"范思辙，我的二弟。"范闲啜了一口茶，轻声说道，"您应该听说过。"

叶大掌柜心头大惊，心想范氏二子眼下虽然无隙，但毕竟有司南伯的家产放在那里。权贵子弟，怎么可能愿意来学经商之末道，莫非面前这位范大公子想借此事，让范思辙无法继承爵位……但这种拙劣的伎俩未免也太笨拙了些，谁能看不出来！

范闲却没有想到叶大掌柜会想这么多，说道："我那二弟天性好经商，但眼下只是靠着骨子里那点儿遗传与爱好在撑着，将来如果想真正地做些事情，他的能力还有些不足，所以希望他能够有机会拜在大掌柜门下，好生学习一番。"

叶大掌柜赶紧摇头，谨小慎微如他，断然不敢掺和在这些事情里，推脱道："范侍郎掌管天下钱粮，这生意做得可是比谁都大，区区庆余堂，哪里敢教范二公子。"

范闲略有些失望，不过也不着急，心想按着自己的计划，你这个老师总是跑不掉的。他静静地坐在椅子上，缓缓调动雪山处的真气，四脉俱通，确认无人偷听，方压低声音道："还有一事，不知大掌柜可敢听？若你敢听，我便敢讲。"

见他如此神秘，叶大掌柜无奈地一笑，知道自己就算不听，对方也是一定要讲的。

范闲说道："我如今是太常寺协律郎。"见他无头无尾说了这句话，叶大掌柜有些莫名其妙，但还是道了声喜，知道面前这位公子马上要尚宫中哪位贵人了。不料范闲紧接着说道："我的未婚妻是林家的小姐。"他知道，堂堂叶大掌柜虽然枯坐京都十五载，但在许多年前，一定有许多渠道可以知道某些秘辛。果不其然，叶大掌柜面色剧变，死死地盯着范闲的双眼，冷冷地说道："范公子究竟想说什么？"

范闲道："两年之内，我便有可能掌握内库……但我知道自己的能力不足，而户部那面终究是国之财，我要理的是宫之财，并不能给我太多帮助，所以我……"他望着叶大掌柜没有什么情绪的双眼，一字一句道，"需要帮助，需要……你的帮助。"

堂中一下子安静了下来，叶大掌柜心头无比震惊。内库？那里有他当年亲手打理的……一切一切，那是小姐留下的东西，已经有多少年没有接近过了。朝廷怎么可能允许自己这些人，再重新接近那些产业。似乎猜到他在想什么，范闲微笑说道："召你们入京的旨意我调来看过，只是不准你们入股经商，但谁也没有说过不允许你们再重新接手叶家。"

这个诱惑实在太大了，对于庆余堂的这些掌柜们来说，替各王府达官们打理府中产业，远程遥控各地铜矿盐场，根本不足以发挥他们的真实水准。而内库……在庆余堂掌柜们的心中，那本来就应该是自己打理的产业！就看那个长公主这些年将小姐留下的家产折腾成什么样了！每当想到此处，这些专业的"职业经理人"便是恨得牙齿痒痒的。范公子发出这个邀请，这就代表了范府的意见，而范府是与陛下有特殊关系的一处府第，莫非……陛下终于想通了？

范闲站起身来，微笑着说道："这只是一个建议，时间还有很久，大掌柜可以慢慢考虑。"

话已说完，再无多事，等范若若毫无滋味地逛了一圈回来之后，范府一行人便告辞了。叶大掌柜恭恭敬敬地送出门外，看着他们上了马车，这才抹了抹额上的冷汗。

范闲忽然从马车上探出头来，漂亮的脸上阳光灿烂，高声喊道："大掌柜，若你真的想通了，记得喊人来府上说一声，我带二弟提腊肉来拜先生！"

叶大掌柜听他喊话，以为范大公子要在众人面前说起内库的事情，唬了一大跳，待听着是那件事情后，才安下心来，知道对方是在提醒自己，如果愿意接受对方条件的话，就得顺带着去当范二公子的老师。只是叶大掌柜有些不明白，为什么拜师要提腊肉，微一皱眉，又觉着似乎很多年前好像是九叶还是二十三叶曾经提过腊肉的……当时九弟、二十三弟提腊肉是做什么来着？他拍着额头回了庆余堂，有些悲哀于自己的记忆力确实变差了。

回府的马车上，范闲也有些累，他本来就不是一个喜欢阴谋的人，只是为了自己，为了范家，为了许多许多的人，他必须做些什么事情。在他的计划之中，原来叶家的产业将来总得慢慢让老二接过去，毕竟自己在经商方面的天分，似乎不如那小子，至于其他的……再慢慢看吧。

直到此时，他才明白了费介老师在澹州时和自己说的话。

"你家的事情，要比你所想象的远远复杂许多，这里面涉及的，不仅仅是你一人之存亡，更可能牵涉更多的人命，所以你一定要谨慎。在你长大之前的这些年里，你要学会保护自己，这样将来才更有保护别人的实力。"

"将来……要保护谁呢？"范闲有些疑惑。

费介笑着指了指自己的鼻子："比如说像我这种和你已经脱离不了关系的人。"

所以范闲必须做些什么，才能保护比如像若若、婉儿、范家这些已经和自己脱离不了关系的人，同时也想让庆余堂的这些老人能过得开心一些。当然，此时的他，依然不认为费介老师或者陈萍萍那种老怪物也有需要自己保护的那一天。

范大公子到访庆余堂，是一件很大的事情，至少对于庆余堂这些姓叶的人来说。经商终究是末道，这些掌柜们为王府官家不知道挣了多少银子，依然还是上不了台面，所以极少有有身份的人会亲自拜会庆余堂。而在后园密室的会议上，当叶大掌柜说出范公子今日来意后，坐在圆桌旁的几个人都惊住了，有人开始回想当年荣光，有人却是面色惨白。

"不用多想，范公子既然敢提出这条建议，那他将来一定会想办法将宫里说动。"叶大掌柜看着其余的几个理事，皱眉说道，"就看大家的想法，我们一共五个理事，按老规矩，人手一票，我两票，只不过老六如今在和范府做生意，所以请他过来提供一些意见。"

其余的几位掌柜将目光投向澹泊书局的七叶掌柜。他低头想了想，说道："范大公子与二公子的感情比我们想象得要好许多，而且此人看似淡泊，实际上心气极高，我看他日常行事，竟似是没有将司南伯的家产放进眼中一般，交往的也都是靖王世子这种厉害角色。"

叶大掌柜点点头："事情还早，但是我们要早做准备。"

有理事提出反对意见："何必冒险？大家好不容易才保住性命，这些年过得也算顺心。"

"也不算冒险吧，毕竟这么多年都过去了，想来宫里应该对我们放心了才对，再说我们又不出京，身家性命都被朝廷捏着。"另一人摇头说道，"我们只是些商人，又不可能造反，哪有这么多害怕的。唉，我还真想重新接手那些事，想着就兴奋，好多年没有吹过玻璃壶了……当年我可是你们当中吹得最好的一个。"

这句话似乎牵动了大家的美好回忆，于是齐声哈哈笑了起来，有人笑骂道："小姐当年就说你是个大吹吹儿。"

那人窘道："我又不是你，当年就喜欢泡在肥皂厂里面吹泡泡。"

叶大掌柜微微一笑，举手制止了这些老不休的吵闹，说道："还有什么意见没有？"

第一个提出反对意见的理事停住了笑声，冷静地说道："首先要确认是宫里允许了，这事我们才能做。虽然都想重新回到咱们当年起家的地方，但安全依然是第一要素。小姐当年说过，只要人活着，什么都好。"

叶大掌柜皱眉道："范府当年与我们叶家关系极好，这些年来，监察院和司南伯一向对我们挺照顾，想来司南伯应该不会诳我们。"

那理事寒声说道："不要忘了，当年李家与我们叶家的关系不也是极好，最后我们不依然是被他们诳了。"

李乃国姓，李家自然就是皇家。一说到这个，庆余堂后园的密室里顿时安静了下来，圆桌旁的几个人脸上都现出了很不安的神色。

太常寺协律郎向来是个虚职，也向来是对未来驸马们的赏赐。最初庆国的规矩是封同文馆六品词臣，但后来发现很多驸马连首诗都背不下来，只好作罢，把规矩改成了封协律郎。协律郎在前朝名为协律校尉，掌管宗庙音律，皇家总以为驸马们不会作诗，哼几个曲子也算就景，便这样定了下来。虽是虚职，但依然还是要去太常寺报道的。所以这天大清早，范闲就愁苦着脸，坐着家里的马车赶往了太常寺。在寺门口，正四品的太常寺少卿已经来迎着了，这个排场让范闲受宠若惊，赶紧下去亲热问好。和太常寺同仁们寒暄一番，才进了衙门，坐在小间房里，听着少卿大人解释自己应该做些什么。

这位少卿大人乃是宰相一手提拔起来的人物，如此热情是理所当然的事情。范闲却无法放松，心想自己是音痴，不免要出些洋相，哪里知道只是枯坐了一个上午，灌了一肚子温茶，发现同僚们也大都如此，只是手上捧着宫里出的一两一份的报纸在看。

茶喝多了肚子有些胀，他叹息一声，学着别人也拿了一份报纸，然后进了茅厕。报纸上依然是花边新闻，只是陈萍萍已经回京，宫中编撰们再也不敢胡诌什么院长的。就在他的腿将麻未麻之际，他忽听得门外爆出一阵狂喜惊呼："胜了！胜了！天佑大庆！"

范闲心中一凛，知道朝廷与北齐间的角力终究还是以朝廷的胜利而告终。在这场傀儡诸侯国之间的小型战争之后，只怕北边又会有些土地被划入庆国。

他从茅厕里出来，屋内官员们正聚在一起看着邸报，上面清清楚楚地写明了发生在北方的所有事情，不论是从及时性还是内容丰富程度上来说，都比皇宫出的报纸要吸引人，更何况上面记载的还是庆国胜利的消息。范闲从怀里掏出那张皱巴巴的报纸，在心里对文书阁大书法家潘龄老先生说了声抱歉，又坐回自己的桌前继续饮茶。

旁人正在兴高采烈地讲着战事，没有人注意到他的安静。少卿大人看着他微微一笑，示意他出来一趟。范闲随他来到一处僻静所在。这里已经是院子深处，搁着一张石桌，两张石椅。少卿大人示意他坐下，然后微笑着问道："众人皆欢愉，君却独坐默然，不知为何？"

这位少卿大人姓任名少安，当年也是风流人物，后来娶了位郡主，便一直安安稳稳地在太常寺里慢慢升着。与范闲今日所面临的情况倒有些相同。范闲不确认任大人是不是心伤某事，要与自己唏嘘一番，不好怎么回话，只是淡淡一笑说道："朝廷胜这一仗乃自然之事，并不如何惊喜。"

"为何是自然之事？"任少卿问道。

范闲对于军国大事确实没有什么独到见地，只得推诿道："陛下英明，将士用命，北齐心虚，自然一战而胜。"

任少卿微笑着说道："我这才想起来，今次两国再斗倒是与范大人遇刺一事脱不了干系。"

此次庆国出兵抗齐援赵，其中一个借口就是北齐刺客潜入庆国京都，意图谋杀大臣之子。想到北疆之上的那些河畔枯骨，各州郡闺中空等良人之妇，范闲心头有些发堵，叹息道："兵者乃凶器，圣人不得已而用之。"他知道庆国虽然承平十数年，但骨子里的尚武精神并没有消退，平日里很注意掩饰，但此时只是闲聊，便随口说了句。

任少卿似乎很欣赏他的这句话，点了点头："虽是如此，但此次获地不少，庆国又有数年安宁，倒也值得。"范闲不是一个迂腐的和平主义者，微笑地承认了这个事实。任少卿又道："虽然战功尽归将士陛下，但是朝中为此事暗中筹划两月，也算得上是殚精竭虑。"

范闲马上从这句话里品出了别的味道，知道少卿大人是在说朝中的文官系统也为战事出了不少力。范闲前世看过些闲书，知道打仗终究打的是后勤，便诚恳地说道："朝中诸位大人，也是居功至伟。"

任少卿满意地笑了笑，接着说道："宰相大人与你即将成为翁婿，你若有闲时，还是要多上府拜问，这才比较合适。"

"这是自然，多谢少卿大人提醒。"范闲微感窘迫，自己马上就要娶婉儿了，却还没有去拜访未来的岳丈，这真是有些说不过去，只是……这应该是林府与范府之间光明正大的交往，为什么任少卿要私下与自己说。果不其然，任少卿接下来轻声说道："老师希望你一个人去相府坐坐，不想惊动太多人。"

第二日朝堂之上，尽是一片谀美之词，军方受赏不少，监察院四处也因情报得力，受了明旨嘉奖。不过出乎所有人意料的是，户部侍郎司南伯范建出列进言，此次得胜全赖宰相大人殚精竭虑，先国事后家事，梳理后勤，粮草得力，实为大功。群臣喧哗，本不明白原本的政敌为何今日如此和谐，但一想到两家的婚事后，顿时恍然大悟。

更出乎众人意料的在后面，本来一直是宰相那派的礼部尚书郭攸之却出言反对，如何如何。最最出乎众人意料的是——陈萍萍上朝了，当陛下询问之时，他坐在轮椅上轻声说了四个字："宰相辛苦。"

至此，原本借着吴伯安与北齐勾结之事不停攻击宰相的政敌们一下子安静了下来，皇帝陛下下旨安慰，林若甫重新站稳了脚跟。而朝野上下都在传说，宰相因为与范家的联姻已经倒向了二皇子，本来在朝中全无助力的二皇子，顿时成为炙手可热的人物。

没有人知道，这一切大事的背后，其实只是郁郁不得志的太常寺任少卿与太常寺八品协律郎在院墙下面的一次闲聊。

通过自己向老丈人卖了一次好，一次大好，范闲虽然还是很担心宰相查出林二公子是自己让人杀的，但总算是稍微安心了一些，不再像前些天那般躲着，某日午后便坐着马车去了皇室别院。如今他与别院里那位姑娘的婚事已经是全京皆知，加上范府出手大方，侍卫们自然会睁一只眼闭一只眼。范闲和妹妹一同往里走去，没有心情去看园子里的花草，沿着石子路径直往小楼走去。范若若有些惊讶：“哥哥对这里的路倒是挺熟。”

范闲微微一笑道：“我记性好，你又不是不知道。”

前些日子，他十天里倒有两三个夜晚会在这园子里穿进穿出，想不熟悉还真是件极难的事情。可惜按着规矩，他这位未来的郡主驸马依然不能在别院里见林婉儿，只好坐在楼下喝茶，若若一个人上去。他也不急，反正夜夜能见，不急在一时。过了一阵，却是下来了两个人，看见若若身后跟着的那位姑娘，范闲眼睛一亮。那位姑娘眼眸清亮，眉毛略有些浓，却并不显得粗鲁，反而很精神。此人正是京都守备大人叶重的独生女叶灵儿。

范闲微笑着起身相迎，拱手道：“叶姑娘好。”

二人上次相见的时候范闲做了易容，叶灵儿自然不知道他是谁，却很容易地猜了出来，看了他两眼没有说话，直到来到别院门口，才冷笑着说道：“大白天的不在太常寺里办差，却跑这里来玩耍，果然是个纨绔子弟，也不知道婉儿究竟瞧中了你什么！”

范闲叹了一口气，说道：“我又哪里纨绔了？”

叶灵儿恨恨地说：“文不成，武不就，纨绔之说难道亏了你？”

范闲笑了笑，说道：“京中总传在下文武双全，文能七步成诗，武能七步杀人，过誉之词让在下有些飘飘然，今日才被姑娘这话点醒，实在是感谢莫名。”

见他作态，叶灵儿才想到对方的才名，气得一跺脚，不知道说什么好，忽而将红润至极的薄唇一咬，手扶在腰畔的小刀上。几番思琢之后，她终是取下刀来，扔在范闲身前的土地上，发出咚的一声脆响。

随着这声响，皇室别院门口顿时安静下来。庆国开国只有数十年，民风尚武，叶灵儿身为武将世家子女，腰畔别个小弯刀也是正常。只是……将这刀扔到范闲脚前就相当不寻常了，因为按照庆国规矩，这就是向对方发出了决斗的邀请。

所有的人都看着范闲，若若紧张地拉着范闲的袖子。别看叶灵儿细腰水灵着，但家学渊源乃是正宗的七品高手，在京都里哪有纨绔敢去招惹他。但是对方既然扔出佩刀发出了挑战，范闲身为男子不应战，只怕在京都里会抬不起头来。

"既然你号称文武双全，我不及你诗词本领，但也想代婉儿看看你究竟有没有保护她的本领。"说来也奇怪，自从扔下腰刀之后，叶灵儿整个人的状态都发生了很奇妙的变化。冷静了下来，她如碧玉一般美丽澄静的眼眸里充满了自信，小小弱弱的身躯，竟似蕴藏着极为宏大的力量，将要施展在范闲的身上。

范闲这才知道这位小姑娘竟是位武道高手，想了想，说道："好。"

叶灵儿身影一虚，整个人已经冲到了范闲的身前，一拳直冲！

范闲看见了直冲自己面门的一个拳头。

这个拳头很小巧，很漂亮，皮肤白皙，甚至可以看清上面隐隐可见的淡青静脉，握成拳后只有大拇指露在外面，上面涂着粉红色的蔻彩。

能在这么短的时间内看到如此多的细节，这只证明了两件事情：一、范闲好色；二、叶灵儿的出手虽然暴猛快速，但比起澹州悬崖上的那根神出鬼没的棍子，还是要慢太多太多。

他的脚尖在地上挪了一寸，整个人的身体却奇快无比地向左侧偏开，让那记杀意十足的拳头完全落空，擦着自己的脸颊过去。

嗡的一声，拳头落空，仍击出一片震荡风声，范闲颊畔的发丝飘了起来。而此时，他的右手早已神不知鬼不觉地抬了起来，食指微屈，在电光火石间，弹在叶灵儿的脉门之上！

这一招就算是大内侍卫副统领宫典猝不及防之下都无法躲过，更何况叶灵儿，只听得她一声轻哼，紧紧握住的拳头已经散了，就散在范闲的脸颊之旁。但范闲却来不及高兴，双眼一眯，奇怪无比地向后退了三步，伸出手掌在空中拍了三下。

啪！啪！啪！三声脆响在他的身边响起！

原来叶灵儿拳头一散，五根手指却像是春日桃枝般绽开，每一指犹如一森然之枝，往他的太阳穴上袭去。范闲凭着本能的反应躲了过去，印了三掌，挡住了那五道破空而来的劲气。

"叶家散手！"旁观众人惊呼出来。庆国大宗师叶流云乃是叶灵儿的叔祖，没有料到这位小姐竟是得了叶流云的真传。

惊呼未停，范闲满脸平静抢身近前，一拳头实实在在地打在叶灵儿的手掌上！

一声闷响之后，不管叶灵儿的手指是桃枝还是什么，都被生生地打散，他掌上运着的霸道真气毫不客气地将对手的散手崩开！叶灵儿向后飘了半丈，吃痛地握着自己的手腕，惊讶地望着范闲。她万万没有想到范闲体内的真气竟然如此怪异，掌触之后，竟是顺着自己的经络向上侵伐而去，那种痛楚让她心神一散，顿时失了散手之意。

"你不是我的对手。"范闲平静地说道。

叶灵儿一咬牙，再次冲了上来，这一番气势较先前更猛，五指并拢为刀，横劈而下，掌刀破风，竟是呼呼作响。她本是一个女子，先天真气就不如成年男子充沛，所以叶流云当初传她散手之时，便用了些心思，当遇见真气胜过自己的高手时，即并指为掌，化散手枯枝之意尽为厉杀劈木之劲。

范闲在这一记一记的下劈掌风中摇晃，脚下急错，仗着在澹州悬崖上练就的逃命功夫，妙到毫巅或者说险到极处地与叶灵儿每一竖掌擦身而过。

叶灵儿的掌风愈来凌厉，四周观战的人隐约感觉到场间似乎有股阴寒之风四处刮着。就像有无数把刀在范闲的身边飞舞，他隐约感到一丝危险，闷哼一声，体内霸道真气布满全身，脚跟在地上重重一顿，强行止住了后退的趋势，腰腹部一用力，整个人就像被人从后打了一拳般，猛地一弹向前倒去，由退而进，竟是全无中断之势！

掌风消失了，范闲也消失了。

观战的人都张大了嘴巴。

范闲消失在叶灵儿的怀里，两只手像铁钳一样扼住了她的腋窝，将她那恐怖的两只手掌举着搁在自己的肩上——准确地说，他抢在叶灵儿这两掌劈下之前，用类似于抱住对方的身法，拿住了对方的要害。

范闲这伎俩看似无赖，实际上要在漫天的掌风之中，找到唯一可以近她身的途径，而且这种途径只是转瞬即逝的微小空间，他的速度与目光都已经到了一种相当恐怖的地步——当然，这都是五竹教得好。

叶灵儿忽然发现对方像个鬼魂一样朝着自己倒了下来，接着却是抱住了自己，不禁眉头一皱。她也清楚对方能欺近自己身体，必须拥有怎样的目光手段，所以心中大为震惊，惊却不乱，双掌势止，整个人却腾空起来！

毫无前兆，她一脚就向范闲胫骨上蹬了过去，这一脚若是蹬实了，只怕范闲会痛得倒在她身上，只是她此时也顾不得这么多。

恰在此时，范闲双手一松，让她未尽掌势自由落下！

人体构造就是这么古怪，如果你的双掌往下劈，下面那脚再想向上踢，就会显得特别别扭和困难。而范闲需要的就是对方片刻的不适应，趁着这短暂的一瞬间，他早已一拳头直直冲了过去！

这是除了牛栏街杀人事件之外，范闲在京都出的第三拳。他的每一拳都打破了一个人的鼻子，今天也不例外。

啪的一声轻响，一道艳丽的血花飘过。

叶灵儿捂着鼻子蹲了下来，随后放声大哭。范闲有些郁闷，心想您要打架，咱就陪你打，哪有打输了就哭的道理？

叶府的下人丫鬟们早就围了上去，狠狠地盯着范闲。远处看热闹的皇家侍卫压低了声音轻叹："叶小姐家学渊源，没想到还是挨了姓范的黑拳。"

看着那个蹲在地上哭泣的叶家小姐，范闲此时才记起对方其实也不过是个十五岁的丫头。不过他可没有什么内疚，想当年自己老妈初入京都，就将眼前这个女子的父亲、如今的京都守备叶重大人揍成了猪头。五竹叔也曾经与叶流云在皇城根下大战一场，让这位庆国大宗师闭关数月，舍剑取散手。自己打了叶灵儿一拳，也算是延续了这种光荣传统？

依范闲的性情，打完架后自然就要赶紧各回各家各找各妈，却没想到范若若竟然瞪了他一眼。似乎是嫌范闲出手太重了，范若若掏出手帕为叶灵儿擦拭流血的鼻尖。

叶灵儿终于在范若若的安慰下止了哭声，再望向范闲时，眼里除了恨之外又多了一些别的意味。叶家女子，技不如人也不会多作纠缠，竟是向范闲行了一礼，表示认输。见对方磊落，如此一来，倒是范闲有些不好意思，他咳了两声，问道："你刚才用的什么掌法？"

"大劈棺。"叶灵儿抽了抽鼻子，扬脸倔强地回答道，"我认输，但这只是我学艺不精，与我叶家家传武艺无关。"

范闲此时才觉得这姑娘终于有了一丝可爱之处，笑着说道："大劈棺的名字好，看来是流云散手的简约版，姑娘能有这等武道修为，已是不易。"

这花花轿子众人抬，前面有人抬了，后面也得有人抬一下。因此叶灵儿捂着渗出血丝的鼻子，哼哼了两声，问道："你用的什么招数？"

叶家一家皆武痴，叶灵儿此时不急着找回场子，却急着要知道对方这鬼魅又很难想象的手段究竟是什么招数。在她的印象里，从来没有哪家的武道高手会像范闲这样，只是依靠着自己的真气、速度、判断，后发而先至，仗着自己对人体构造的了解，攻击敌人从来不会在意的部位——这种手法她确实是从来没有见过，她叔祖倒是见过。

范闲心想自己这套黑拳似乎不算什么招数，说道："只是些小手段，登不得大雅之堂。"

这些手段是五竹教授他的杀人技，费介教授他的识人术，再加上牛栏街时初次运用的心得，杂合而成的一套技法。范闲将这取名为"小手段"，确实名如其实。后来范闲的"小手段"也在京都出了名，成了某种能够上武道必修书的名目，这可是此时的范闲无法想到的。不然他一定会取个"沧州折梅手""司南六阳掌"之类风花雪月的名字。

不过今天的"小手段"总算是胜了大劈棺。

第二章　避暑何须时

　　认输的叶灵儿悻悻然离去，只是离去之前，坚持要将自己腰畔的弯刀递给范闲，说是比武认输后的彩头。坐在马车里，范闲苦笑着把玩手中的彩头，心想没来由地和个小姑娘打一架，说不定还会得罪叶府，真是不划算极了。范若若猜到他在想什么，微笑着说道："叶府子弟好武，天下皆知，叶重大人持身甚正，不会因为这种小事情生气。"

　　范闲叹了口气说道："也不全然是因为此事烦恼，只是觉着挺无稽。为什么叶家小姐总看我不顺眼？"

　　范若若递了张纸给他，他接过细细一看，随即揉碎了扔出窗。

　　第二日，天光微暗，有乌云临城，稍减阳光之炽，却让京都更添蒸笼的感觉。范闲抹着汗，蹲在夹竹道的街沿上，细细挑拣着摊子上的货色。夹竹道是京都古董玩物集散地，对这些事物有兴趣的人，每逢天气不错的时候，都喜欢来这条街上淘淘。

　　摊主看他衣着是位富贵之人，恭敬地问道："这位公子，您想瞧些什么货？"

　　"鼻烟壶。"范闲有些无奈开口，婉儿说宰相大人这些年来最大的爱好就是玩鼻烟壶，所以他今儿就指望能淘个好的，哪里料到竟是将眼都看花了，也没瞅见能入眼的。

　　"您算是找准地方了。"摊主眼睛一亮说道，"我这儿青花釉的、翡翠的、琥珀的，要哪种有哪种，尤其是翡翠好，大好，您瞧这个。"他拿起一个小立壶，壶色青润微黄，"瞧见没？黄杨绿的，年代不敢称久远，质料做工可没得说。"

"有祖母绿的吗？"范闲心想得挑个最贵的才行。

摊主为难地说道："祖母绿太矜贵，用来作鼻烟壶，那是宫中才有的制式，虽然如今不怎么苛求这个，但如果想在夹竹道上寻个祖母绿的鼻烟壶，那就有些难处了。"

摊主为人极好，竟是给范闲指了街头一家大店，说如果要寻祖母绿的鼻烟壶，便只有往那家去。范闲谢过，又放下块碎银子，拿了片不知真假的碎瓷片，才起身离去。王启年在一旁看着，心想这位大人对待贩夫走卒之辈倒是无比温柔，而且关键是心细如发。

入那大店，迎面便是一阵清风扑面而来，定睛一看，却是一拉线屏风扇正在不停地摇着。范闲大为赞叹，竟是不急着问鼻烟壶，先揪着店老板问清楚了这扇子是谁家卖的。一问下才知道，原来是去年出的新货，店老板与那商家有些交情，所以搁在门厅里当活广告。

问清楚那商家的地址，范闲才开始询问鼻烟壶的事情。店老板上下打量了范闲两眼，从衣着上确认了对方荷包的深浅，这才入后房小心翼翼地捧出一个盒子，放在桌上打开。盒中铺着碎红锦，绵软至极的材料托着各式材质的鼻烟壶，防止打碎。老板也不怎么说话，很干脆利落地问道："要好的，还是要最好的？"

范闲喜欢这种感觉，微笑道："当然是最好的。"

听见这话，老板竟是把盒子盖上，在腰间摸索了半天，取出了一个淡青色的翡翠小壶。小壶材色青润，无一丝絮状，真是上好的材料，里面反描着一独坐寒江边的钓翁，不仅意境上乘，那笔法触端更是纤细柔顺，手艺是极难见的鬼工。

"开个价吧。"范闲接过来放在手掌里把玩着，感觉掌心一片温润，手感非常好，有些痒，有些滑，有些润。

"两千两银子。"老板微笑着说道。

范闲算了算手头的银子，自己在澹州存的银子加上妹妹孝敬的全都给了弟弟去开书局。虽然澹泊书局如今生意大佳，但还没见着回钱。后来通过藤子京在公中调了两千两银子，除去在花舫上喝花酒用掉的四百两，最近七用八用，还剩下一千三百多两，于是他说道："八百两。"

他不会还价，但前世小护士陪他聊天的时候，告诉他女孩子买衣服，砍价都会从三分之一砍起。他不像小女生那样厉害，所以砍了个五分之二的价钱。谁知道这位店老板竟是直接将盒子冷冷地盖上，准备拿回内房。范闲一急，张嘴想喊他回来，再商量商量价钱。不料一直在边上静默不语的王启年，向范闲做了个眼色。范闲有些狐疑，随他走了出去。

"只值四百两。"王启年对他恭敬地说道，"大人等我回去再问。"说完这话，他重新走进这个没有招牌的店家，过了一会儿，便重新出来，手上已经多了个青翠至极的鼻烟壶。然后才从范闲手里接过四百两银票，交给身后那个面色如土的老板。

马车里，范闲看着手里的鼻烟壶，轻声说道："不要仗着官势欺压良民，奸商也不行。"

王启年微微一笑，眼角上的皱纹像菊花一样地绽放，小意地解释道："倒不算奸商，只是这鼻烟壶他收的价格顶多也就三百来两，我们给四百两也不算欺负他。"

"噢？"范闲诧异地看着王启年，"莫非王大人对古董玩物还很精通，不然怎么能一眼瞧出真正的收价来，要知道这行当的水沫子可是真多。"

王启年又笑了笑，说道："大人莫非忘了下官当年入院之前做的是什么营生？"

范闲恍然大悟，哈哈一笑说道："原来当年你做独行贼的时候，居然还顺便学了这些知识。"

王启年窘迫地应道："我一人在那些小诸侯国里贩来贩去，不敢请帮手，那自然就只有自个儿把眼光弄尖利些。"有这样一个古玩界的行家在，难怪刚才他能如此轻松地把鼻烟壶的价钱砍下来。

回到范府的大门处，王启年的小队就撤了，交由范府自己的护卫。便在此时，范闲头前在另一家店里订的线拉屏风扇也到了大门口，下人们赶紧接了进去，在最后交账的时候，账房先生有些肉痛地对范闲说道："这扇子虽然好，但是太贵，大少爷一下子买了五把，我在二太太那里可不好报账。"

此时柳氏恰好走了过来，听着账房先生的话，似笑非笑地看了范闲一眼，点头说道："入账吧。"

范闲微微一笑，向姨娘行礼请安："姨娘好。"二人目前状况太过尴尬，亲近谈不上，敌意却在渐渐减退。范闲也没什么好说的，想到一件事，问道："我瞧着这扇子用着清凉，搁在大厅里最舒服不过，为什么平常没见着有哪家用？"

柳氏微笑摇头道："这事啊，你以后就比谁都明白了，还不是那家商号要的价太高，谁都舍不得去买。夏天不过这么几天，就算挖个冰窖，比那扇子也贵不了多少。"

范闲一下就听明白了："这是……内库的买卖？只是一直卖这么贵怎么可能？就这工艺哪家商贩都能学了去，为什么没有别家在卖？"

柳氏笑道："大家都知道这是内库的生意，谁敢仿去？随便让监察院安个名头，都是流放北地的罪名。"

范闲摇摇头，心想内库若这般做生意，难怪会越来越糟糕。柳氏这时候才看到厅里的那些扇子，好奇地问道："怎么一下子买了五把？"

范闲解释道："花厅里要摆一把，父亲与姨娘那屋要摆一把，另外三把则是要送人的，靖王府上送一把，还有就是宰相府上一把……国公府一把。"

范府里提国公府上向来指的就是柳氏的娘家——弘毅公柳恒。

柳氏微微一怔，没有想到这漂亮少年竟然会考虑得如此周到，更没有想到对方会对自己主动示好，一时间竟是不知道该如何回应，略有些失神地笑了笑，便离开了账房。

宰相府中，林若甫轻轻抚弄着手中的鼻烟壶，说道："这是上好的祖母绿打磨成的，塞子设得精巧，用的是内画，画工不错，却是有些多余。"

袁宏道在一旁听着，知道宰相大人意有所指，微笑道："新婚拜见丈人，带些礼来，本是应有之意。"

林若甫微微一笑，站起身来，单手掀开桌前的那方卷轴。原来是一幅画，画的也是一名老翁独自在江边垂钓，江水去处，不见末端，整幅画卷上全是冰雪一片，画旁是一首诗。

"千山鸟飞绝，万径人踪灭。孤舟蓑笠翁，独钓寒江雪。"林若甫轻吟画上之诗，叹息道，"画虽一般，书法也不出奇，这首诗倒是不错。一向听闻范闲大有诗名，果然如此，只是这么一首诗，你还觉着他只是带来了翁婿间应有之意？"

袁宏道苦笑着，心想这位范公子也真是莫名其妙，明知道老大人丧子不久，心情还未平复，却将如此凄怆的诗画送上。他略一沉吟，眼前一亮说道："大人您看这里。"他的手指向画中一处。那处留白点墨，正是山峰之旁、崖壁之侧，隐隐可见雪地中两道极细的淡墨线飘飘摇摇般分着叉，就像是有株小草要奋力从雪中挺起腰身。

"这是……？"

"此乃寒江雪崖一点绿。"袁宏道微笑着解释。

林若甫看着画上那株极难发现的小草，脸色渐趋柔和，轻声道："看来连你也很喜欢这个叫范闲的少年。"

袁宏道并不忌讳什么，笑着说道："范公子家世不错，才学不错，性情也是极好。"

"在你口里，他倒像个完人了。"林若甫笑着摇摇头，"晨儿如果嫁给他能幸福，那自然就好。"忽然间他压低了声音说道，"只是那件事情，你真的可以确认？"

袁宏道正色应道："苍山那件事情已经确认，费介眼下正在东夷城那边交涉。"

"嗯。"林若甫半闭着眼睛说道，"我也是这般想的，其实我不在意范闲的才学家世，只在意他的性情手段，只要性情好、手段狠，将来我不在世上，能护住我们林家，能护住我唯一的一对子女，那便是好的。"

林珙死后，宰相大人确实有些心灰意冷，大儿子是个愚痴儿，女儿长年见不得一面，只是他依然还要为依附自己的官员、族人考虑打算，所以女儿嫁给什么样的人是他目前考虑的重中之重。此时他眼神微柔，问道："他们在外面谈得如何？"

袁宏道看着他的眼神里满是欣慰："很好，比大人与我想象的还要好些。"

"为什么天空是蓝色的？"

"因为大海是蓝色的。"

"为什么大海是蓝色的？"

"因为光线进海水之后，就变成蓝色的了……嗯，你不要听我的，我对这些事情没什么研究，基本上属于瞎说一气。"

"为什么池子里的水是清的不是蓝的？"

"因为池子里的水浅。"

"啊？"

"嗯？"

花园子里面，林婉儿的大哥坐在藤椅上，胖胖的身躯几乎将整个椅子占满。他好奇地问着范闲，眉眼间全是小孩子那种单纯无害，只是目光中偶尔会显露出几分呆滞。

范闲知道宰相府的大公子身体不大好，却没有想到竟是个痴呆儿。不知道什么原因，宰相迟迟没有接见自己。在后园里待着，却恰巧碰上了大舅子，只好陪他随便聊着。

"你叫什么名字？"范闲微笑地望着痴痴傻傻的大舅子，聊了一会儿之后，他发现对方其实只是反应慢了些，像个几岁大的孩子，傻乎乎的倒有些可爱，至少比范思辙可爱。

大舅子扁着嘴，胖嘟嘟的脸颊显得更圆了，嘴唇的两边皱起两道肉纹："我叫大宝，我弟弟叫二宝，二宝不在家很久了。"

范闲心头一凛，想到了死去的林琬，竟不知该与面前的傻舅子说什么好。

如果是一般的成年人，与只有几岁智力的痴呆儿聊天，很容易心生厌烦。但范闲不一样。他前世最后的那段岁月都是躺在床上无法动弹，今世修行那个奇怪的霸道功诀时，也经常陷入半植物人状态，所以他的耐性是极好的，而且对大宝也有几分怜惜。在他心中，身旁这个行动有些迟缓的大胖子，实在是比京都里其他的一些人要可爱得多，也值得信任。

"我说大哥哥，为什么大宝这么胖，你却这么瘦？"大宝皱着眉头，似乎被这个问题困扰得很厉害。

范闲苦笑着回应道："第一，您才是我大哥，我将来是你妹夫。第二，我并不瘦，只是大宝有些胖。"

大宝摇摇头，打了个呵欠，从身边的桌子上取了块江南的软糕放嘴里，使劲儿嚼着，口齿不清地说道："大宝不胖，只是喜欢吃。"

见宰相还没有传自己的意思，范闲眼珠子一转，凑到大舅子耳边说道："大宝啊，什么时候我带你出去玩玩？"

"玩……玩什么……呢？"大宝开心地说道，"我要打马球。"

"嗯？"范闲好生头痛，心想真是给自己找事情做，本想着是带大舅子去消消夏，顺便以此为借口，也把婉儿从禁卫森严的皇室别院里拖出来。哪里想到这位大胖舅子居然想打马球，于是赶紧改口说道："大宝，想不想听故事？"

大宝的鼻孔张缩了两下，吸了两气，兴高采烈地说道："好好！大宝最喜欢听故事了。"

于是乎，宰相家的花园里开始响起一个清爽的声音，这声音在讲故事，故事里说的是，一个长得很漂亮的白雪公主和七个小矮人，在一个森林里快乐地生活……

"有些出乎意料。"宰相林若甫隔窗远远看着那边，微微一笑道，"你看他是装的吗？"

袁宏道摇摇头："不像，看范公子满面笑容极为真挚，应该是发自内心。"

"嗯。"林若甫叹息了一声，"请他进来吧。"

范闲进入相府后，就一直有些紧张，等走入宰相的私人书房时，第一次看见自己未来岳父的脸，更是忍不住右手尾指轻轻哆嗦了一下，毕竟对方唯一正常的儿子的死亡与自己脱不开关系。但他的脸上却依然保持着恭谨，且平静异常："拜见林世伯。"

称呼是很有讲究的一件事情，叫宰相大人肯定不适合，叫老大人也不漂亮，称声"世伯"既可以拉近范家与林家的关系，又隐隐提前表现这门婚事所能带来的亲近感。

林若甫看着范闲平静的脸庞，对于这小子的表现有些满意，略一斟酌后说道："今日请范公子来，想来范公子也明白是什么意思。"

范闲赶紧笑着应道："世伯唤小侄名字就好。"

林若甫点点头："范闲……对于这门婚事，你可有什么意见？"

范闲心想自己能有什么意见，高兴还来不及，脸上不自主地现出一丝赧色。看见他的表情，林若甫内心深处更加安心，微笑道："你也看见了，珙儿去后，我只有这一子一女，晨儿嫁与你，你要好好待她。"

范闲应了声是，毫不拖泥带水。

"老一辈人，总有去的那天。"林若甫忽然沉声说道，"如果我冒昧地说一声，将来若有一日，我要将我的儿子托付于你，你可有这个担当？"

范闲略一沉思，站起身来，双拳一抱躬身道："理所当然。"

"日后，我们便算是一家人，所以有些话，我可以当着你的面说明白一些。"林若甫看着少年的双眼，似乎想看进他的内心深处，接下来一字一句地说道："虽然我与婉儿极少见面，但她毕竟是我的女儿，她姓林，就要为林家考虑。一旦联姻事毕，相信司南伯大人也明白，你我两家便是个同生共荣的关系。希望以后无论在朝在野，你都要牢牢记着自己的身份，从此以后，你要护持的，不再仅仅是范家，还有林家的利益。"

这话确实说得够直白，但也唯有如此，才表明了宰相大人对于这门婚事，终于真正地点了头。范闲心头涌起一阵喜意，娶婉儿过门是宫里一手操办的事情，但能够得到岳父的首肯，自然会更加名正言顺一些。只是想到这番话里别的意思，他又有些头痛，这位初次见面的老丈人显然已经舍了东宫，却不知道是不是准备靠在二皇子那边。世人皆道范府与靖王府都是二皇子的助力，范闲却清楚父亲大人心里想的可要复杂许多。

范闲拜见林相的第三天，林婉儿进了一趟宫，在太后面前孝顺了半天，又不知怎的说动了往日里一张铁面的皇帝舅舅，得了旨意，终于可以离开皇室别院，四处去逛逛了。

她的身体在范闲与御医们的小心照护下，恢复得极好，虽然病根还没有除去，但总是躲在小楼里成一统也不是个事。听说宫里终于开了禁，范闲大喜过望，第二日一大清早就带着马车和一应准备好了的事物，赶到了皇室别院外候着。

不知道等了多久，院里热闹了起来，几个侍卫打头，又有几个老妈子领着，还有几个样貌俏丽的丫鬟开路，末了，林婉儿才在大丫鬟四祺的扶持下，从里面款款走了出来。

林婉儿今日穿着一件清爽的白色单裙，戴着陇西竹围成的笠帽。这种笠帽极轻，帽子下沿是薄薄的一层轻纱，遮着阳光，也遮住了她的清美容颜，只隐隐看得见眉眼唇角里的喜意。

范闲迎上前去，那些老妈子们却是看见这位新姑爷便开始紧张起来，像抗洪一样英勇地堵在了郡主的身前，数双如电般的目光，恶狠狠地看着他。

范闲大怒，心想小爷谈个恋爱还要被你们这些家伙打扰，真弄烦了自己，再给你们下点泻药，闲目如电，瞪得你们肚痛入厕不能出！

林婉儿略带歉意地看了他一眼，悄悄拧了一下身边的大丫鬟。四祺吃痛，险些叫了出来，心想自己又得罪谁了？赶紧着上前说道："范公子，分两拨走吧，在西城避暑庄再见。"

避暑山庄是皇家消夏园林，在京都西侧约二十里外。如果不是林婉儿今日出游，范闲倒是没有资格进去享福。他知道成亲之前，如果和婉儿坐一辆马车里，只怕她会羞，那些老妈子会疯，因此不再多话，给身边的若若使了个眼色。若若会意，微微一笑，走到未来嫂嫂的旁边，轻轻拉着林婉儿的手，说了几句什么，便随着别院的一行人上了宫中的马车。

今日天热，但山庄修建在密林之旁，邻山望湖，遮阳迎风，湖面平静，清风徐徐吹来，带走林间最后一丝燥气，还以众人一片清爽。范闲站在湖边的草地上，看着眼前的景致，好生赞叹，心想这天子家的农家乐活动确实不一样。

入避暑山庄的时候，不知道若若使了什么招数，竟是说动了皇家的侍卫，将那几个老婆子全部留在前庄去喝茶打马吊，湖边只留下了年轻人。侍卫在远方站岗，丫鬟们难得出来玩一趟，叽叽喳喳个不停，虽是将湖边清静减了三分，却也留下了一处幽静。

"真难。"范闲感叹着，右手从青青的草里像条蛇一般钻了过去，如闪电般抓住婉儿软软的小手，脸却依然平静地望着湖面，"想和姑娘见上一面真难。"

林婉儿的脸马上红了，却没将手抽回来，而是轻轻靠在了他的肩头。

"大哥确实有一套。"范思辙嫌草里蚊子多不肯下车，看着远处湖边的那一对男女赞叹道，"刚与未来的嫂嫂见面，就能坐到一处，再待几个时辰，岂不是就要提前入洞房？"

范若若扑哧一声笑了出来，她知道兄长偶尔会夜探嫂嫂香闺，却不清楚范闲与林婉儿见面的频率有多高，看见这一幕后，也同样有些吃惊和佩服。她拍了拍范思辙的脑袋，笑着说道："帮着把东西卸下来，总不好让那些侍卫来做。"

范思辙瞪着眼睛说道："这些下人是做什么用的？"

范若若微微一笑道："都是些丫鬟，没你力气大。"

不知为何，一看见范若若清清淡淡的笑容，范思辙这二世祖便无来由地害怕，乖乖从马车上爬下来，去帮那些娇滴滴的丫鬟们卸东西。也不怪范若若要他帮忙，范闲今儿个出游带的东西着实不少，几个丫鬟加上范思辙折腾了半天才搬了下来。范思辙抹着额头上的汗，对着湖边上大声喊道："大哥！东西都卸下来了，这是一些什么东西？"

坐在湖边的范闲听着这声喊，才想起了这些事情，不好意思地对婉儿道了声歉，拍掉身上的碎草屑，走到车边，开始吩咐大家如何安排。

在京都安定下来之后，奶奶把他留在澹州的那些家什全部寄了过来，今天都派上了用场。计有手工帐篷三个、烧烤铁架一只、大眼铁网几片、胡椒孜然罐一袋、盐若干、竹条若干、鸡蛋若干、河鱼几条、萝卜及豆腐一大堆、细炭一袋，总之就是个完完整整的烧烤架势。

有丫鬟指着堆在一起的破布好奇地发问："这是什么？"

范闲解释道："帐篷。"

丫鬟很好学："是行军打仗用的吗？"

范闲微微一笑说道："晚上也可以在湖边看星星。"

看见范公子清逸脱尘脸上的可亲笑容，明亮双眸里的温厚之意，丫鬟不再好学，微羞着去了别处。生起炭火之后，自然有人过来接手，他搬了块石头坐在铁网边，小心翼翼地涂抹着酱汁与佐料，竹签穿过鱼肉，淡淡清香随着火气的蒸烤散发出来。他抽了抽鼻子，看了远处湖边孤单坐着的婉儿一眼，微微一笑，没有放太重的口味。烤好了三串鱼，递给弟弟妹妹一人一串，他便往湖边走去，坐到了林婉儿的身旁。

"给。"范闲温和地笑着。

林婉儿满脸狐疑地看了他一眼，心想你的手艺能成吗？接过来她小心翼翼地放在唇边尝了一口，然后缓缓咀嚼，眼睛渐渐地亮了起来，望着范闲嘻嘻一笑，却是根本不及称赞他，就开始大快朵颐。只是烤鱼太烫，她一边舍不得鱼肉离唇，一边却是烫得直吐舌头，空着的那只手不停地在嘴前扇着，哈着气。

很可爱，真的很可爱，可以爱。

范闲看着她那肉嘟嘟的唇瓣，不知怎的就想到在庆庙初遇时的那只鸡腿了，他取笑道："最近这些天我可没少拿鸡腿给你吃，怎么还这么馋？"

林婉儿说道："早知道你烤东西这般香，我才不会吃那冷冰冰的鸡腿。"

她回头望去，只见那边的烧烤摊子处比湖边要热闹得多，范思辙早就啃光了手里的烤鱼，正在那儿指挥着丫鬟整几根玉米棒子烤来吃。只有若若吃得秀气些，一边吃一边沿着林子在走，不知道是在看风景，还是在想什么心事。目光落在从马车上卸下的那堆东西上，她越发觉着自己的未婚夫有些古怪，于是好奇地问道："往年多是在山庄里吃饭，也没见下面这些丫头如此高兴……还有就是，你今天拿的这些东西，看着怎么都有些稀奇。"

范闲笑着解释道："虽然她们都是丫鬟，但都是随着你过日子的大丫鬟，成天锦衣玉食，又有几个真正自己做过饭吃？今天这烧烤不见得味道有多好，但胜在自己动手，感觉不一样，这味蕾的反应也就不一样了。"

"味蕾？"林婉儿有些迷糊，睁着大大的眼睛望着范闲。

"人舌头上的某种小器官，可以感觉到味道。"范闲知道这事很难解释清楚，毕竟肉眼不如显微镜好使，随便解释道，"舌根感苦，舌前感甜，就是这个原因。"

林婉儿佩服地说道："不愧是费大人的学生，对这些事情如此清楚。"

听她提到费介，范闲便是一肚子气，自己来京都好几个月了，连陈萍萍都已经回到了京都，为什么费介却不肯回来？看着婉儿望向那边羡慕的目光，他整了个小灶，拿了些材料过来边烤边吃，当然大部分情况下是范闲在烤，林婉儿在吃。

"这调料似乎也不多见。"林婉儿伸出嫩嫩的舌尖，轻轻舔去唇角上的一粒芝麻，满意无比地叹息道，"真是很香啊。"

"开玩笑，芝麻开门就有，这点儿孜然可不好找。"范闲在心里想着，如果不是和庆余堂的掌柜们关系不错，今儿拉到避暑庄来的这些物事，还真不容易凑齐，嘴上却回道，"你若喜欢，以后成亲了天天做给你吃。"

林婉儿的脸色变得极快——当然不是翻脸不认人的那种变化，而是听着"成亲"二字又习惯性地羞答答低下了头。不过今天这场合有些不大适合，她的唇上还满是油腻，鼻尖上还有一抹灰，怎么看着都像是在自家厨房里偷吃的小男孩儿。

范闲看着她的脸蛋呵呵笑了起来，婉儿真不是一个特别漂亮的女生，但不知道为什么，在自己眼里，总觉得她的五官无一处可以挑剔，神态无一丝不可爱。看见他笑自己，林婉儿有些恼怒地作势欲扑，范闲赶紧张开双臂准备舍身饲虎。反正湖边隔得远，一大丛水生木恰好挡住了那些丫鬟的目光，范闲本以为自己可以头一次光明正大地揽香玉入怀，不料婉儿却是面露尴尬，强行止住了滚落到范闲怀里的势头。

范闲有些无奈地摇摇头，拿手帕去湖边沾湿，然后回身坐在林婉儿的身边，盯着她的脸蛋儿，极细心地将她鼻尖和下巴上的灰渍柔柔擦去。

婉儿有些紧张，眼里却盈着笑意，只是这笑意中多了几丝春光明媚，就如同二人身边这湖水一般，水波如镜却依然微有高低柔流，荡人心魄。最可爱的，还是姑娘家似笑非笑时白如洁贝的上门牙，可爱无比地咬在自己肉乎乎的下嘴唇上。

范闲心头一荡，将自己未来的妻子拉进怀里，再不让她逃开，手指轻点她软乎乎的面颊，轻声说道："小老虎，当心我吃了你。"

虽然有水生丛树遮隔着，但湖光山色多明媚，那边小两口的亲热景象总是会影影绰绰落入丫鬟们的眼里。丫鬟们很聪明，各自将目光移开，有的低身去翻肉片，有的背过身假装检查小姐妆盒，有的不知如何处理，只好低下身子，轻唤一声，冒充脚扭了的可怜小女生。

林婉儿忽然醒过神来，坐直身体，余光瞥了一眼远处的丫鬟们，猜想应该没有人看见，但依然羞恼大作，狠狠地瞪了范闲一眼，心想这光天化日的未免也太荒唐了些。

"怕什么？平日夜里也没见你这般不自在的。"范闲小声地在她耳边调笑着，手指施出"小手段"轻弹了一下她白莹润美的耳垂。

婉儿又是一声轻呼，再也忍不住，捏起小拳头，朝他胸膛上捶了下去。

"谋杀亲夫了。"这是前世范闲和伙伴们早就开腻了的玩笑，但在这湖边对着自己真正的未婚妻说着，却别有一番滋味。

婉儿"虎虎有生气"一口咬了上来，范闲手腕一痛，强忍着没有叫唤出口，苦笑着说道："又不是妖精打架，怎么狠成这样。"

"妖精打架"这典出自《红楼梦》第七十三回，傻大姐在大观园里捡了个香囊，上面绣着一对赤裸男女相抱盘坐，这傻大姐不知道是春宫画，却以为是妖精在打架，随手交给了邢夫人，才有了后来抄检大观园的那出戏。

本来庆国应该没有谁知道这个典故，但前些日子林婉儿听说自己的郎君开了家书局，号称有《石头记》全本，早就逼着范闲将后面十来回"抄"了出来，今日一听这四个字，马上就羞红了脸，有些羞恼道："把我当什么人呢？"

范闲笑嘻嘻地说道："当然是我的娘子啊。"

林婉儿更羞了，啐道："去死。"

范闲心里那个得意，应道："那就死在你身上好了。"

避暑山庄里避暑时,恋爱中的男女身处佳湖青山之间,最易消磨时光,一眨眼的工夫,竟到了午间。不知被范若若施了什么手段,留在前庄打马吊的老嬷嬷们终于记起了正事,屁颠屁颠地从前面赶了过来,对范闲眉开眼笑着,想来牌局上得了范家不少好处。但范闲依然瞧着她们不顺眼,因为这些老嬷嬷一来,自己是无论如何再也无法一亲香泽了,起坐都得持礼,与婉儿远远隔着。

　　午时用膳,自然不能由着范闲靠烤鱼糊弄过去,一行人浩浩荡荡地回了山庄里,选了个清雅的院子,自有下人去准备吃食。正饮茶闲聊间,听得远方传来车声。范闲与林婉儿同时微笑站起,似乎知道来的是谁,但二人发现对方也站了起来,忍不住互望一眼,十分诧异。

　　来者是客,来者皆是客,却是范闲与林婉儿两人分头请的,起先互相并不知道,所以当看着两辆马车上的人下来后,范闲与婉儿都有些吃惊。婉儿在吃惊之余多了一些紧张和感伤,范闲在吃惊之余多了一些紧张和头痛。

　　林婉儿请来的是叶灵儿,她知道前些天二人在皇室别院外的那场打斗,所以今天刻意借郊游的机会,想让叶灵儿与范闲多接触接触,消除彼此间的敌意。范闲自然明白婉儿的意思,微笑着迎了上去,拱手行礼道:"见过叶小姐。"

　　叶灵儿鼻头酸痛似乎犹在,却无半丝扭捏作态,自然回礼。

　　另一辆马车上下来的是个大胖子,正在仆妇的扶持下略有些慌乱地四处打望着。范闲一个眼神过去,示意若若将叶灵儿带去休息,一手却轻轻拉了一下婉儿的衣袖。

　　林婉儿看着那个大胖子,忍不住将手放到唇边掩住,却仍然有一声极低的轻呼,再回头望向范闲时,眼中满是感激。

　　"去吧。"范闲用温柔的微笑鼓励着她,两个人往马车那边走了过去。大胖子见到范闲,本来有些惊恐的表情马上就变得眉开眼笑,本就有些开阔的眉间距离顿时被拉得更长，往前挪了几步，拉住范闲的手喊道："小闲闲，原来是你啊。"

"大宝，不是说好不准这么喊我吗？"范闲苦着脸说道。

林婉儿本有些微微悲哀，心想自己这个没见过几面的傻哥哥似乎将自己忘记了，但听见大宝称呼范闲，还是忍不住笑了起来，问道："小闲闲？"

范闲无奈地点了点头。

"谢谢你。"林婉儿感动地望着范闲，"你知道我不方便见他的。"

"知道。"范闲笑了笑，转身拍拍大宝高大的肩头，"大宝，今天没有马球看，不过还有别的好玩的。"

这处院子在山坡下，通堂一门，可以远远望见山下那汪碧湖，大宝抽了抽鼻子，摇摇头："小闲闲，这水是绿色的，不是蓝色的。"

范闲叹口气道："因为这水不够深。"

"那我们去看看有多深。"

范闲打的如意算盘是今儿将大宝拉来，一是免得大舅子天天在家里憋慌了，二来可以交给范思辙带着玩，反正都是两个小孩儿。哪知道范思辙对于吃亏的事情有一种先天的敏感，一看见来了个大傻子，早就躲得远远的。范闲被大宝拖着手，只好无奈地往山下走，心想这午饭大概也泡汤了。

傻姑爷与傻舅爷正要走出门口的时候，大宝忽然回头，很认真地看着林婉儿："妹妹，你为什么不跟上来？"

林婉儿先是一怔，紧接着却是心中一酸，原来没见过几面的傻哥哥还记得有自己这样一位妹妹。她赶紧脆脆地应了声，走上前去牵住了大宝的另一只手。

入夜，远处阁楼里传来极轻微的麻将牌落地的声音，侍卫们聚在一处喝酒，事务清闲，天下太平，全放松了警惕。丫鬟们白天玩得累了，又喝了几盅黄酒，自去睡了。至于被服侍的那些主子们，更是早就已经下幔安寝。偶尔，林畔塘里响起蛙声阵阵，湖中偶有鱼儿夜游破水之声，更衬得皇家避暑庄里一片宁静。

靠着湖极偏僻处，有一个帐篷正躲着月光，悄悄藏在树林之中，接受着湖面夜风的吹拂。正是夜半无人私语时，帐篷之中小两口在应景说着悄悄话。

"你就这么把我背出来，也不怕四祺发现？"

"她现在天天睡得这么沉，我连迷香都不用，估计她也醒不过来。"

"可是，可是……总有些不好意思。"

"看看星星，看看星星而已。"

"你觉得我能信？"

二人躺在软软的垫子上，帐子拉开了一道缝，从帐里往上望去，正好可以看见一带星空。今夜月淡，所以星星显得格外明亮，在幽黑中带着一丝深蓝的夜幕里，温柔地注视着大地上所有的情侣。

林婉儿斜倚在范闲的怀里，范闲只觉鼻端传来阵阵淡香，正有些心动，忽听到婉儿咳了两声，赶紧熄了欲念，给她搭了件毯子，不再做别的事情。两人看星星聊闲天，不知怎的，就讲到前些天范闲去宰相府拜访老丈人的事情。

"爹爹……身体还好吧？"林婉儿关心地问道。她极少能见到自己的父亲，但心里还是无比牵挂，今天看见傻大哥，想到二哥林珙早逝，父亲一人孤苦，只怕很伤心，自己身为人子，却无法侍奉在旁，实在是不应该。

范闲知道她在想什么，安慰道："都挺好的，将来成亲后，我们一起孝顺着，总比现在要好些……对了，岳父已经同意了，宫里到底是个什么章程？我有些急……"

二人的声音越来越低，渐趋不可闻，消没在这沉静的湖畔夜色之中。

第二日天光入窗，范闲与林婉儿分别在各自的房间床上睁眼，翻身，微笑，回味。众人起床后开始分桌用膳，丫鬟仆妇们忙个不停。林婉儿坐在圆桌旁，温柔地给大宝夹酱菜丝下清粥，眼睛都没有瞥范闲一下。在另一边，范闲傻笑着给妹妹吹凉碗中的热气，显得特别兄妹情深。范闲与林婉儿没有互视一眼，但二人眉眼间荡漾着的某种情绪，让整个厅间都开始散发一种叫作幸福的味道。敏感如叶灵儿，聪慧如范若若，极为狐疑地互视一眼，又极有默契地移开目光。

　　天色尚早，吃过饭后，范闲正准备去林间找个僻静处活动身体，保持每天必须进行的修行，不料叶灵儿却正色走到他面前，一抱拳，请他指点。

　　叶灵儿回府之后，与父亲说起过那日在皇室别院外的较量，叶重细细考问之后，对于范闲的应对大加赞赏，说到这位范公子当初能躲过那场刺杀，生剖程巨树，果然不凡。听了父亲的话，叶灵儿终于对范闲有些服气，这是诚心向范闲讨教。

　　范闲极少与人对练，当初在澹州时基本上属于被五竹叔打的可怜角色，今天有资格指点一下身为七品高手的叶灵儿，不免有些意外的快乐，说话指点倒也实在。"小手段"是范闲的杀人技，教人却有些不方便，尤其是教一个漂亮的小姑娘。

　　不便近身，叶灵儿自然无法学到"小手段"的精髓。她也明白其中道理，没有失望，毕竟还是有所增益。真正得到好处的反而是范闲，竟是将叶家流云散手全部看清楚了，才知道如此简单的一双手，竟然可以演化出如此多的攻击方式。即便是叶灵儿出手，也有破风杀神之威，如果是叶重或者叶流云亲自使出，那会有怎样的威势？

　　大宝和范思辙被范闲支去后山骑马射箭，自有侍卫保护、丫鬟服侍，不需要太过操心。如今的避暑庄里，便只剩下他一个男子，外加婉儿、妹妹、叶灵儿三位姑娘。

　　安坐庭间，啜茶听曲，看着有几分姿色的姑娘浅吟低唱，范闲心想权势真是个好东西，郡主要听曲儿，便可以马上从京都喊人来唱，要知道这位唱曲的姑娘可是真正的唱家，凭着一把好嗓子走游于京都王公家院之中，也是位清高的人，却哪里敢拒绝此间的邀请？

山堂之前，那位叫桑文的姑娘嗓音清脆，与清风混在一处，穿堂而上，绕梁不走。

> 冬前冬后几村庄，溪北溪南两履霜，树头树底孤山上。冷风来，何处香？忽相逢缟袂绡裳。酒醒寒惊梦，笛凄春断肠，淡月昏黄。①

"好曲，好词。"范若若微笑叹道，"桑姑娘的歌艺果然不凡。"

桑文得到京都颇有才名的范家大小姐称赞，心满意足，微微脸红行了一礼。

"冬景春寒，倒让这炎炎夏日也清爽了些。"林婉儿也点头称赞。

范闲在庆国重生十六年，却依然不怎么喜欢听曲子，倒时常怀念前世时杨宗纬的歌声。想到杨宗纬，便想到前些日子常常来范府拜望的贺宗纬，眉间不由得皱了皱。他无来由地讨厌那个才子。不过桑文姑娘曲子里的"忽相逢缟袂绡裳"一句，却惹动了他的某些心思。缟袂绡裳便是白绢衣袖、薄绸下衣，如白梅般素净，而当初庆庙香案之前，他与婉儿初逢之时，婉儿穿的不正是一件白色衣裳，如一枝素梅般？

只是那枝寒梅却多了些鸡腿的香火气息。范闲下意识往林婉儿望去，却发现她也正望向自己。二人的目光一触，范闲微微一笑，林婉儿微微一羞。

此时，桑文姑娘鼓足勇气敛衽一礼，轻声说道："小女子冒昧，想求范公子词句。"

京中艺人拼的是排场，看听曲儿的是王爷还是国公，可拼到最后还

① 元·乔吉，《水仙子·寻梅》。

是拼实力，就是词曲唱上的功夫。这位桑姑娘能够被郡主和范家大小姐同时瞧进眼里，自然是头等人物，日思夜想便是好曲好词，今日机缘巧合，遇见了京都诗名大噪的范公子，也由不得她矜持，不顾双方身份高低相差太大，勇敢提出这个有些冒昧的要求。

范闲一怔，身边的林婉儿和妹妹却已经嘻嘻笑着让他写去，连叶灵儿也睁着好奇的大眼睛，想看看他究竟能有怎样的句子出来。

范闲无法，只好进了里屋，铺纸研墨，范若若早已很有默契地坐到了书案前提笔等待。原来范闲竟然只是个书童的角色，跟着进屋的三位女子看见这一幕又忍不住笑了起来。

"妹妹的字要好些。"范闲略带尴尬解释着，虽然他在澹州时练字也算勤奋，但到了还是不如妹妹的字漂亮，所以干脆让贤。

不一时，范若若就用娟秀的小楷将范闲念的几句词记了下来，桑文初听之时，已经是眼前一亮，待紧张接过这张纸后，细细品读，更是大喜过望，朝着范闲就盈盈拜了下去："桑文多谢范公子赠词，大恩不言谢。"

林婉儿与范若若也是连连颔首，认为范闲写的这词当得起"大恩"二字。桑文若谱好曲子，将这词唱遍京都，只怕又有几年的好韶光。

范闲今日抄的是汤显祖的那段妙辞："原来姹紫嫣红开遍，似这般都付与断井颓垣。良辰美景奈何天，赏心乐事谁家院。朝飞暮卷，云霞翠轩，雨丝风片，烟波画船，锦屏人忒看的这韶光贱。"

他看着诸女陶醉神色，叹息着摇摇头，心想《牡丹亭》全篇才是妙文，这段单提出来，美则美矣，无前后文对照，总是欠缺了一些精气神——只是他如今忙于点卯经商谈恋爱，连郊游都是挤的两日，哪有时间去抄书。

"太惨了点儿吧。"一直默不作声的叶灵儿反应略显迟钝了些，直到此时才品出句中真滋味，悲悲戚戚地说道。

范若若忽然想到词中的"良辰美景奈何天"一句已经在《石头记》里出现过，是林黛玉行的酒令。若桑文将这词满京唱去，岂不是马上就会让人知道《石头记》是哥哥写的？但她看着范闲似乎忘了此事，私心深处也想着哥哥再博大名，不由微微一笑，将这事掩去不提。

　　郊游圆满结束，大家都得到了来前想要的东西。叶灵儿得到了一些"小手段"，桑文得到了范闲的词，范思辙得到了一肚子烤鱼烤肉，大宝拉了匹马回了相府，范若若得了两天清雅景致清心怡情，林婉儿得到与兄长亲近的机会，范闲得到的最多，却不能说。

　　如果就这样结束，那就是皆大欢喜。

　　然而太子来了。

"撤！"

听说太子要来避暑，范闲二话不说，吩咐王启年安排自己这一大队人撤退回京。潇潇洒洒来，却要惶惶然撤走，他自然有些不是滋味。林婉儿更是不解，心想承乾哥哥又不是老虎，怎么自家夫君会怕成这样。

遗憾的是，双方的车队终究还是没能错开，就在官道上相遇了。

太子李承乾，五官倒是挺清俊，只是感觉气色不大好，面色有些发白，唇角微微有些发乌。他今日来避暑山庄消夏，没有想到路上居然看见婉儿妹妹和叶家小姐，这都是打小一起长大的伙伴，所以停下来闲叙几句。知道婉儿昨天在避暑山庄过的夜，李承乾心痛地说道："妹妹也不爱惜一下自己的身子，御医说过，你这病最怕风寒。"

叶灵儿在旁边笑着插话道："林姐姐可不担心这些，如今身边可是跟着位名医。"

林婉儿瞪了叶灵儿一眼，笑着解释道："早就入夏了，哪里会染什么风寒。"

终是没有把话岔过去，太子对叶灵儿的话好生好奇，细细一问，才知原来前面那辆马车里面竟然坐的是婉儿妹妹将来的夫婿，不禁大感吃惊，说道："就是范家那个打黑拳的？最近可是出名的人物，赶紧让他过来让本宫瞧瞧。"

"算了吧，别吓着他了。"林婉儿有些为难地说道。

太子皱眉道："日后你们成婚了，他也算是我妹夫，见上一面又怕什么？再说了，过些日子父皇总是要召他进宫，拜见宫里的那些娘娘们。而且马上朝廷有职司要交给他做，难道他还想躲着不见人？"

这话就说得极重了，两队马车间顿时安静了下来。

"拜见太子殿下。"一个声音打破了平静，范闲不知何时已经来到了太子车驾之前，笑眯眯地躬身一礼。

太子李承乾身体病弱，性情懦弱，这是范闲目前不多的了解。他本不想出来与太子朝面，没奈何叶灵儿多了句嘴。

范闲这个名字在短短几个月的时间内声震京华，本就是桩异事，而且父皇指亲让他娶婉儿妹妹过门，背后所代表着的含意，身为东宫之主的太子，自然十分清楚。

如果长公主姑姑失去了内库的管理权，接手的却是敌人，只怕往日那些烂账就会大白于天下，这是太子目前最担心的问题。好在内库的移手还要等上两年，不算燃眉之急，但是范家与靖王好，靖王世子李弘成又与二哥相交莫逆。

太子微微出神，一时间竟忘了说话。东宫中的幕僚如今也分成了两派意见，对于范家是打还是拉，本身就还在考虑之中。如果是一般府第，太子也不会太过在乎，但是范家不一样，要知道眼前少年的祖母那可是父皇的奶妈。

"你……就是范闲？"太子终于醒过神来，微笑着问道。

"臣范闲，见过太子殿下。"范闲极为尊重地再行一礼，"不知太子车驾在此，所以先前未曾下车，还请殿下恕罪。"

"嗯。"看着范闲清逸脱尘的面庞，不知怎的，太子原先对他的恶感减退了许多，在这一瞬间内决定暂时先看看，于是静声说道："不知者不罪。只是我这婉儿妹妹体弱多病，你要多注意一些，不要学那些京都少年般，只图一时玩乐。"

"臣惶恐。"范闲听出太子今天似乎不准备对付自己，心中微安。

"不要太过拘谨，十月大婚之后，你也是要时常进宫走动的，放轻松些。"太子说道。

范闲微微一笑，应了声是，不料太子接下来的一句话却让他有些吃惊。

"马上东夷城与北齐的使团就要进京了，因为牛栏街的事情与你有关，所以朝廷决定任你为副使，暂提品秩使用，我提前知会你一声，做些准备，不要临时慌乱。"太子淡淡地说着，以为自己不知不觉之间就卖了对方一个好。

范闲怔了怔，说道："臣乃太常寺协律郎，参与国事谈判，只怕不妥。"

太子冷哼道："若无些许政绩，你日后在朝中如何自处？"

范闲听出对方有些生气，赶紧应了声是，又拜谢太子，才一偏身让开了地方。

太子挥了挥手中那把黑丝夹金线的马鞭，比较满意地点了点头，又转身对林婉儿温和地说道："你还是多进宫看着，姑姑很想你的，听说姑姑最近经常头……痛。"

太子的声音没有一丝异样，表情也很正常，但范闲的余光一扫，依然从太子的眼神中发现了一丝不安与懦弱。

"起驾。"随着一声喊，太子的车队动了起来，缓缓向避暑山庄的方向走去。范闲却不敢动，直到太子车队消失在道路尽头，他才轻嘘了一口气，直起了身体。

林婉儿走到范闲的身边，看他还望着马车消失的方向若有所失，不由叹了口气说道："知道你在愁什么，只是我这三位哥哥都不是好相处的，我看你最好别偏向任何一方。"

范闲一向认可林婉儿在深宫里陶冶出来的智慧，郑重点头，此时又想到另一件事情便问道："最小的那位皇子呢？难道也是个难缠的主儿？"

"三皇子才八岁大，哪里懂这些。"林婉儿安慰他道，"太常寺的虚职驸马加入礼部谈判，以前也有过这种先例，倒不见得是东宫真想拉拢你，且放宽心。"

范闲想着范思辙也提到过这个称号，很是不解，说道："大皇子在外领兵，二皇子在修书，太子排行第三，按道理来说，这位不应该是四皇子吗？"

林婉儿说道："太子哥哥终究不同，不入皇子序列，承平便成了老三。"

范闲摇头说道："陛下真是乱来。"

林婉儿说道："听说是老祖宗当年的意思。"

"老祖宗？"范闲知道林婉儿说的是那位深居宫中的太后，下意识里觉得有些寒冷。

"太凑巧了，京都东南西北，一共有十三处皇室别院，有两处行宫，一个猎场，太子殿下为什么偏偏今天来了避暑山庄？这里离京都极远，所以我们才会选择这里。"

范闲和王启年二人单独在一辆马车里，说话很直接。王启年也皱了眉头："如果是有人故意让太子来避暑山庄，好让我们与太子起冲突，这种安排太复杂，而且不见得会有效果。"

范闲眸子里寒意微起："只要在太子身边有人，稍微影响一下太子出游的目的地并不是难事。而且我在京都里的风评向来离不开'嚣张'二字，那些安排我们与太子巧遇的人，大概想不到，太子看见抢他银子的我之后居然没有生气，而我也这么老实。"

"不知道皇宫里的规矩，像太子出京小游之事需要安排多久。我们昨天来的避暑山庄，如果太子是几天前就确认要来此地，就可以确认不是有心人的安排。"王启年分析道。

范闲说道："我问过郡主，太子出行，只要不离京都二十八里地，便只需向宫中报备，一应准备事项，大概需要一天的时间。看相遇的时间，太子离宫的时候是今天早上。"

王启年担忧地看了范闲一眼，低声说道："安排这件事情的人，能有什么好处？"

范闲说道："好处很多，如果太子真的羞辱我，你说我们范家还能怎么办？"

"是二皇子？"王启年试探地问道。

范闲心想，入京之后二皇子屡次相召，自己因为某些原因却未能与对方碰面，还真不知道这位不甘心当个太平皇子的男子是个什么样的角色。但他不会很武断地判定这一切，遂乃轻声说道："谁知道呢？皇宫里的人个个成精，我才懒得理会。"

说不理是假，他仍然安排王启年下车，看看是不是有人在跟踪自己的车队。他相信以王启年的本领，如果有心人真的在官道上暗中监视自己，那么一定能抓到对方。如果没有人监视己等的车队，那就只能说明自己过于敏感多心了些。

在京都深正道旁有一个宅子，是王启年用了一百二十两银子买的，中间过了好几道手，相信没有人能查出真正的主人是谁。墙角有两个大汉被捆得严严实实，嘴里被臭抹布塞得满满的，满脸通红，眼角流泪，说话不能，咬舌自杀自然也是不能。

"在哪儿逮住的？"范闲轻声问道。

王启年身后的那名四处人员躬身应道："城外七里，王大人发现对方踪迹，对方被我们堵住之后还想狡辩，但禁不住我们查。昨天大人出京后，这两个人便一直跟着，只是不知道他们用的什么方法，将这事通知了他们的人，也不知道他们的人与东宫有什么关系，居然安排了这个巧遇。"

"问清楚是谁的人没有？"范闲对王启年问道。

王启年摇摇头："属下知道得越少越好，所以等着大人亲自审问。"

范闲看着墙角两名大汉，从对方眉眼间看出些别的东西来，拥有此等坚毅神色，却又没有受过刑罚训练的人，第一不可能是监察院的人，第二也不可能是皇宫里的人，并且早验过不是太监了。最有可能的还是二皇子的私人力量，当然，那位远在阴山脚下的大皇子也脱不了嫌疑。在这个时候，他忽然想起父亲司南伯的一句话来，当你不知道谁是你的敌人的时候，就不要胡乱树敌——即便知道谁是你的敌人又如何？假设问出是二皇子做的，难道自己还真能杀进王府？他苦笑地想着，知道有些事情还是别问清楚的好。

"不用问了。"范闲揉揉眉心，似乎那里有些郁闷，"都杀了。"

"是。"监察院的官员对这道血腥的命令没有一丝惊讶，平静地走上前去，拔出身旁腰刀，捅进那两名大汉的腰腹间，噗噗两声接连响起，两名大汉的脚胡乱蹬了两下，双眼一翻就死了。

"好好葬了。"范闲吩咐着，没有矫情地表现一下悲哀。

出了院子，在京都的小巷子里穿了许久，二人才走上大道。王启年陪着他散步，保持着下属应有的沉默礼貌。范闲忽然开口说道："北齐与东夷城的使团什么时候到？"

王启年应道："从入国境之后，四处就开始协助各地官府接待，应该下月初进京。"

范闲点点头："帮我查查对方有些什么人，另外……"他略一沉吟道，"如果不算坏规矩的话，能不能麻烦院子在北齐的人探探北齐使团这次谈判的底线是什么。"

王启年先前也听见了太子的话，知道大人要出任接待副使，应了下来，又道："四处大头目言若海的儿子言冰云已经潜伏北齐四年，很有些成效，估计应该有不少好料。"

范闲提醒他："这种事情以后要少说。"

王启年笑着解释道："大人身为提司，是有知道这件事情的权限的。"

范闲也笑了："这种要担责任的事情，还是少知道一些为好。"

王启年看着大人清秀脸庞上的温和笑容，再联想到先前院中杀人之事，心情不免有些怪异，轻声问道："既然不知道比知道好，那为什么还要查？这两个人死得似乎没必要。"

范闲平静地回答道："虽然不知道比知道好，但是还是要查，那两个人也必须死。因为我必须让别人知道，我知道他们不想让我知道的事情，两条人命是个警告，警告他们不要再来尝试操控我。看来牛栏街没有让那些高高在上的人物收敛一些，苍山脚下我二舅子的死又是四顾剑弄的，这才会让他们觉得我好欺，我不喜欢这样。"

后几日天下太平，那两个无名大汉的死亡，似乎根本没有人在意。范闲偶尔去太常寺点点卯，偶尔去澹泊书局收收钱，偶尔去豆腐铺子动动手，偶尔去宰相府与未来的老丈人拉近一下感情，偶尔夜潜皇室别院恋恋爱，偶尔待在范府里与妹妹讲讲故事，抄些书来看，便是这些天的全部生活。

这天夜里，范闲洗漱完毕，准备上床，目光又落在了随意扔在一旁的黑皮箱。他不知道箱子里是什么，自然会有些好奇，但是同处一屋久了，钥匙又没有下落，如今不免有些麻木。当然，如果他知道陈萍萍也很在意这只箱子的话，一定会重新估算箱子的价值，不会像扔破烂一样地扔在房里，而是会在床下挖个大坑，再盖上三层钢板藏着。

钥匙在哪里？就像是老天爷忽然听见他内心深处的莫大疑问，一个很冷淡的声音在范闲的耳朵里响了起来：

"钥匙在皇宫里。"

紧接着是无风无声的一记黑棍自天外而来，狠狠砸在范闲的背上。一声闷响，范闲躲避不及，重重地被打倒在地，后背一阵生疼。他痛苦地咳了两声，吹起了脸前的几丝灰。

"你退步了。"五竹的声音虽然没有情绪，但很显然对范闲的表现不满意。

范闲从小就习惯了这种生活，从地上爬了起来，体内真气缓运，消弭着背后的痛楚，看着黑暗一片的墙角，说道："叔，这么些天不见你，真是担心死了。"

五竹有些不适应他话语间流露出来的热情，冷冷地退后半步，冷冷地戳穿了范闲的谎言："我知道，你不担心我。"

范闲有些羞涩地笑了笑，他确实没有怎么担心。五竹这种变态宗师级杀手，相信走到哪里也不会有事情，但许久不见，难免有些想念，有些好奇这些天里他做什么去了。

五竹继续说道："钥匙在皇宫里。"

第二次重复才让范闲醒过神来，他恍然大悟道："原来这些天，你一直在找钥匙。"

"这是小姐的遗物，我当初不应该听陈萍萍的话，把钥匙留在京里。"五竹的语气依然淡漠得不似凡人，"我在皇宫里找了些日子，算出三个可能的地方。"

"太冒险了！"范闲有些恼怒。五竹叔虽然有宗师级的实力，但皇宫大内又岂是善与之地，不说那些侍卫们都是高手，费介曾经提过，四大宗师里面最神秘的那位一直都是隐藏在皇宫之中。五竹竟然冒险在皇宫里待了这么多天，万一被人发现了，那位神秘的大宗师出手，再加上五百带刀班直，只怕就算五竹神功通天，也没有办法活着出来。

像是没有察觉到范闲的怨气，五竹继续淡淡说道："你想要钥匙吗？"

范闲明白五竹叔的性情，如果不是有必要的事情，对方可能会永世不和自己见面，今天夜里他说起钥匙的事情，当然不是来征求自己意见，而是因为这件事情需要自己的参与。只是……五竹叔如果要在这个世界上拿一样东西都很困难，自己能帮什么忙呢？

"皇宫里那三个地方很不好进。"五竹说道。

范闲有些好奇是哪三个地方，开口相问。

"兴庆宫，含光殿，广信宫。"

范闲苦笑无语，皇宫里面确实就这三个地方禁卫最为森严，分别是皇帝、太后和长公主的居所，别说是皇宫里最不好进的地方，简直可以说是全天下最难进去的地方。

五竹接着说道："我会把那个叫洪四庠的太监拖到皇宫外面一个时辰，你去找钥匙。"

"洪公公？宫中太监首领，三朝元老，听说从开国那日便在宫中了，势力深厚。如果我要去宫里偷钥匙，你为什么要把他骗到宫外去？这之间有什么关系？"这时他忽然想明白了一件事情，吃惊地抬起头看着五竹脸上的那块黑布，声音微紧地说道，"难道洪公公就是传说中最神秘的那位大宗师？"

费介当年说过，天下四大宗师，一为东夷城四顾剑，一为北齐国师苦荷，一为庆国流云散手叶流云，还有一位也是庆国人士，只是从来没有人知道他是谁，在哪里，只是通过一些传闻，隐约有种推论，这位大宗师可能隐藏在庆国的皇宫里面。

五竹摇了摇头："我不知道，我没有与他交过手，但是我知道，目前皇宫里面，最容易发现我的，就是那个叫洪四庠的太监。"

范闲沉默不语，心想连五竹叔都能发现，这名洪老太监一定是皇宫之中深不可测的人物，大宗师身份已经呼之欲出。以五竹的冷淡性情，连叶流云也杀得，只是杀不死而已，自然不会忌惮这天底下的任何一位大宗师。上次是为了掩藏自己与范闲间的关系，所以出手暴烈，这次却是为了偷到钥匙，行事风格自然有所区别。

五竹离开之后，范闲重新躺回床上，此时再看着黑色皮箱的眼神就有些不同了。如果说钥匙是在皇宫里戒备森严的地方，那箱子里面一定藏着很重要或者很恐怖的东西。比如边防地图，老妈一手建立的监察院高级间谍名册，再或者是……叶家的藏宝图？他再也无法安睡，站起身来，一脚将箱子踢进了床底下，似乎觉得只有这样才能安全些。

第二日，范闲来到若若的房里，找她要了一些缝衣的针线。若若从盒子里取出几根小针递给他，好奇地看着兄长问道："这是绣花的，哥哥是衣裳破了？那交给丫鬟做去就好。"

范闲笑了笑，说道："比缝衣裳可要复杂得多。"他想了想，又说道，"不要让别人知道，我在你这里拿了三根针。"

范若若有些糊涂地点了点头。

大婚在即，范府早就开始筹备起来了。范闲与林婉儿的婚事有些奇异之处，一应规矩都要重新确定，至少不会像别的郡主驸马一样，由皇室安排驸马府。

新婚宅子与司南伯府挨着，中间开了一个门，前后两府就通在了一处。只是范闲婚后住的院子，正门却开在相对的另外一条街上。

这几日那府里安静得很，里面的树木假山也早已处理完毕，就在那儿靠天风天水养着，因为没有什么人在，偌大的院子显得幽静得厉害，没有人愿意在里面多待。

一个黑影飘过，正是范闲悄悄来到了院落之中。他右手上托着一块豆腐，左手四指间夹着三根银针。他找到一个僻静的地方，很仔细地将豆腐块搁在柳树的枝丫中，豆腐经过他的改良后，变得极嫩，颤巍巍的似乎随时可能碎掉。

他闭上双眼，缓缓将丹田内的霸道真气提升，经由头顶向后，汇入腰后雪山中，形成了一大一小两个真气通道，让自己整个人的状况晋入宁静，再无一丝杂念。

风声起，范闲整个人化成一道风，吹向了柳树中间，轻轻一触，脚尖极为强悍地止住了前倾的势头，倏的一声，凭借对身体的控制能力，又弹了回来。就像狡猾的鱼儿在逗弄愚人的鱼钩一般。

半晌之后，他负手在后缓缓走上前去，眯眼看着柳树枝丫里的那块豆腐，豆腐上面有三根细针，正在微微颤动。原来就在刚才电光火石间的一瞬，他奇快无比地将细针插入豆腐里，摆成了一个品字形。以他对人体构造的了解，这套手法如果是用来杀人，想来一定很有效果。

自从牛栏街事件之后，他一直在寻找自己最趁手的武器。五竹叔的武器就是棍状物，不论是木棍还是很简单的一根铁钎，在五竹的手上都是夺人性命的利器，这是境界使然。而范闲很清楚，对于自己来说，一把顺手的武器，可以在很多的时候挽救自己的性命。

其实，他很喜欢此时靴间细长的那柄匕首，不论在澹州还是在牛栏街，费介留下的这把锋利宝匕已经帮助了自己两次，只是这柄匕首在某些场合根本无法带进去，比如——皇宫。

范闲知道，既然钥匙在皇宫里，只怕自己终究不免还是要和前世小说里的那些侠客一般，闯一次宫禁。五竹昨天的一棍、一席话，让他受了些刺激，重新找了些激情。看着指上的三枝针在初阳下反着光芒，他默默地想着，应该涂什么样的毒药才比较合适呢？

确定了目标之后，做事情就会显得很有激情。所以当一个伸手不见五指的夜晚，范闲激情万分地摸进林婉儿的闺房后，婉儿不免有些惊喜，毕竟离上次郊游没有多久。一番亲热之后，范闲装作不经意地问起皇宫里的那些事情来。

林婉儿从小在皇宫里长大，对里面的人事相当熟悉，也没有好奇未婚夫为什么忽然对这个感兴趣，还以为范闲是在头痛以后入宫请安的规矩，宽慰道："宫里的娘娘们对我都是极好的，陛下又不好女色，不像北齐十几年前死的那个老皇帝，六宫粉黛看不尽。除了皇后娘娘之外，宫里还有大皇子的生母宁才人，二皇子的生母淑贵妃，三皇子的生母宜贵嫔，还有些嫔妃，应该用不着去请安。"

范闲心想那些娘娘们自然不愿意得罪你的生母——那位深得太后宠爱、手控内库银钱的长公主。他好奇地问道："为什么大皇子的生母只是一个才人？"

林婉儿解释道："宁才人是东夷人。当年是陛下第一次北伐的时候掳回来的，听说当时在战场上，陛下受了重伤，宁才人日夜照料，所以陛下帮她脱了奴籍，又入了宫，生下了大皇子。但毕竟她不是庆国人，虽说救过皇上，又生了长子，依然没有办法博取太后的欢心，自然也不可能立为皇后。但也慢慢熬成了贵妃，可是前些年宫里好像出了一件什么事情，陛下大怒，夺了她的尊位，直接降成了才人。"

范闲微微一怔，心想这深宫里的争斗果然复杂。林婉儿叹了口气，继续说道："幸亏大皇兄如今在西边战功卓著，宁才人在宫中才能保住地位，她如今大概也有些心灰意冷，不怎么愿意见人。以前我还经常跑到她宫里去玩，只是这两年少了些。"

范闲又问了些宫中秘闻，林婉儿倒也不瞒他，一五一十地说着。到最后，范闲终于问到了今夜的题眼，很随意地说了声："听说太监首领洪公公在宫里权势极大。"

林婉儿轻声说道："洪公公开国之初便在宫里当差，先帝在位的时候就很信任他，如今还保着五品的太监首领职位，只是年纪大了不怎么管事，基本上就在太后宫里待着。"

"太后宫里？"范闲的心里顿时涌起许多阴暗的前世历史记忆。

"怎么了？"林婉儿好奇地问道，两只大眼睛一眨一眨的。

范闲揪了揪她微凉的鼻尖，笑着说道："没什么，只是如果想和宫里搞好关系，我总得将这位洪公公处打点好了。"

"那倒不用。"林婉儿解释道，"这位老公公也就是在宫里走动，并不怎么管事。"

范闲不可能对怀中的女子说出自己的计划，只好微微一笑，接着问道："最近你留意一下，看看宫里大概什么时间会宣我去见。"

第二天去太常寺点卯的时候，任少卿大人神神秘秘地将范闲拉到一边，压低了声音说道："你知道那件事情吗？"

范闲看着他那张三四十岁，犹有当年俊秀痕迹的脸，理所当然地装傻："什么事？"

任少卿叹口气说道："鸿胪寺今天晨间发文过来，说要调你去那边。"

鸿胪寺是庆国专门负责接待外宾，处理各国之间事宜的机构。范闲一怔，知道太子说的事情开始了，一拱手问道："少卿大人，为什么要我调去那边？我来太常寺也才十几天而已。"

任少卿皱眉道："范老大人在东宫里有没有关系？"范闲知道他是在问自己的父亲，摇了摇头说道："您知道家父极少与宫中交往，就连大臣结交得也少。"

"那倒是。"任少卿点点头，司南伯范建是出了名的油盐不进，仗着与皇帝陛下从小一起长大的特殊关系，以往连宰相都不怎么理会，在几个皇子之间也一向持平。他想了想说道："听说是东宫那边的建议，让你参加这次谈判。"

范闲不知道如何应对，只好继续装糊涂，惊愕道："什么谈判？"

"北齐来使，谈的是北疆诸侯国之战的后续，比如斟界赔银之类。而东夷来使，则是要处理上次苍山脚下宰相二公子遇刺一事，听说带了不少银子和美女。所谓谈判，便是看朝廷与这两处讨价还价了。"

任少卿姓任名少安，是宰相门生，如今自然将范闲视作自己人，他小心地提醒道："这事如果办得好，也只不过是锦上添花，反正将士用命，已经将那些疆土都打了下来。但如果办得不好，没有获得皇帝陛下预料中的利益，那就是极大的不妥。而在东夷城方面，事关二公子之死，如果你过于软弱，则在宰相面前不好交代，可是朝廷既然允许东夷来使，就证明朝廷不想过于追究此事，只想得些好处便算了……毕竟东夷城还有位四顾剑。"

范闲心想这些事情确实有些复杂。任少卿接着关心地说道："你的身份特殊，与宰相马上就要翁婿一家，如果想迎合圣意，未免失了翁意，总之要小心一些。"

范闲一怔，才想到其中的关节处，感激道："下官初入官场，根本不知其中玄妙……只是这事情有些复杂。而且下官不过八品协律郎，就算鸿胪寺调我去协理，只怕也是人微言轻，那老实待着便好。"

任少卿摇摇头叹道："这次你可是副使，风口浪尖，不知道多少双眼睛在盯着你。"

"盯我干吗？"范闲心里这般想着，面上微笑着说道，"少卿大人多虑了，应该无事。"

虽然不知道东宫那边让自己去任副使是个什么意思，到底是拉拢，还是想让自己顺了翁意失圣意。总而言之，范闲已经做足了准备，倒也不怎么畏惧。下午的时候，就有官轿过来接了他，一路青石之上行走，不过一刻钟的时辰，轿子便进了鸿胪寺。

鸿胪寺相当于前世的外交部门，鸿胪寺卿相当于外交部部长的角色。还是在前世范闲听过一句话，叫作弱国无外交。如今的庆国乃是天下第一强国，这鸿胪寺自然也成了很有油水、很有地位的一个衙门。四周柏树森然，夏日热气根本渗不进衙门里一丝，范闲安静地坐在清静厅堂的下手方，听着鸿胪寺少卿辛其物讲话。

"范大人，此次朝廷任你为接待副使，一是用您才名，二来北齐之事终归与您有些关联，只是这一应事务您并不熟悉，所以不要着急，慢慢来吧。"辛其物知道最下方坐着的那个漂亮年轻人的背景有多深，说话很是客气。

"是啊，范大人诗名满京华，来咱们鸿胪寺和那些外邦蛮人理论，实在是屈才了。"一大堆官员看着范闲，不露声色地拍着马屁。

会议结束之后，辛其物领着范闲去了给他准备好的小单间，指着里面已经装满了一个大立柜的文书说道："相关资料都在这里，这次谈判最关键的是，北齐那边想送些银子就拿回一大片地，这片土如今已经是被咱们占了。而东夷城方面没有任何要求，只是想了结上两次的暗杀事件，一桩就是与范公子有关的牛栏街事件，那两名女刺客已经证明是四顾剑三徒的女徒弟。第二桩就是苍山下庄园那件事情，不过……"他看了范闲一眼，略斟酌了一下还是继续说道，"你也知道，那件事情有些复杂，所以朝廷在这方面也不可能提出太有力的证据。"

范闲开始头痛，难道自己今后这十几天就要与这些东西打交道？看出他的意思，辛少卿微笑着说道："范大人若是不愿坐班，也可带回家去，只是这些文书可不能出衙。"

范闲大喜过望，感激地说道："大人若不嫌小的懒惰，小的倒愿意天天在家睡大觉去。"

辛其物闻言一怔，压低声音说道："范公子，东宫对您是抱很大期望的。"

范闲知道了对方的背景，应道："大人放心，家父常教训家中子弟，身为臣子，自当谨守臣子之道。"

听见这个答复，辛其物满意地点点头，说道："司南伯大人一心为国，下官向来敬佩。"

之后两人又说了些不咸不淡的话，辛少卿便出门而去。范闲看着他离开的背影，眯起了眼睛。父亲范建确实曾经说过，太子是陛下选定的皇位继承人，忠于陛下的范家当然也要忠于太子，问题是这句话怎么听都觉得有些问题。想来东宫也不会相信范家的态度，任范闲为谈判副使，便是东宫一次小心翼翼的尝试，看看范家有没有可能往太子的椅子边上挪一点点，哪怕就是那么很少的一点点。

此后十几天里，范闲真是如同那日所说，天天就把自己关在府里睡大觉。当然，对于他来说，睡觉本身也就是修炼的一个必经过程。而关于公务方面的事情，他拿回了一些资料之后，就交给了王启年，让他做主去办理，务求要拿出一个很妥帖的谈判方案。

范闲当然知道王启年会暗中向监察院的那个老跛子汇报工作。既然如此，这种繁杂又无趣的工作，自己交给了王启年，陈萍萍大人不管是看在母亲的面子上，还是父亲的面子上，必然会处理得妥妥当当，他自然也不会客气。

果不其然，数天之后，王启年面容憔悴地来到双方约定好的小屋之中，递过来一个厚厚的夹子。范闲打开一看，双眼便亮了起来，只见里面分成两份，一份是只允许鸿胪寺高级官员观看的内部参考资料，一份是拟定好的与北齐谈判的卷宗。

资料里面将北齐的内部情况分析得清清楚楚，年轻皇帝与太后之间的勾心斗角、苦荷国师的倾向等等，卷宗里说得清清楚楚。太后的亲弟弟长宁侯这次因为战败而被北齐文臣攻击，所以年轻皇帝并不在乎要赔多少钱、割多少地，只是想借着民怨削弱后党势力。而太后方面因为急于平息事端，好空出手来整顿朝政，对这次谈判的指示也是以忍让为主。

这些隐藏在暗处的东西，当然不可能是鸿胪寺官员能打听到的，只有监察院通过四处在北齐的密谍，打探得一件件的小事，再加以组合分析，才能够得出如此明确的结论。

"妙极。有这些情报在手，鸿胪寺的官员们可要笑开花了。"范闲顿了顿，好奇地问道，"这些情况的可靠性有多大？"

王启年眼角的皱纹更深了，看来最近几天没有睡好："可靠性非常大。言冰云目前在北齐已经打开了局面，整个情报网铺设得非常合理，互相参照，应该没有问题。"

范闲对那个叫言冰云的年轻公子不免生出几分敬意，为了国家利益，安于做一只隐在暗处的老鼠，一做就是好几年，身为朝廷高官之子，确实很不容易。他又哪里知道，言冰云之所以会可怜兮兮地待在北齐，完全是因为自己十三岁时的那场未遂暗杀事件。

"得，明天就去鸿胪寺，与少卿大人商议商议。"范闲看着王启年欲言又止的神情，好奇地问道，"还有什么事情？"

王启年为难地说道："大人，这份资料不能交给鸿胪寺。"

"为什么？"

"因为……这是院里的机密，整个鸿胪寺，包括鸿胪寺卿在内，都没有资格接触。"

范闲苦笑道："那该怎么办？干脆让院里通过正常渠道，直接给鸿胪寺好了。"

王启年叹了口气，心想如果不是院长大人一心想您在这次谈判里一举惊人，铺平将来的仕途，又怎么会命令整个六处连夜运转，才写就了这样一份卷宗。这卷宗看似寻常，其实却凝结着监察院十几位情报分析专家的心血，您要随便就给了鸿胪寺，院长大人只怕会气得从轮椅上跳起来。

第四章

谈判无艺术

夏末时分，荷显残意，暑气依然，京都的行人和道上黑犬都被这天气整得有些恹恹无神。八月初八，正是大吉之日，北齐使团与东夷使团同时到达京都西北面最后一处官驿。庆国皇帝特下亲旨，准两使团借住皇帝行宫，三方礼宾官扰攘数日，终于拟定了进京的日程以及安排。京都百姓们纷纷精神一振，觉得平凡无聊的生活里，突然多出一场秋雨。在他们看来，北齐与东夷的来使哪里是来谈判的，就是来递交投降国书的。

身为谈判副使的范闲，自然也在迎接使团的队伍之中，从京都西门处便候着那些两国官员，安排他们住进了京都官驿之中。北齐使团官员们的脸色不大好看，毕竟这场战争他们是输家，北齐将士被俘虏了不少，最关键是被占了不少土地。

"少卿大人，这位是？"北齐使团中位阶最高的是当朝太后的亲弟弟——长宁侯。他居高临下地看着那个漂亮的公子哥，心里有些微恼，庆国对等接待的正使，只是个鸿胪寺少卿倒也罢了，居然让这样一个年轻人来充任副使，不能不说是对自己的一种蔑视。

"下官范闲，拜见侯爷。"

范闲满脸清澈的笑容，看着敌国来客，怀中监察院的情报说得清楚，这位爷是个摆设，后方轿子里那位抢先被宫里人安排去别院住的一代大家庄墨韩，才是真正的大人物。

　　和京都里等着看热闹的居民相比，范闲没有什么精神。他正在自己的书房里小心翼翼地写些纸条子，尽量将监察院的情报分析报告，用一种久居京都的公子哥口吻，重新抄成略带几丝书生气的判断。以免让鸿胪寺的那些官员们听到自己的进言后下巴掉到地上，怀疑庆国除了皇帝陛下的监察院之外，什么时候又多出了一个恐怖的情报机构，而且这机构还在为一个区区八品协律郎工作。

　　范若若精神也不大好，一面用小楷抄着，一面将纸条子贴起来，说道："哥，这还真是奇怪，你从哪里得的这些情报，为什么不直接用，还非得把理由弄得荒唐一些。"

　　范闲极少有事瞒着自己的妹妹，这一点，甚至连林婉儿都不及若若。他苦着脸说道："我当初只是偷懒，所以想借对方的力量，谁知道竟整出如此缜密恐怖的一个案宗来。这些情报的来源见不得光，所以不能直接交给鸿胪寺。"

　　"这次北齐的来使是谁？"范若若其实很高兴自家的兄长，终于可以光明正大地参与到朝政之中。虽然从很小的时候，范闲就开始教育她，但是她毕竟是在庆国这个世界里长大的女孩子，总以为堂堂男子汉，天天去做豆腐，这事情只能当作娱乐，而不能长久下去。

　　范闲整理着桌上的情报，随口应道："是北齐太后的弟弟长宁侯。不过这次北齐使团里最显眼的人物倒不是他，而是北齐一代文坛大家，叫作庄墨韩。听说只要是天下的读书人，都挺服他。不知道北齐那面付出了什么代价，竟然把他也拉进了使团里，到时候殿前论断，只怕陛下也要给他几分面子，这要地要钱的屠夫风格恐怕要收敛一些了。"

　　"庄墨韩？"范若若一惊，脸上顿时散发出一种光泽。

　　范若若是个清淡的女子，除了无比崇拜自己的兄长以外，对别的读书人向来不假辞色，见她如此动容，范闲微带醋意地说道："幸亏案宗里说得清楚，这个庄墨韩已经七十岁了。"

范若若微羞说道："做哥哥的，怎么尽乱说。"

范闲笑道："那说正经的，那日在田庄里与你说的事情，你到底有个主意没？"

那夜月明星稀，兄妹二人在田垄上操心小姑娘日后的婚事，可是若若烦恼了一阵，看四周年轻才俊终无一人入眼，也只好罢了。偏在此时范闲想起了一桩事情，皱眉道："上次我们在流晶河畔巧遇圣上的时候，他是不是说了一句话？"

"什么话？"范若若难得显出糊涂来，看来兄妹二人当时都过于震惊了。

范闲闭目良久，忽然睁眼，大惊失色道："圣上要给你安排婚事！"

"啊？"范若若吓得不轻。

若说官宦家的子女最怕什么？怕的就是婚事。如果运气好，像林婉儿这样配了范闲倒也罢了。如果是像太常寺任少卿那样，配了个母老虎郡主，一生不得顺意，那可就惨了。而在所有的婚事安排中，最可怕的就是来自宫中的指婚，圣意不可违，就算让你去嫁个纨绔子弟，你也不可能找个地方说理去。

如果说往年间官宦家还存在将女儿送入宫中邀圣宠的可能，但现在的皇帝陛下不好女色，连带着太子及成年的二位皇子，也不敢多收姬妾，此路自然不通。要知道太子好色之名传遍京都，但东宫里也只有冷冷清清的三位妃子。

范若若也想起了陛下无意间的那句话，骇得不轻，眼里含着泪说道："那可怎么办？"

范闲脑筋动得极快，心里马上算出了可能的几家，说道："大皇子、二皇子、靖王世子，虽然父亲只是侍郎衔，但凭着范家的地位，陛下指亲只能在这三人中选择。若是选的哪位大臣家，那就不怕，你不乐意，我自然有办法推了这门亲事。"

如果指亲的对象是大臣之子，妹妹又不愿意，范闲自然会想到许多办法，毕竟如今自己的身后站着父亲、陈萍萍、宰相大人。所谓三位一体的牛人，就连东宫太子现在都在试探着拉拢自己。只要不是那两位皇子和靖王世子，他有信心把那些可能的亲事全搅黄了。

　　但最大的可能还是那三位……范闲忽然想明白了一件事，骂道："我说李弘成这小子天天逛青楼，偏不成亲，原来是在这儿候着！"

　　看着妹妹惊惶的神情，范闲安慰道："大皇子常年在西蛮作战，听闻英武过人。二皇子虽然没有见过，听说也是极厉害的人物。至于李弘成这厮，咱们兄妹二人都熟悉，除了有些贪图美色，倒没有什么不好的地方。若将来真要嫁李弘成，有我站在你这边，别说逛青楼了，连妾室我都不会让他收一个进房，妹妹你就放心吧。"

　　他不安慰还好，这一细细分析，范若若愈发觉得这件事情是真的，似乎马上就要到来一般，难过地说道："哥哥，可是这三人我都不想嫁。"

　　范闲柔声道："有什么不好？将来见了你，我可得尊一声什么妃了，万一二皇子将来真当了皇帝，你母仪天下……岂不是成了我的老妈？"

　　这笑话非常地不好笑，所以若若并没有破涕为笑。书房里一阵尴尬的沉默。若若心头一片惘然，范闲却是渐渐平静下来，心想将来若真有什么事情，自己得准备些手段才行。

　　谈判地点就设在鸿胪寺最大的那个房间内。北齐来使与庆国接待官员之间没有摆一张极长的桌子，而是像闲话家常般坐在各自的椅子上，几上有茶，谈天般地说着事情。范闲坚持坐在最下方不起眼的椅子上，冷眼看着这一幕，想到了前世的一个词儿：茶话会。

　　温柔的言语往来之下隐有刀光剑影，说不多时，在战场上已经见了分晓的两国大臣们语调开始渐渐高了起来，有些性急的大臣的臀部甚至快要离开椅面。

　　"哼！不知道这北疆一战，到底是你们北齐胜了，还是我朝胜了？"

鸿胪寺里一位六品主簿再也忍不住对方的无理说法，站起身来厉声斥责道。

"战事多凶险，我大齐陛下心忧天下臣民，故而仁义停战，胜负未分，又哪里知道谁是赢家。"北齐国的使臣脸皮若不厚，也不可能被派来做先锋。看对方说得理所当然的模样，连本想置身事外的范闲都恨不得冲上前去揍他一顿。

鸿胪寺少卿辛其物微微一笑，轻声说道："既然如此，贵使请回，你我二国之间再打一场，真正打出个胜负后再来谈判不迟。"

这是什么？这是赤裸裸的威胁，这是赤裸裸的国家恐怖主义，这是赤裸裸的流氓习气。

范闲面上没有流露出震惊的神色，内心深处却是无比赞叹。

北齐方面怔了怔，开始攻击庆国官员胡乱发话，对两国间的友谊造成了不可挽回的影响。不料辛少卿继续冷冷地回了一句："贵我两国之间，何时曾经存在过友谊这种事情？"

"韦小宝谈判，大概就是这种风范。"范闲心中啧啧有声，堂堂鸿胪寺少卿，竟然在两国交往中要起无赖来。若不是南庆国力强盛，怎会出现这样的画面。

鸿胪寺的谈判，向来配合得当，红脸黑脸轮番上场，果然马上就有另一位主簿满脸仁厚地站起身来："诸位大人不要因为情绪激动影响陛下重修两国之好的初衷。"

双方拂袖而去，茶话会就此结束，高层官员们已经亮明了身段，而真正在谈判桌边打架的事情，都是交给属下那些劳心劳力的下层官员来做。谈判陷入僵局之中，一时不得前行。而北齐使团那位一代大家庄墨韩，入宫与太后说过一次话之后便极少出来见人。范闲很是纳闷，难道那位老爷子是来度假的吗？

两日后，鸿胪寺内。

"换俘是头一桩大事。"辛其物没有了与北齐人谈话时的尖刻，淡淡地说道，"陛下有旨，被俘将士无论如何也要换回来，其余的都是小事，这方面我们不妨退让一些。"

下方有官员应了一声，说道："俘获北齐及附庸小国的人数大致统计出来了，共两千四百余人，我方被俘约千人左右。依陛下的旨意，就算我们两个换一个也能换回来。"

辛其物点点头，很满意属下的工作效率："关于重新划界的问题，陛下的意思也很清楚，凡是这次占得的土地一寸不让，如果北齐想要土地，就拿潜龙湾那块草原来换。"

潜龙湾在庆国西北方，与庆国在那处唯一的飞地相连，如果能拿回来，庆国的那块飞地就安全了。

下面的官员们奋笔记录着上司的意图，有人头痛地说道："只是这一次不知道为什么，北齐方面特别强硬，好像有些鱼死网破的意思，只答应给钱给马，就是不肯割让土地。"

上次茶话会时第一个跳出来的那位主簿明显是个冲动派，一拍桌子骂道："那些地我们已经占了，难道还要吐回去！"

辛其物点了点头："肖大人虽然话说得直接了些，但确实是这个道理。"他那冷冷的目光扫视了一遍下属，重重地将手中的茶杯放下，说道，"诸位同僚，不要忘记，这些土地是咱们的将士一刀一枪打回来的，是用血和骨肉换回来的，那些将士们付出了生命的代价。而我们呢？只是动动嘴皮子，所以我们更不能放弃本国的利益，要一丝一缕一两银子一寸土地地与对方争。"

先前发话的那人继续皱眉道："大人此言极是。只是据驻上京的使臣暗中回报，北齐太后与皇帝之间的关系，因为此次战败的缘故已经和缓，如果我方在谈判中要求太多，万一破裂，两国再战，北齐方面真的君臣一心，也是麻烦。圣上不会愿意见到这样的结局。"

"北齐上京太过遥远，一来一回，这些情报也不见得管用。"辛其物有些头痛，谈判最关键的就是知己知彼，虽然眼下占了主场和胜者的优势，但对方身处庆国都城，依仗北齐谍网对朝廷的反应能第一时间知道，庆国方面想知道北齐朝廷的真实反应却有些困难。

有人出主意道："为什么不请陛下让监察院四处协助我们？要知道四处在北齐的人物可比朝廷其他衙门的人手要厉害得多。"

众人眼睛一亮，心想这倒是真话，身为文官当然对监察院又惧又恨，但如果用监察院这条疯狗来对付敌人，没有官员会有意见，只会双手双脚赞成。出乎众人意料，一听这建议，辛其物顿时失了风度，骂道："你们想到的事情，本官还有寺卿大人难道想不到？那个阎罗殿不肯给东西，我能怎么办？难道要我去陛下寝宫前哭跪去？"

众官心道原来如此，面色回归宁静，内心深处却想着，如果能够搞到北齐的情报，您就在兴庆宫前的石阶上哭一场又怕什么？

当今陛下即位之前，庆国始终生活在北魏的恐怖阴影之下。后来北魏虽然被陛下三次北伐打得只剩下一大半疆土，成为如今的北齐，但如果将对方逼急了再起战事，也是件很麻烦的事。

"我今晚再进宫一次，请陛下的旨意。"辛其物皱眉说道，还瞥了眼一直安静坐在最下手的范闲。范闲这个副使似乎毫无副使的自觉，这些天不论谈判还是做什么，他始终是满脸笑容地坐而不语，不知道在想什么。

"范大人，不知道你对这件事情有什么看法？"

范闲衣袖里的拳头微微一紧，脸上却是一片平静，应道："下官以为，北齐眼下只是虚张声势，若他们真的还有再战之心、再战之力，也就不会这么急着派使团前来求和。"

众官一向知道范大人诗名颇盛、拳名颇盛，加上这些日子又欣赏对方安静不争功，所以对于他此刻的发言都有些期盼。然而却发现他也只能说出这样一种无关痛痒的说法，不免有些失望。

辛其物继续问道："此话有理。只是两国交往，实则虚之，虚则实之，一国有如一人，易被情绪所支配，不能全以道理推断，不知范副使可有其他证据？"

范闲暗赞这句"一国有如一人"，说道："诸位大人也清楚庄墨韩先生在天下士子心中的地位，北齐不是有心求和，断不会花大代价请这位随使团来京都。"

鸿胪寺诸官都是科举出身，当然知道庄墨韩的大名，略一沉吟发现确实有几分道理，但是仅此一桩，也不足以将谈判的方向重新拉回原来的道路上。

辛其物皱眉道："如果知道庄墨韩为何肯来，或许能有些帮助。"

监察院的案卷里写得清清楚楚，庄墨韩之所以肯来，一是北齐太后及皇帝放低身段相求；二来是庄墨韩此人以圣人自诩，想调解两国间的兵争；第三个理由似乎是此人的私人原因，还没有查出来。范闲很不喜欢所谓圣人的说法，却不会轻视对方的名望，只是也不会当着众官的面将这些原因说出来，于是说道："如果能和他见一面，或许能看出些端倪。"

肖主簿无奈地说道："这种人物一般只能在殿前赐宴上见到。像鸿胪寺的官员去求见，对方如果不见，我们也没办法，只是自取其辱罢了。"忽然他眼睛一亮，"不过范副使如今诗名早已传遍天下，以诗会友这个名头，相信庄墨韩不会拒绝。"

范闲一愣，心想自己拢共只抄了三首诗，其中还有两首是若若写出来的，怎么就能扯到诗名遍天下？幸亏辛少卿摇着头帮他解了围："庄墨韩此人向来极傲，经史文章诗词歌赋，皆是世间首选奇人，怎会放下身段见范副使？依我看来，此次北齐请他来，关键就是殿前赐宴的环节，想借他的名望，说动陛下。"

会议散后，范闲觑了个空儿将少卿拉到一边，将自己与若若耗费了数夜"整理"出来的进策递了过去。辛其物随意一翻，眼睛便亮了起来，全然没料到范闲竟然能写出这样的东西，里面虽然事证颇有荒唐处，但细细分析却似直接指明了北齐目前的朝局。

"好！"辛其物激动地说道，"如此一来，我鸿胪寺谈判时就有底气。只是……范副使，为何你先前不提，此时却私下予我？"

范闲看着上司狐疑的神色，微微一笑道："里面有些推断不免荒谬，只是下官个人意见，所以不敢当堂说出，只是私下供少卿大人参考。"

辛少卿忍不住内心的激动，就站在廊间细细阅览，眉宇间渐渐皱了起来。良久之后，他才轻声问道："范公子，这里面有许多事情，是朝廷都不知道的秘辛啊。"

范闲心中一凛，知道终究没能瞒过对方，但他的养气功夫从澹州至京都已经锻炼了十几年，自是面色不变地微笑说道："下官有些事情不便多言。"

为官之道，有一要旨便是扮个高深莫测。果不其然，辛其物不再追问，反而温和地笑道："若此次谈判能竟全功，我定要上书陛下，保你一个大大的功劳。"

范闲一笑行礼告退。

辛其物看着他消失在门庭中的青衫背影，微觉惘然，他是太子近人，自然知道司南伯范建手中掌握着一支属于陛下私人的力量，但这股力量从来没有在庆国的政治舞台展现过风貌，难道……仅仅因为范闲的缘故，范建就敢动用？他始终没有将范闲与监察院联系起来，因为监察院是陛下的私人特务机构，连皇子们都无法插手，更何况是一个大臣的私生子。但无论如何，他坚定了自己的想法，太子对范家只能拉拢，不能打击。

对于范家，东宫始终有两派意见，与辛其物敌对的那派认为，范家与靖王交好，如今又与宰相家联姻，靖王世子是二皇子好友，宰相大人也渐渐与东宫疏远，那么范家一定是二皇子那派。辛其物却坚决反对这种意见，因为在他看来，范建根本不可能是一个会随着靖王宰相衣袖而动的普通大臣。

重重深宫之中，辛其物老老实实地跪在书房门口，屁股翘得老高，幸亏有官服挡着，才不至于那么难看。

"起来吧。"皇帝的声音在帘幕内响起。

辛其物站起身来，双臂垂在身侧，不敢动弹丝毫。这书房他也来过几次了，但依然还是不能适应此间天然而生的一股压迫感。两滴黄豆大小的汗珠从他的额角滑落，不知道是因为夏末天热，还是紧张造成的，但他却不敢抹去。

帘幕里响起翻阅纸张的声音，安静许久之后，皇帝才淡淡地问道："这条陈有理有据，很好。既然北齐太后还是不肯安分，那就好，卿家得替朕将嘴巴张大些。"

辛其物高声应道："是，陛下！"

皇帝的声音忽然有些怪异："范侍郎的儿子如今在给你任副使？"

辛其物没有想到陛下竟然也会对范副使如此关心，额头上流的汗又多了几滴，遂恭恭敬敬地应道："正是。"

皇帝似乎对这件事情很感兴趣："噢，朕让这范闲在太常寺里做协律郎，你怎么想到调他去鸿胪寺？"

陛下的声音依然温柔，辛其物却紧张得快要昏了，不敢有丝毫隐瞒，就老老实实地回答道："前些日子奉陛下旨意在东宫讲学，曾与太子殿下谈及此次北齐来使一事。因为范闲与此事有关联，而且在京中大有才名，今次北齐使团里有位庄墨韩，朝廷接待方面也要有位才子才合适，所以臣冒昧提此建议，殿下允了。"

"嗯。"帘幕后的皇帝很欣赏这位臣子的坦诚态度，他从来不怕朝廷里面有人结党，但是这党必须结在明处，"这件事情不为差错，朕当日就将此事全权交你办理，即便是太子那里，你也不用请示。"

"是。"辛其物和太子的关系从来没有想过要隐瞒陛下，毕竟自己是陛下当年指定的东宫侍奉之人。

皇帝又翻了翻那卷宗，隐约可见眉头似乎皱了起来："范闲做得如何？"

辛其物不敢贪功，老实应道："陛下此时所见卷宗，正是范副使辛苦分析所得。"

"分析所得？"不知为何，皇帝的语气变得有些恼怒，"真是越来越荒唐了！"

辛其物不知陛下因何发怒，大感恐慌。好在此事似乎与谈判一事并没有太大关系。等他退出书房之后，皇帝陛下掀开帘幕走了出来，那张不怒而威的脸上，此时除了一丝恼怒外，更多了一丝无可奈何的苦笑，他吩咐身边的太监："传陈萍萍入宫。"

太监领命而去。这位庆国的主人，全天下权力最大的中年男子信步走出书房，站在皇宫行廊之下，看着天上那有些黯淡的月亮，唇角微翘，自言自语道："国之利器，不直接襄助鸿胪寺，居然用来给小孩子做进身之阶，好你个陈萍萍，看来再不敲打敲打你，你是真要将朕的院子双手送与那小孩子玩去了。"

皇帝是何许人物，从那份号称范闲分析所得的卷宗里，一眼便瞧出来监察院的影子。但看他表情，似乎并不如何生气，只是有些好笑。

另外他还有些欣慰，辛其物试图让太子拉拢范家，东宫终于展现了一些政治智慧，太子似乎有所长进，这个事实让他很愉快。

东宫正在爆发一场激烈的争吵，争吵的双方是辛其物与宫中编撰郭保坤，争吵的内容自然离不开那位叫作范闲的八品小官。看双方脸红脖子粗的模样，就知道先前吵的激烈程度。

辛其物略带一丝蔑视看了郭保坤一眼，说道："做臣子的，要做诤臣。我奉陛下旨意，前来辅佐太子，便是要为太子谋千秋之大业，选一时之良才。范闲在京中向有才名，观其近日所为，知进退，有实才。而范家向来是皇室不二之臣，如此臣子，太子当然应该虚怀接纳，切不可因为某些人物一时之气，便拒之门外。"

郭保坤冷笑道："难道少卿大人以为本官只是记那一拳之恨？你不要

忘记，范府与靖王府的关系，还有那范闲马上就要成为宰相大人的女婿，宰相最近的变化难道你还不清楚？"

辛其物冷笑着说道："不清楚，我只知道庆国仅有一位陛下，庆国仅有一位太子，任何想在朝廷里人为划分派系的做法，都是极其愚蠢的事情。"

他当然知道二皇子的行情很被看好，但他依然认为东宫没必要将二皇子当作对手，一旦如此，就会开启一扇危险的门。只要太子自己持身正，大义在前根本没有敌人可言！

坐在高处的太子叹了口气，他确实有些懦弱，但不是个蠢货，知道从大局出发，辛少卿的看法无疑是最正确的。但事关皇位向来都是你死我活的斗争，就算自己小心谨慎，谁又能担保那些也斜着眼打量皇位的二位兄弟会不会做出一些什么事情来。

"眼前的局势并没有到那一步。"太子揉着太阳穴，有些烦恼地说道，"毕竟本宫乃一国储君，为朝廷储备人才也是应有之义。你们不要乱说什么，太荒唐了。"

这就是皇宫中的无奈，明明你防我、我防你，但是口头上却是谁也不能说什么。

"那范闲？"郭保坤仍然有些不死心。

辛其物冷哼一声说道："郭大人，我觉得您一直都错误判断了一件事情。"

"什么事情？"太子好奇地问道。

"包括你在内的很多官员，都因为范府与靖王府的关系，而将范家归到二皇子一派，但是谁有证据能证明这一点？这一次东宫简旨，给了范闲如此露脸的一个机会，如果范家真如郭大人所说，只怕根本不敢接这个差使。"辛其物继续冷冷地说道，"最关键的是，范闲马上要成为宰相的女婿，郭大人以此判断范闲不可能效忠太子，这实在是荒唐。"

"有什么荒唐的？"郭保坤眼中闪出一丝阴狠，"不论朝堂之上还是暗处的消息，都表明宰相大人已经与长公主决裂，正在试图逐渐脱离宫中的影响。"

"身为一国宰相，理所当然不应受宫中人物操控。"这话有些过头，辛其物醒过神来，向太子行礼告罪。太子无所谓地摇摇头，示意他继续说下去。

辛其物又道："郭大人先前说的正是问题所在。大家都知道宰相大人与长公主决裂……这和东宫又有什么关系？难道这就意味着宰相大人不再效忠陛下？不再站在殿下这边？"

太子皱眉道："可是……姑姑最近也很生宰相大人的气。"

"殿下，恕臣放肆……切不可因为长公主的态度，而改变对宰相的态度。"辛其物不卑不亢地说道。

太子眉头皱得更深了："可是……"他欲言又止，郭保坤趁着这机会冷冷地说道："可是宰相大人如果还是如以前那般，为什么最近来东宫的次数越来越少了？"

辛其物应道："殿下，真正聪明的臣子自然会紧紧跟着陛下，这就足以保持自己家族的长久。宰相大人也是如此，他眼下或许正在太子与二皇子之间摆动，但最终还是会听从陛下的旨意。而我们如果想让宰相大人真正地站在我们一边，关键就在范闲身上。宰相已经没有真正的儿子，范闲等若是林府的将来，这就是关键！"

郭保坤嗤之以鼻："靖王世子与范闲的关系，你不要忘记了。"

"你也不要忘记，前些天查出来的那人，是谁的属下。"辛其物冷漠地说道，"那人刻意让范闲与殿下巧遇，自然是希望殿下记着前些日子的仇隙，羞辱范闲，以便让范闲真正投向他的阵营。好在殿下英明，自然是不会上这种小人的当。"

太子听着有些心动，轻声道："如果范家还蒙在鼓里，上了那人的当，不妨告诉他。"

"收了范闲，就等若收了范府林府，京都里的两大势力，文官以及权贵，至少有一半的人是看这两家。而且数年之后，只怕连内库都是这个年轻后生在管。"辛其物对太子轻声说道，"一个八品小官，能带给京都众人的，绝对不仅仅是几首诗而已。"

太子闻言更加动容，在心中细细盘算着，半晌之后终于下定了决心，一拍书案道："好，本宫就给范闲一个机会，希望他不会让本宫失望。"

东宫计定，郭保坤黯然，辛其物兴奋，太子觉得自己英明又有容人之明。只是这三人都不知道，皇后与长公主当年曾经想过暗杀范闲，东宫背后强大的力量已经与范闲身后的力量发生过两次冲突，一次在澹州，一次在牛栏街以及苍山下。当然，他们更无法知道，几年后事情竟然会变成如此荒唐和不可思议的局面。皇宫的夜色总是比别的地方显得更加幽远和漆黑，隐没了所有的真相与过往，也让人看不真切并不遥远的未来会有怎样的一张脸。

有了监察院的情报做底气，后几日的谈判风云突变。北齐方面还想使出牛皮糖战术，拖得一日是一日，希望能够将庆国朝野的耐性全部磨损掉。哪里知道那位辛其物大人，本就咄咄逼人的气势，在这两天的谈判桌上变得更加厉杀，化身成了一柄开山大斧，一下一下地向对方砍了过去！

三轮谈判下来，包括换俘、上贡、称号之类的问题就全部解决了，只剩下最后那个难啃的骨头，也就是诸侯国之间疆域的重新划界问题。

范闲身为接待副使，一直冷眼看着这个过程，对于辛少卿大人的学识谈吐魄力十分佩服，没想到太子身边也不都是些尸位素餐之辈。不是所有的东宫近人都像郭保坤一样欠揍。而辛少卿在谈判的空闲里，或与范闲交流，或是暗中观察，对其如此年轻却有如此养气功夫有些意外，也愈发看不透这个年轻贵人的深浅。

总体来说谈判很顺利，除了监察院那个卷宗，范闲没出多大力，但日后论功行赏总是少不了他这一份。书局那边有庆余堂的七叶掌柜打理着，范思辙理着账房，根本用不着他操心。两个月后大婚的事情，自然有林府范府的那些婆娘们忙去，就连柳氏都很欢喜范闲要当假驸马的事实，很是用心——娶了皇帝的义女，范闲应该不会再袭家中爵位了。

只是林婉儿另有一层身份，宫里的那些嬷嬷时常上府来说规矩，隔几天就是某位娘娘的旨意，弄得范建都有些焦头烂额。对宫廷礼节全无认知的范闲来说，这些事情自然是能逃则逃，只是林婉儿和帮兄长背仪程的若若，真有些苦不堪言。

二皇子托靖王世子带了两次话，想请范闲一晤。但上次避暑巧遇太子，范闲心里有些阴影，便推到了月末，希望到时候事情已经平静。

范闲更在意的是，庄墨韩大家还有东夷使团里那位四顾剑的首徒，这二人一文一武，都是人世间顶尖的人物，这段时间在京都里未免太安静了些。庄墨韩受太后邀请在宫中长住讲学，四顾剑的首徒云之澜却是一直待在使团里。不过身处庆国京都，相信对方不会傻到单剑来杀自己，所以他眼下真正烦心的事情，其实是一把钥匙。

夜里，他看着那个黑皮箱发呆。锁口看上去是黄铜的，但他以前就试过，费介老师留下的那把细长匕首都无法划上一道痕迹。材料肯定有些古怪。黄铜钥眼后面似乎还有一道什么机关，不过拿不到钥匙，连那机关是什么样子都无法看见。

范闲试图找到某种途径结识宫中的洪老太监，但稍一尝试才发现了一个事实——自己眼下在京都里似乎混得风生水起，其实距离天下最上面的那个阶层还很有一段距离。太子与二皇子拉拢自己，只是看在自己身后范林二府的分上，并不是自身有什么出奇之处。而皇宫这块区域，因为不需要看臣子的脸色，所以自己根本无法接触到。

二皇子通过世子李弘成来请范闲的时候，他曾经巧妙地借旁人之口尝试过，是不是能借此认识宫中的洪公公，李弘成一听连连摇头，那老狗只会趴在太后宫里乘凉，根本不可能出宫。

"看样子，只有改个法子。"啪的一声，范闲一脚将箱子重新踹回床上，看着墙角似乎睡着了的五竹叔，"我根本没有办法把洪公公拖出来。"

五竹缓缓抬起头来："我可以把他引出来，或者你可以尝试着在皇宫里找到钥匙。"

范闲吓了一大跳，心想凭自己这四级以上六级未满的平均水准，难道去皇宫里面找死？但他微一眯眼，却觉得这倒似乎是目前比较可行的一条道路。五竹叔总说自己的"势"只有三品的水准，但自己能杀死程巨树，看来是五竹的计算能力太过强悍，所以低估了自己的运用真气能力——当然，这话是万万说不得的。

"如果真的太险的话，为什么一定要这把钥匙呢？"这是盘旋在范闲脑海里很久的一个问题，"如果仅仅是因为好奇心，就要冒这么大的险，似乎有些不划算。"

"你不想知道小姐给你留了一些什么东西？"

"想。"范闲坐在床上，微微低着头，"但是我想，她一定更希望我能快快乐乐、平平安安、开开心心地在这个世界上生活下去。如果为了知道自己留下一些什么东西，而导致儿子陷入危险之中，她不会愿意。"

五竹也低着头，蒙在眼睛上的黑布与身周的夜色融为一体，虽然他没有看范闲，但范闲依然感觉到了一阵寒意。

"你对现在的生活很满意。"

五竹的声音很冷淡，一如既往地很少用疑问的句式，只是冷静地阐述一个事实。范闲一怔，心想自己入京之后，尤其是入夏之后的这段时间，似乎真的很享受一个权贵子弟所带来的权力财富以及安稳。

"但你无法操控自己的生活。"五竹继续冰冷地说道，"眼前的一切，都是构建在陈萍萍和范建的规划之中。"

范闲的心中生起一股寒冷，明白五竹说的什么意思，即便是两世为人，自认见识了人世间的冷暖与阴险，他依然不敢相信这种判断。他压低声音说道："难道连他们都不能相信？"

五竹的声音愈发地冷了："我的习惯是，不相信任何人。"

"那样的生活会很辛苦。"范闲闭上了眼睛，似乎在模拟一种永世生活在黑暗中的景象。

"他们死后你怎么办？"五竹难得发问。这个问题直击范闲的要害。

范闲皱皱眉说道："我明白了。"

五竹不理会他的表态，继续毫无一丝情绪地说道："能保护你自己的，不是阴谋，不是权力，不是其他的任何东西，只是力量。你要记住这一点。"

范闲从床边站起身来，很恭敬地向这位仆人、这位老师、这位兄长躬身行了一礼。

"我不知道小姐留给你的箱子里是什么，但我知道，你必须拥有保护自己、震慑敌人的足够力量。决心也是一种力量，所以我要你找到那把钥匙。"

"是，我马上着手处理。"

范闲抬起头来的时候，发现五竹叔又一次消失在黑夜里。在这十几年的相处中，五竹除了雨夜回忆母亲之外，极少会一口气说这么多的话。

他明白对方的意思，这京都繁华销骨蚀魂，确实让自己从小打磨的冷静与力量产生了软弱的迹象。这是一次警告，警告自己不要过于依赖所谓家族的权力以及母亲当年的遗泽。这些天里虽然自己努力地修行着体内的霸道真气，努力熟悉着身上的那三根毒针，但是真像五竹叔所说的，自己的心，其实并没有澹州时那般坚强了。

能保护我们每一个人的，只有自己的力量。没妈的孩子像根草，小草也得往石头缝外面跑，别理会什么阳光雨露，自己把根扎得深些，把茎整得结实些，这才是正道。

东方已经红遍了天，太阳缓缓从贴着地面、没睡醒的云朵里升了起来，照耀在京都最宏大的建筑群上。皇宫的外墙显出比那天空还要赤红的颜色，平静而恐怖地注视着面前广场上的人群。范闲也是这些人中的一位。他看着高高的宫墙，以及墙下方深而无底的门洞，觉着这黑洞洞的地方像极了怪兽的嘴，无法控制地产生了一丝紧张。

范闲与这个世界上其他的人一样，面对着眼前庄严的帝权象征仍然会感到敬畏，但是敬畏并不代表顺从，也不代表着不反抗，这又是他与其他人不一样的地方。

侍卫检验过众人后，略带一丝自傲地点点头，范闲一行人老老实实地走了进去。

今天是节礼日，宫中有旨，传八品协律郎范闲入宫。旨意是昨儿个到的，范府忙了整整一宵，才拟定了进宫的人数。范建自然不会去，府里女眷又少，族里其他几个府上的远方亲戚都来自告奋勇。范闲哪里见过这等热闹，范建冷冷地止了众人的念头。最后定下来，随范闲入宫的就是柳氏与范若若，再加了两个随行的老嬷嬷。这两位老嬷嬷当年都是澹州祖母那年头的老人，对宫里的规矩清楚得很。

柳氏这次愿意帮着进宫打点，有些出乎范闲的意料。要知道柳氏小时候与宫中的那几位贵人一直有来往，情分与旁人并不一般，有她在身边，范闲此次皇宫之行会顺利许多。

轻微又略显杂乱的脚步声回荡在安静的门洞里。门洞极深，初升的斜阳也只能照见一半的地方，另外一半格外幽暗。一道冷风从宫墙里突然吹了出来，让众人的眼睛有些睁不开。这八九月的天气，竟是顿时有了些深秋峭寒的味道。

范闲不易察觉地摸了摸自己的腰带，摸到了那几粒比黄豆还要小许多的药丸，心中稍安。知道入宫检查格外严格，离府前他就将自己的暗弩与匕首都藏在了屋内。但是五竹叔的那次训话让他印象极为深刻，所以哪怕是在照理论讲世上最安全的皇宫里，他仍然多准备了些保命的法子。

"嗒嗒，嗒，嗒。"人是一种很奇怪的动物，人群则是一种很奇怪的群体。在安静的宫墙之下行走着，一行六人队伍的脚步声竟然渐渐同一了起来，同一时落地，同一时抬起，随着领头的小太监，像是同时拨着四弦琴，发出同一个单调的音节。

范闲心头涌起一股不适应，强行顿了顿，让自己的脚步与其他人错开，宫墙之下的步调一致顿时被打破了。他轻轻拉拉妹妹的衣袖，低声说道："我有些紧张。"

范若若莞尔一笑，想给他一些鼓励。前方的小太监却是别过头来，眉头紧锁看了范闲一眼，似乎有些不满意。柳氏皱眉轻声道："宫中不比其他地方，说话小意一些。"

小太监长得并不漂亮，愁眉苦脸的，听见柳氏这般说顿时觉得自己也有了光彩，心里说这是哪儿？这可是皇宫。没料到柳氏接着微笑说道："不过也不用紧张，这宫里我打小便来，那时节还是洪公公任太监头领的时候，这一晃没想到都是些小孩子在宫里服侍了。"

听见这话，那个小太监顿时不敢言语了，赶紧低着身子往宫里走，本以为是接几个土包子进宫，哪里知道原来是熟人串亲戚。

皇宫极大，长长的城洞之后，迎面便是一大片青石所在的广场，让人顿生豁然开朗之感。初晨照耀在太极宫正殿的屋顶上，黄色的琉璃瓦反射出夺睛的色泽。殿下隔着数丈便有一大圆柱，殿前长长的石阶如一条通往天河的白玉路，看上去十分庄严。

范闲看着眼前的建筑，心里涌起一种荒谬感，怀疑自己是不是来到了故宫博物院。也许是这种荒谬感冲淡了他心中的紧张和对陌生宫廷的一种隔膜感，这之后的行程里，范闲终于回复了自然的神态。就像初入范府时，他满脸微笑，四周打量着在宫墙下低头行走的宫女太监，偶尔抬头看看远处探出的檐角——却不知是哪座宫，不知那宫里住着哪个人。

他的神情全数落在同行者的眼中，小太监摇了摇头，柳氏的唇角却浮起一道若有若无的微笑，心想这位大少爷，果然是个天不怕地不怕的性子。

今日入宫的主旨很简单：宫里的娘娘们想看看，马上就要娶晨儿的范大才子究竟长得什么模样。虽然目的简单，但过程特别复杂，所以范府众人早早地就起了床，漱洗打扮，赶着宫门开时就进了宫，然后在一处角房里候着，等着宫里娘娘们的传召。被召见的人可以等，宫里的娘娘们可是不乐意等人的。

因为起得太早，范闲喝着宫里的好茶，依然有些犯困，精神大是不佳。柳氏看了他一眼，微笑着站起身来，对宫里迎着他们的那位公公说道："侯公公，许久不见了。"说着这话，手底下又是毫无烟火气地一伸手指，银票便递了过去。

范闲偷偷瞧着，险些笑了出来，姨娘手段果然是被父亲熏陶出来的，全靠银票开路打人。

谁知那位侯公公却是面露为难之色，恭敬地说道："范夫人，您这不是打老奴的脸吗？您与宫中几位主子当年可是一路长大的，老奴哪敢在您这儿讨饭吃。"

柳氏听着这话忍不住笑了起来："这是赏你的，又不是买你什么，还怕谁说去？"

侯公公嘿嘿一笑，脸上皱纹挤作一堆，轻声说道："知道您今天进宫，那几位主子断没有让您在这等太久的道理，您放心吧。只是这天时太早，怕各个宫中还忙着洗漱，略坐一坐就好了。"

范闲耳尖一动，发现这老太监称呼柳氏用的范夫人，看来宫中对于柳氏扶正一事，早有倾向。又听着各宫还在晨洗洒扫庭院，不由得苦笑了一下。好在侯公公没说错，司南伯让柳氏陪着入宫果然英明。早朝还没有开始，范家三人就已经入了后宫。二位老嬷嬷被招待在外面，反正有好茶好水，当年也是入惯宫的老人，自不会嫌无聊。

首先去的是宜贵嫔那处。这位贵人乃是本朝三皇子的生母，母凭子贵，升了贵嫔。范闲规规矩矩地行礼，然后听着一个温柔的声音说："起来吧。"

这位宜贵嫔生得素净，不过也只有"素净"二字而已，没有范闲想象中的丽不可言。大大出乎范闲意料的是，柳氏竟是双眼微润地看着宜贵嫔，下一刻，二人竟是顾不得礼数，牵着双手，相看无言。范闲将疑惑的目光投向妹妹，若若却是毫不惊讶。

听了一会儿说话，范闲才知道，原来这位宜贵嫔竟然是柳氏的堂妹！

范闲心头无比震惊，这才知道原来柳家的根基竟然如此深厚，幸亏自己入京之后与柳氏的关系得到了缓和，不然双方起了冲突，还真不知道谁死谁活。

宜贵嫔拭去眼角泪花，埋怨道："都已经三年了，你也忍心将妹妹一个人丢在这宫里。前几次好不容易请了旨，召你入宫陪我说说话儿，哪知道你竟然不肯来。"

柳氏脸上闪过一丝黯然，半晌没有说话，缓了阵才轻声说道："怪我，都怪我。"

范闲看着柳氏略显瘦弱的双肩，眼中闪过一道异色。他听着宜贵嫔说的三年，敏感地想到了澹州的那次刺杀事件。依照父亲的说法，这次刺杀事件柳氏只是个替罪羊，真正的幕后黑手，是宫里最为"高贵"的那两个女人——柳氏三年不进宫，难道就是因为这个原因？

"以后我会常进宫来看你的。"柳氏笑了笑，牵着宜贵嫔的手，"今儿不是来了吗？"

宜贵嫔转惠为笑，轻声数落道："要不是你们范家的大少爷要娶宫里最宝贝儿的那丫头，我可不指望能见着你。"她转向范闲这方，温柔问道："你就是范闲？"

范闲站起身来，漂亮的脸上满是笑容，一拜及地："侄儿范闲，拜见柳姨。"

这话很不合规矩，宫女和太监都愣住了，柳氏也有些愕然，心想我又不是你亲妈。但范闲厚颜无耻地乱攀关系，显然很投宜贵嫔胃口，她看着范闲眉开眼笑："果然是个好孩子。"

这个世界上扯淡的事情很多，但拢共只说了八个字，便被评判为好孩子，已经快要十七岁的范闲自己都觉着这事情夸人没谱到了极点。这皇宫果然与别的地儿大不一样，高高在上的贵人下判断总显得过于随心所欲和依仗自己的喜好。

他一直不知道柳氏与宜贵嫔的亲戚关系，却从婉儿的嘴里知道，这位宜贵嫔眼下极得宠，不然也不可能在皇帝陛下修身养性不近女色的口碑下，还能生下一个现在只有八岁大的皇子。

宜贵嫔看来是真的很喜欢范闲，范闲拣着前世记着的几个笑话说来听了，殿内顿时响起了一阵银铃般的笑声。范闲发现这位贵嫔娘娘性情竟是爽朗得很，不知道她是怎样在这见不得人的宫中还依然能保持着这样的性情，不免有些意外和欣赏。

略说了一些闲话，日头渐渐升了起来。柳氏微笑着问道："三皇子呢？"

宜贵嫔叹了口气说道："那孩子，还是怕生得厉害，起床后就缩在后殿里待着，不肯过来，怕是要到吃饭的时候，才肯露露小脸。"

柳氏哎哟一笑道："敢情还是这么害羞。"

虽说主臣有别，柳氏与宜贵嫔毕竟是姐妹关系，说话就没那么多讲究。

宜贵嫔伸出细长的食指，指甲上涂着红红的彩，看着十分诱人。她指着范闲说道："你们家这位，不也是个害羞的。"

正在此时，范闲的脸上露出微羞的笑容，恰好应了贵嫔这句话。

"好了，姐姐你和若若就在这儿陪我聊吧。"宜贵嫔似乎知道柳氏不愿意去皇后、长公主那里，自行做主留客，"那几个宫里，我让醒儿领着范闲去就成。"

柳氏神情微黯，行礼道："这如何使得。今日奉诏入宫，头一个来瞧瞧贵嫔娘娘，本就担心会惹得那几位娘娘不高兴。我入趟宫，不去看望那几位，只怕有些不恭敬。"

宜贵嫔听见这话，打鼻子里哼了两声，说道："姐姐，我看你还是不要去的好，本来只是传范闲入宫，你就陪着我说说话，我看这宫里有谁敢说三道四的。"

宜贵嫔是个开朗之中带着一丝憨气的贵妇，但一发脾气仍是威严十足，整个宫中都安静了下来。范闲轻咳一声说道："姨……二太太，我自己去就好了，您和妹妹就陪柳姨说会儿话吧。"

见他也这般说，柳氏无奈应了下来，和那个叫醒儿的宫女送范闲到了宫外，轻声叮嘱了一些注意事项，又不易察觉地转到范闲肩旁，用蚊子一般的声音说道："宫里上上下下都打点到了，各宫之中都有人接着，你不要太紧张。"

范闲心头一凛，应了下来，回身只见妹妹也跟了出来，正面带鼓励之色看着自己，无来由地心头一片温暖。等他离开了宜贵嫔居住的宫殿，柳氏向范若若叮嘱了两句，便和宜贵嫔进了内室。宜贵嫔幽幽地望着她的双眼说道："三年前就劝过你，不要听那两个宫里的劝，这下好，范闲依然活得好好的，你却冷透了范大人的心。姐姐，你聪慧一世，怎么就当时犯了糊涂？"柳氏怔在原地，半晌说不出话来，轻叹说道："娘娘也清楚，像我们这些做母亲的，不就是为了自己的孩子着想吗？三皇子如今年纪小，你还可以置身事外，再过些年，只怕你就会明白我当时为什么会犯下此等大错。"

醒儿是个眉眼清顺的小姑娘，大约十三四岁，范闲与她一路在皇宫里走着，发现这小姑娘脑袋一直低着，忍不住打趣道："脚下的路看不清楚？"醒儿姑娘嘻嘻一笑，露出碎玉粒般的小牙齿来，说道："范公子，宫里还是少说些话。"范闲笑着摇摇头，知道皇宫里的规矩大，没想到小姑娘家家的都这般谨慎。

范闲跟在醒儿的身后，看着她身上的宫女服，目光在小姑娘尚未发育成熟的腰身上扫了一下，马上又转移到了皇宫的建筑上。他脸上带着微笑，大脑却在急速地运转，力图将这些繁复的道路景色牢牢地记在脑海中，为日后那件事情做好准备。

一路经花过树，踩石碾草，殿宇虽多，不是每间都那般宏大森严。看着面前的安静院子，范闲深吸一口气，随着宫女醒儿走了进去。这里是二皇子生母淑贵妃的居所。这位贵妃看样子倒是个爱清静的，院子也被打扮得极素雅，除了几株粉粉花树之外，并没有别的什么装饰，一道竹帘，掩住了里面的一切，却掩不住书卷香气沁帘而出。

"拜见贵妃娘娘。"
"范公子请坐。"
没有多余的寒暄，范闲与淑贵妃隔帘而坐。没有什么先兆，淑贵妃忽然清声问道："万里悲秋常作客，范公子少时常在澹州，莫非以为京都只是客居之所？"

范闲略感愕然，正色而答，以此为发端，开始与贵妃坐而论道，道尽天下经书子集诗词歌赋，直到二人嘴都有些干了，才极有默契地住嘴不语。范闲有些后怕，实在没想到这位二皇子的母亲竟是位皇宫之中的才女，见识极为厉害，自己险些应付不过来。不禁想到，这样一位妇人所教养出来的皇子，又会是怎样的一个人呢？

"不要紧张。"淑贵妃的性情极温柔，隔着竹帘隐约能见她的头上只是一枝木钗，素净得与这皇宫格格不入。"婉儿自小在皇宫长大，陛下收她为义女之前，我们这几个没事做的女子，便把她当女儿在养。皇宫上上下下的人，没有不喜欢她的，范公子要娶宫里最宝贵的女儿家，我们这些做长辈的自然要多看看。"

范闲背后隐有冷汗，虽然平时也有所了解，今天才真正感受到了未婚妻在皇宫中的地位。淑贵妃性情温柔，对范闲似乎也比较满意，没有再作刁难，便让范闲退了出去，只是临行前轻声说道："本宫喜欢看书，陛下也为我搜罗了一些珍本，我已让宫人们拣其中珍贵的抄了几份，范公子此时要去别的娘娘那里，我让人送去宜贵嫔处吧。"

范闲心头微凛，知道这是份厚礼，知道这位贵妃娘娘是在替二皇子送礼，不敢多言，沉稳一礼退了出去。

出了淑贵妃的小院，他抬袖抹掉额头的冷汗。带路的宫女醒儿与他有些熟了，踮着脚走路，一蹦一蹦的，回头看着他的神情，好奇地问道："今天不热啊。"

范闲苦笑着摇摇头，今日入宫本来以为只是礼节性的拜访，哪里知道竟是比殿试还要紧张。接下来，二人去了大皇子的生母宁才人处。这位只是位才人，但范闲从婉儿处知道她为东夷人的身份，反而刻意地格外恭谨。

宁才人年纪将近四十，依然风韵犹存，眉眼间的风情确实极有东夷女子温柔的感觉。这些年大皇子一直在西蛮处戍边，她膝下无人，不免有些寂寞。好在林婉儿在宫中的时候常来这处玩耍，所以她对婉儿的感情又与别的娘娘不一般。

她居高临下地看着范闲，沉声问道："你就是范闲？"

范闲知道这位贵人当年可是在战场上救过皇帝陛下，又养出一个能征善战的皇子，本身肯定也是极有威严之人，倒也没有惊愕，于是平静地应道："正是下臣。"

宁才人打量了他几眼，出乎范闲意料地没有说什么，只是冷冷地说：

"好好待婉儿。"

范闲喜欢这干净利落的感觉，大喜应道："请娘娘放心。"

"牛栏街那事一定有蹊跷，我可不信你能杀死一位七品高手。"宁才人打量着他的身板，冷哼了一声，"看你这瘦弱模样，怎么看也不是个能武善战之辈。"范闲一怔，心想莫非刚考完文学之道，这马上又要考武学之道？只是娘娘你四十岁的贵妇，主臣有别，男女有别，总不至于亲挥粉拳来捶自己吧？

"不过既然叶灵儿自承不是你的对手，也就将就了。行了，今天就这样，你去别的宫去吧，别耽搁太多时辰。"说完这话，宁才人竟是再无他言，直接将他赶出殿去。

范闲摸着后脑勺，看着紧闭的木门，心想皇帝陛下真是个有福之人，身边躺的女人竟是如此"丰富多彩"，有宜贵嫔那般娇憨明朗型，有淑贵妃那般知性淑女型，居然还有宁才人这种野蛮女友？不过那位淑贵妃才学实在厉害，这位宁才人只怕也是个外粗内细的角色，加上深不可测的皇后，陛下能够将这些女人放在一个大屋子里，安安稳稳过了这么些年，不得不说手段真是极为厉害。至少范闲自忖没有这种本事。

接下来，他又见了几位娘娘，说了些闲话，得了些赏赐，不免有些腻烦，但脸上不敢流露出丝毫表情。这可是在皇宫里，谁知道旁边的那个小太监是谁的手下，那边正在摘柳枝的小宫女又是谁的心腹？自己的厌烦如果被这些人瞧着了，这些人再耳语给他们的主子，他们的主子再在陛下的枕头边上吹吹香风，自己的日子能好过吗？就算自己和陛下是喝过茶聊过天的交情，也只能挨一闷棍却无法自辩。但想到接下去要见的几个主儿，范闲心情很是平静，甚至多了一丝冷酷，只是看着这宫殿的眼神还是微微笑意充盈，似乎十分期待。

瑶华宫比别的宫殿院落都要大许多，突显出里面主人的身份，因为这里住着的是庆国皇后，母仪天下的那位。

范闲没有料到，皇后的召见竟然如此简单地结束了。

皇后满脸温和地笑着，言语间让范闲如沐春风。看着皇后那张明媚贵妍的脸颊，看着皇后宁静如水的眼眸，范闲恭谨应着，心里涌起很荒谬的感觉——眼前这个清丽贵气、一举手一投足都让人非常舒服的妇人，竟然就是三年前想要杀自己的人！

跪下叩了两个头，范闲就这样离开了瑶华宫，他依然微笑着，心里却更加寒冷。对宫里这些贵人来说，三年前杀自己，只是很小的一件事情吧？

待到了广信宫门外，一路跟着的太监小心翼翼地到了后方，大气不敢吭一声，宫女醒儿也醒目得很，低声对范闲说道："范公子请进。"

范闲挑挑眉头，心想还没传自己，自己就进去，未免有些不合规矩，万一被长公主岳母殿下一剑砍了，自己找谁说理去？林冲当年不就是着了这道。但他知道今天这事没那么恐怖，这些太监宫女只是无来由地害怕长公主，不敢跟着进去而已。

长公主李云睿的名字有几分男儿气，却是个极柔弱的人，当然这也只是假象。

她有很多身份——内库的实际控制者、宰相当年的老情人、陛下最得力的政治助手，后宫里超然的存在、太后最疼爱也最头疼的独女。

但对于范闲来说，对方只有两个身份——曾经想杀自己的仇人、自己未来的丈母娘。

广信宫里透着丝阴寒。大白天的宫门自然没关，站在门外都可以看见里面种着些沉睡之寒梅、厌暑之幽兰、经年之青竹、未开之雏菊。宫殿里可以看见许多白色的纱幔在轻轻地飞舞着，整体的感觉就像是一个童话世界般的纯净与稚嫩。

一个约二十多岁的宫女出现在门口，向着范闲微微一礼。这宫女眉毛极长，眼神有些冷漠，说话和肢体动作依然很有礼数。她恭敬地将范闲迎进宫去。

纱，全是纱，范闲有些愕然地拨开迎面而来的白色纱幔。广信宫里的纱幔比前次在靖王府后花园里看见的要多上太多。四周的布置也显得有些怪异，与皇宫里的庄严气氛不符，倒有些像一个待字闺中的小女生住的地方。

重重纱幔的最后，是一张极宽大的矮榻，一个穿着浅粉色长裙的女子正躺在那里，单臂支颔，腰段间自然流露出一股风流，眉眼如画，神色怯生生地引人怜爱。

这是范闲第一次看见自己的丈母娘长公主，就像许多第一次看见长公主李云睿的人一样，他瞠目结舌，不知眼前所见女子是真是假，是画上的人还是水中的仙子。

长公主今年三十二岁，神态却像极了一位刚刚十六岁的青涩少女，那眉眼、那自然散落在榻手之上的顺直黑发，足以让世上的所有男子都心神向往。

范闲面上惊愕，而他的奇妙遭遇太多，澹州十六年练就的心性让他的脑中一片平静，只是依然不得不承认，自己的丈母娘虽然和婉儿有些相像，却比婉儿还要美丽许多。

虽然还能保持着冷静，他也不愿意在心中将对方喊成丈母娘，似乎觉着这样喊，确实与对方的天生姿色极不相配。长公主看了范闲一眼，这一眼里不知包含了多少内容，惹人怜爱至极。只听她淡唇微启地说道："你自己拾把椅子坐吧，我有些头痛。"

范闲有些不安地看了看四周，发现长公主说了一句废话，这偌大的广信宫里，竟然是一把椅子都没有。正纳闷的时候，又听到长公主柔声地说道："范卿家，听说你精通医术，婉儿这些天身体大好，全亏了你。"

范闲赶紧躬身道："长公主谬赞，全赖御医们精心护理，臣只是出些偏方。"

"噢？"长公主伸出细细的手指，揉了一下自己的太阳穴，随着指尖的揉头，她的额角处渐渐泛红，"可有治偏头痛的偏方，我这些日子头痛得厉害。"

长公主有头痛的顽疾，这范闲听婉儿说过，上次在避暑庄外也偶尔听太子提到过。但范闲此时更注意的乃是长公主对自己的称呼以及自称，几句话中长公主称你称我，显得格外不见外。范闲微微一笑道："头痛有许多种，老师当年教到这里的时候，也颇为头痛。"

范闲知道自己与费介的关系在京都里早就不是秘密，更不可能瞒过长公主，所以干脆挑明。这话里两个"头痛"挺有趣，长公主浅浅一笑，柔媚顿生。

"真没有什么好法子吗？"长公主今日不问其余，竟是单单在头痛症上打转，满脸愁容，柔弱不堪，"这几日真是痛死我了。"

范闲微微低下眼帘，静心宁神："臣倒是学过一套按摩的法子，虽然只能治标不能治本，但稍有些舒缓之效。"

长公主眼睛一亮，柔声道："那赶紧来试试。"

范闲苦笑道："这……怕是有些不方便吧。"

长公主嫣然一笑："想不到名满京华的范大才子，居然还是个持礼的小酸生，且不说病急从权，只说再过几日你就是我儿子了，又怕什么？"

范闲看着对方少女般的神态，再一联想到对方的真实年龄，本该产生很恶心的感觉，但是看着长公主嫩滑的脸颊，清如初叶的眉，却又很难产生反感。但听到"儿子"二字，他心中还是觉得极为别扭，于是苦笑着应道："长辈有命，岂敢不从。"

太监端上铜盆清水，他仔细地洗净双手，缓步走到长公主身边，深深地吸了几口气，平复了一下心情，尽量不让自己的目光落到长公主黑发之下微微露出的白色颈肤上。只见他稳稳地伸出双手，搁在了对方的头上。

手指穿过长公主的黑发，发尖飘过温柔，有些微微的痒。

范闲干脆闭上了眼睛，幻想自己和五竹叔一般，蒙着一块黑布，手指尖摸到长公主的发际，然后轻轻向上，双手拇指摁在她的太阳穴上，两根食指同时在她的眉上描了一描，确认了眉心的位置。

一叩。

长公主似乎没有准备好，轻轻哼了一声，听不出来是痛楚还是按到了部位。范闲平心静气，倚仗自己对人体穴道的认识，缓慢而又稳定地为她揉按着头部，手指与李云睿头部肌肤的每次接触，都是那样地稳定。

"嗯。"长公主皱了皱眉，心想自己是不是冒失了些，实在没有想到这个小家伙手法竟然如此之好。他的指尖似乎带着一道道细微的气流，在揉弄着自己痛楚的根源，每一捺，每一摁，都会让自己轻松许多，精神渐趋放松，缓缓产生了一股睡意。

"这手法也是费介教的吗？"她半闭着眼睛，斜靠在床榻之上，朱唇微启，随口问道。

"认穴之法是费先生教的。"范闲的手指依然稳定地在长公主光滑的肌肤上移动着，声音也没有一丝颤抖："这按摩的法子，却是自己学的。"所谓久病成医，当他前世躺在病床上，初期的时候还存着一丝重新站起来的奢望，那位可爱的小护士常常帮他按摩腿部及全身的肌肉，后来奢望终究还是变成了绝望，不过按摩的手法范闲却记了下来。

"挺不错。"长公主表扬了一句，又缓缓闭了眼睛，享受着少年的那双手所带来的温暖放松感觉。

广信宫里一片安静，长公主的双眼一直闭着，长长的睫毛搭在白皙的皮肤上，微微颤抖，她忽然开口说道："你要娶婉儿，就必须忘记三年前的事情。"

范闲的手指一顿，恰恰停留在了长公主耳下某处，那处看似寻常，却是致命的穴位。

不过仅是一瞬间的停顿，接着范闲的手指重新动了起来，似乎在诧异："三年前？"

长公主轻轻地叹息了一声，很快又转了话题："费介是什么时候开始教你的？"

范闲知道对方在试探什么，遂面色不变，平静地回道："那是小时候的事情了。"这话说得很含糊，长公主碍于身份也不便问得过于详细，便似笑非笑地说道："若不是知道费介是你的老师，我想包括宫中在内的很多人，都不知道你们范家与监察院的关系如此密切。"

范闲手下愈发温柔，应答愈发小心："我也不是很清楚，可能是父亲大人与费先生以往认识。"

长公主柔柔地说道："当然认识，第一次北伐的时候你父亲与费介都跟在皇帝哥哥的中军帐中，如果说不认识反而有些古怪。不过那时候我都很小，你更不可能知道这些事情。"

"是。"范闲心知言多必失，微微一笑，不再说什么。长公主此时却似乎来了谈兴，继续问道："你奶奶身体怎么样？"

"奶奶身体挺好的。"

"嗯，很久没有看见她了。"长公主柔弱不堪地应着，"小时候我最喜欢你奶奶，那时候哥哥每次欺负我，都是她护着我。"

范闲心想如果奶奶知道现在的你想杀我，只怕当年早就拿根木棍把你给敲死了。

"陛下的意思，我想范大人应该和你说得很清楚。"长公主甜甜柔柔的话语，忽然说出这样严肃的话题，两相比较，格外透着一股寒意。

范闲的眉头不易察觉地皱了皱，知道对方说的是内库的事情，此时装傻也不可能再蒙混过关，只好微笑地说道："听陛下公主安排。"

"听说你最近在京都开了家书局，还开了间豆腐坊。"长公主忍不住微微笑了起来，闭着眼依然美丽，"世家子弟多半是些只会清谈不会做事的无用之辈，你提前便开始为将来接手内库做准备，我很欣赏的，只是豆腐坊这件事情未免胡闹了些。"

范闲嘿嘿笑了两声，根本不知道应该怎么应对。

"其实，我想杀你。"

刚才似乎变得融洽了一些的气氛，因为长公主这句冰冷的话语，顿时化作了北方的寒夜，冻住了广信宫里的一切。四周飘舞着的暧昧白纱，也颓然无力地垂了下来。

范闲依然温柔地保持着微笑，右脚无声往后方挪了两寸，摆出了最容易发力的姿势。

监察院早就查出来吴伯安与这个女人的关系，既然她已经有两次想杀死自己，那么在这青青粉粉却暗藏杀机的广信宫里，再来第三次谋杀似乎也不是不可能。当然按道理来讲，不可能有人会疯到在皇宫里对自己下手，但自进入广信宫之后，感受着诡异的氛围，看着长公主的神态和说话的语气，范闲早就警惕起来——这女人似乎是疯子！

范闲清楚，这个世界上真正恐怖的就是小孩、女人、疯子，因为这三种人是不可以用常理去判断、去分析，他们随时可能做出一些疯狂而有严重后果的事情。而在他的眼中，自己手下这个美丽到极点的少妇，无疑是集这三毒于一身。

神志清醒毒辣的女人，行事有些小孩的稚气，手段却有些疯气，构成了长公主李云睿与众不同却格外可怕的存在。

万一这个女人随便用个调戏公主、逆乱伦常的罪名调人围杀自己，自己身后的那些人想救都来不及。

正在此时，几个宫女走进了殿内。一身淡石榴颜色的紧身宫女服，曲线毕现，却十分方便出手，虽然腰带处略有些厚。在澹州浸淫暗杀之道十年的范闲，一眼就瞧出来那些腰带里面是锋利至极的软剑，但他的手指依然稳定地揉着长公主耳下的那片软润，满脸微笑地说道："公主殿下为何想杀我？"

"很多人都认为我有杀你的理由，而且这个理由很充分。"长公主依然闭着双眼，似乎根本不害怕范闲会暴起反击，将自己毙于指下。

范闲重新闭上眼睛，不再回答，似乎将注意力都专注在自己的手指上。

广信宫里安静得连一只幽灵猫走过都能听见。几个宫女缓缓靠向长公主的身边，范闲闭着双眼，只是脑袋微微向右偏离了一点点。

"请范公子净手。"不知道宫女们从哪里又端来温水与毛巾。

范闲睁眼，向长公主行了一礼，又微笑着谢过这几位宫女，将有些酸麻的双手泡入温水之中，然后取过毛巾擦拭干净手掌上的水渍，躬身到底："不知殿下感觉可好了些？"

长公主李云睿似笑非笑地望着他，柔软的眼波里犹自带着一丝怯弱的感觉，但范闲知道这个女人绝对是世界上最可怕的那一类人。

"好多了。"长公主坐直身体，侧头将肩上的黑发理了理，半低着头温柔地说道："想不到婉儿要嫁的夫君竟然还有这样一门好手法，说真的，我都有些不舍得……你了。"

范闲安静地站在下首，不敢多言一句。他知道面对着一个这样的女人，不论你说什么都会造成难以预料的结果，所以干脆玩个千言万言不当一默的手段。

"你去吧，我有些乏了。"长公主唇角绽出朵花儿来，柔声说道，"给柳姐姐带句话，她今天没来看我，我很失望。"

范闲离开广信宫后，长公主的心腹宫女走到她的身边，轻声请示道："公主，杀不杀？"

"逗小孩子玩玩罢了，不然这宫里的生活还真是无趣啊。"长公主像猫一样伸了个懒腰，慵懒至极，诱人至极，"只不过没想到，这个小孩子倒像个三四十岁的人一般，很能忍，很能掩饰。"

长公主开始的时候当然没有动杀心，但看着范闲步步防备，不露半分破绽，这个将争斗视为游戏的奇妙女子，心中便渐渐痒了起来。以她在宫中的地位，以及范闲都能想到的变态心理，如果范闲真的稍一失神，只怕她真会下令杀了他。

她瞥了一眼隔着重重白纱隐约可见的宫门，唇角泛起一丝诡异的微笑，心中想着："在你准备出手前的刹那间，微微偏头，这是什么意思？本宫真好奇，范闲……你究竟是怎么长大的？可惜啊可惜。"

范闲是玩毒药长大的，所以他才能发觉长公主是自己平生少见的厉害毒药，是眼下自己很难对付的角色。出了皇宫，上了等在广场远端的马车，他的脸色还有些发白。

"还好吧？"范若若同情地看着兄长，根本不知道他在广信宫里的对话是怎样的耗费心神，以为他只是四处拜见娘娘累着了。

范闲摇了摇头，对柳氏转述了那几个宫中娘娘的问候，催促马车快些回府。柳氏与范若若好奇地看了他一眼，不明白他为什么这般着急。

马车驶进了范府旁的侧巷，范闲向柳氏告了声罪，便拉着妹妹微凉的小手往后园里飞奔而去，不过片刻工夫就进了书房。

范若若按着不停起伏的胸口，上气不接下气地说道："哥……做什……么呢？"

范闲不及解释，说道："我说，你记。"

他来不及磨墨，随手拣了只鹅毛笔，蘸了些砚台里剩的墨汁，递给了妹妹，然后紧闭双眼，开始回忆皇宫里面那些复杂的宫院分布和道路走向。

范若若越写脸色越白，范闲因为记忆耗神，脸色也越来越白，兄妹二人变成了两个小白脸。好不容易将皇宫里的路线图画了个七七八八，范若若看了他一眼，低声道："哥哥，你知不知道，这是谋逆的大罪？"

范闲放松了下来，一屁股坐在椅子上，半天没有说话。今天花了半天的时间在宫里，既要与那些贵人们说话闲聊，又要记住繁复的道路，最后还和长公主精神交锋了半晌，实在是太过耗损心神，一时有些缓不过劲。

他很熟悉庆律，知道皇宫是绝对不允许画图的建筑，这是为了防止有人想偷偷摸进皇宫做那些大逆不道的事情。但范闲需要这张图，因为他要潜入皇宫去找钥匙。

他可以向林婉儿打探皇宫里的道路，但那样太冒险，而且宫中主子行走的道路和他想知道的道路是两个概念——像那些假山后的藏身处，花丛中的视盲点，如果不是自己亲身走一遭，根本不可能像今天这样，做出自己非常满意的地图。

范闲站起身来，走到桌边拿起妹妹画的图，发现虽然匆忙，妹妹的笔法依然一丝不苟，不由得高兴地拍了拍妹妹的脑袋，说道："事情成了，请你去一石居吃海味。"

范若若生气了，一把将地图抢了回来，说道："还事情成了？什么事情成了！你知道不知道这是多么大的事情？不行，我要告诉父亲去。"

范闲当然明白，妹妹是担心自己的安全和范家，如果被人知道自己私画皇宫地图，即便以范府与皇家的情分，也会遭来极大的祸事。

"放心吧，我待会儿歇歇，就把这图背下来，然后烧掉，没有人会知道。"范闲安慰道。

范若若急得泪水在眼眶里打转："哥，你为什么要画这图？"

范闲望着妹妹的双眼，一字一句地说道："因为皇宫里有我想要的东西。"

"你要去皇宫偷……？"范若若惊讶得想要尖叫，赶紧掩住自己的嘴。

范闲认真地说道："不错，但不是偷，因为那件东西本来就是我的。"

范若若从震惊情绪里摆脱出来，马上回复了平日的冷静与聪慧，判断出事情的真相，用微抖的声音说道："是不是和……叶姨有关系？"

范闲笑了笑，说道："这事瞒不得你。"很简单的几个字却饱含了兄妹间极浓的情意。他接着微笑说道："不妨事，你哥哥是什么人？拳打七岁小孩，脚踢七旬老翁，站在乱坟岗上吼一声，不服我的站出来，结果硬是没一个人敢吭气，哈哈。"

若若觉得哥哥这笑话真的很不好笑，依然忧心忡忡，知道范闲是个外表漂亮温和，实际上心神格外坚硬冰冷的人，自己没办法阻止他。

"其实我很自私。"范闲看她眉梢的忧愁，自省道，"每当有什么我一个人极难承担的事情，我都愿意告诉你，表面是信任，实际上或许只是想找个人分享压力。却没有想到，其实这种压力对于你来说，是一种更大的痛苦，至少我还有你可以倾诉，你又能向谁说去呢？比如我的母亲是叶家的女主，比如我马上要去皇宫偷东西。"

若若看了他一眼："信任与压力两相抵销，我还是喜欢哥哥不瞒着我。"

谈判仍然在进行，重新划界的工作进行得十分艰难。本来在范闲递上去的分析案宗支持下，庆国鸿胪寺具体负责谈判官员异常强硬，有几次都险些逼着北齐使团在文书上画押，但北齐的使团一直厚颜无耻甚至是歇斯底里地拖着，似乎是在等待什么。

这种阴谋的味道很快被经验丰富的鸿胪寺少卿辛其物嗅了出来。又一场毫无进展的谈判结束之后，他捧着一个小茶壶，看了范闲一眼，示意他跟自己出来。一路上都有官员向这两位正副使行礼致意。好不容易找到了一个清静点的地方，辛少卿有些疲倦地叹了一口气说道："小范大人，你有没有觉得事情有些异常？"

对于此次谈判，范闲虽然抱持着观摩学习加镀金的正确态度，但毕竟从头至尾都在参与，也觉得北齐使团的态度变化有些奇怪。如果说对方新近获得了什么可以倚仗的筹码，那此时也应该摆出来了，断不至于还在谈判桌上迹近无赖般地拖着。

他想了想，说道："只怕北齐现在正在想办法获得某些筹码，以便用在谈判桌上。"

辛少卿看着他点了点头："今晚我会入宫面见圣上，请圣上颁旨，令监察院四处协助鸿胪寺工作。不找出北齐方面究竟在想什么，我还真有些不放心。"

范闲靠着栏杆沉思，心想北齐究竟在等什么呢？毫无道理的，他脑中灵光一现，想到了监察院设置在北齐的间谍网，想到了那位在北齐已经潜伏了数年的言冰云言公子。

不知道他在想什么，辛少卿郑重地说道："范副使，你不能再藏拙了。"

范闲苦笑，心知对方肯定以为上次的卷宗是范府想办法弄来的，可事实上，父亲暗中替皇上打理的那些力量他从来没有接触过。

不过言冰云与那些庆国间谍在北齐方面的安全，确实有些令人担心。当天夜里，在那个隐秘的小院中，范闲召来了王启年，对他讲述了自己与辛少卿的担忧。

王启年的脸色有些难看："院里已经有八天没有接到乌鸦的请安了。"

"这种消息应该不是你这个层级能知道的。"范闲摇了摇头，"不过我也不去问你怎么知道的，我只是想通过你提醒一下院里，让北齐那边注意一下安全。"

王启年摇了摇头："都是单线联系，如果断了，很难再续回来。何况言公子身为北齐密谍总头目，如果他都出了事，再联系也于事无补。"

"无论如何，要提醒他注意安全。"范闲不喜欢因为国家的利益而放弃任何一个人。尤其是那位言冰云，身为高官之子，在敌国潜伏数年，牺牲良多。如今的他将自己视作庆国的一分子、监察院的一分子，自然对未曾谋面的言冰云有几分敬意。

他想到另外一件事情，说道："我有一项任务，但不能经过院里。"

王启年有些错愕地看着大人。

"记住，不能汇报给陈院长知道。"范闲的语气很平静，但王启年能听出其中的寒意。

"是。"这个字出口，王启年就知道自己已经将身家性命全部押在这个看似温柔、实则心狠手辣的年轻大人身上。不过，反正这也是陈院长的交代，他在心里想着。

当天晚上，那个坏消息终于得到了确认。庆国监察院四处架构在北齐的密谍网络幸运地保存了绝大部分，言冰云却在北齐上京的绸缎庄里被北齐大内高手生擒。

此类事件一般是由下层打开突破口，然后往上追溯，极少出现这种一举抓获谍网最高首领的情形。出现这种情况，只有一种可能，那就是庆国内部高层有人里通北齐！

言冰云被抓的消息没有被北齐朝廷散播开去，那样虽然会对庆国的声望造成一定的打击，但更不符合北齐的利益。北齐是要用言冰云来换取更实在的利益。

而对于庆国官场来说，监察院四处主办言若海大人的长公子三年前就已经死了，本来就没有人知道，他是被朝廷派遣去了北齐。

这几天里，知道这件事情的所有人都没有睡好觉。

鸿胪室最隐秘的房间中，辛少卿闭着双眼，将手中的那张纸递给了范闲。范闲接过来一看，是一幅画，画上是一片薄云缥缈，行于冰原高空之上。这张纸是今天谈判的时候，北齐方面使团里一个不起眼的人物暗中递到辛少卿手中的。

画中隐有"冰云"二字，看来北齐使团也已经得到了这个消息，准备开价。

"果然有内奸。"

范闲与辛少卿同时开口，然后同时住嘴。二人都相信这位年轻的密谍头目绝对不是一个会在刑讯下开口的软蛋，既然对方能如此轻易地抓住言冰云，并且知道了他的真实姓名，那很明显，隐藏在庆国朝廷里的某个大人物已经与北齐方面达成了协议。

辛少卿说道："在此之前，连太子和我都不知道言公子去了北齐。想来朝中有资格知道这件事情的最多不超过五个人。如果说他们卖国，傻子都不会相信，卖国总是需要好处的，整个庆国陛下就是让这些人管着，卖国能有什么好处？"

范闲和辛少卿互望一眼，都看出了对方眼中的忧愁，因为二人同时想到了一件很可怕的事情，万一不是内奸怎么办？万一只是朝中某些大臣用来打击监察院的手段怎么办？

辛少卿不等他回答，摇了摇头，说道："会有这么疯狂的人吗？只为了朝中的权力之争，就将整个庆国的利益踩在脚下？"

范闲想到自己的皇宫之行，心想庆国这样的疯子其实还挺多的，便问道："假设言公子已经被抓，圣上有怎样的安排？"

"北齐还是低估了圣上的决心。"辛少卿一想到那位高高在上的天子，顿时觉得心里有了底气，说道，"依然是一寸不让。"

范闲诧异道："那言公子怎么办？"

"换！"辛少卿面露阴狠之色，"换俘，圣上主意已定。前次换俘协议全部取消，重新再行拟过，就等着北齐方面送来言公子的信物以确认，然后开始新一轮的换俘谈判。"

范闲皱着眉头说道："北齐满心以为捉到一条大鱼，估计不会同意。"

辛少卿寒声道："这次我们也会多送两个人回北齐。如果北齐还是不愿意的话，三月之后朔冬之时，圣上就会斩北齐俘虏千人首级，送返北齐，大军再起。"

"以势压人，倒也算是无奈的招数。就怕北齐方面也来个鱼死网破，双方共有三千名俘虏，杀来杀去，总是无用。"范闲的手轻轻一拍书案，心里忽然涌起一股怪怪的念头，"准备加入换俘的两个人是谁？能够让北齐同意吗？"

"一个是已经被关了二十年的肖恩。"辛少卿知道范闲并不知道肖恩的名头，就解释道，"这个人是当年北魏的密谍头目，二次北伐之前，监察院陈院长与费大人亲率黑骑，奇突一千里，在肖恩儿子婚礼上生擒了他。他被咱们抓住之后，北魏谍网群龙无首，顿成一盘散沙，朝廷最后一次北伐才能生生将一个庞大的帝国打成如今的孱弱模样。后来论功之时，监察院就因此事论了个首功。如果肖恩不是胆子大到离开北齐，如此远去上京参加儿子婚礼，朝廷一定没办法捉住他，那后来的战事也就不可能如此顺利了。"

听着这些数十年前的过往，范闲感叹无语，这时又听到辛少卿后面的一句话。

"当然，肖恩胆子大到敢离开北齐上京。陈院长胆子更大，居然敢深入敌境八百里,虽然付出了一双腿的代价,但毕竟捉住了肖恩。在那之前,北魏的肖恩、南庆的陈萍萍,被世人称为黑夜里最可怕的两个人,此事之后,便再没有人敢和陈院长相提并论了。"

范闲想不到陈萍萍当年还有如此神勇的一面,再想着轮椅上的那个老人,便多了几分敬意。稍一思忖后,他说道:"拿肖恩去换言冰云……似乎我们亏了。"

辛少卿说道:"昨天夜里,几位大臣也这么认为。不过陛下和陈院长可不这么看,肖恩毕竟已经是快八十的人了,而且在陈院长手中败过,哪里还有当年的气势。言公子忍辱负重,潜伏敌国多年,功劳极大,拿一个老头子去换庆国的未来,这有何不可?"

范闲连连点头,问道:"难道还怕北齐不愿意,又加了谁?"

"那个女子是北齐往日便提过的要求,圣上干脆一并准了。"辛少卿看着范闲,忽然笑了起来,"听说北齐皇帝很喜欢那个女子,范大人真是厉害,厉害。"

范闲的脸色有些精彩,微惊道:"难道是司理理?"

千古风流

　　谈判分为两个部分进行，表面上庆国的朝臣与北齐的使团在谈判桌上字斟句酌，对于每一个称呼、每一个用字都表现出某种病态的执着，仿佛唯如此才能保证国朝的脸面，不会在最后的国书上弱了几分气势。每天鸿胪寺里总是吵闹不停，拍桌子的、踩椅子的，哪像两个国家在谈判，更像是菜市场里泼妇在互骂。

　　另一部分的谈判却冷酷直接许多，这里的谈判没有鸿胪寺官员的存在，北齐方面也不是使团的头脸人物，却是隐藏在暗中、真正能说话的实权人物。

　　监察院四处主办言若海，放在官员如走狗游鲫的京都里，也是位赫赫有名的高层人物，他冷冷地在换俘秘密协议上签了字，再没有看文书一眼。

　　协议上面有他亲生儿子的名字，本来这次谈判他可以请辞，但他坚持要来，要来看看。

　　北齐那个不起眼的官员笑吟吟地画押，看着言若海轻声说道："言大人放心，贵公子在本国过得很顺心。"

　　言若海面无表情地说道："我今日本想看看北面的同仁究竟是如何高明，竟能抓住我从小教大的小兔崽子，但看见你这个蠢货，我就知道是怎么回事了。"

那位官员没有勃然大怒，只是阴冷反驳道："言大人，言辞不要太过，你可要知道，贵公子现在还在我们手上。如果我们是蠢货，那贵公子又算什么？您又算什么？"

言若海起身向门外走去，说道："问题就在于，我儿子可不是被你们抓住的。"

走出门外，坐在轮椅上的陈萍萍看了他一眼，摇了摇头："你在这个位子上久了，已经不如当年能忍。"

"我能忍许多，但我不能忍从背后射来的冷箭。"看得出来，言若海言语间很尊重自己的上司，推着陈萍萍的轮椅，缓缓向安静处走去。

陈萍萍坐在轮椅上伸出了一根手指头："朝廷里面，想你我死的人不知凡几，今次我们可以拿肖恩去换冰云，下次我手里可没有肖恩这种人了。"

言若海应道："没有下次。"

"要抓紧把那个人找出来。"陈萍萍说道，"这次皇上站在我们一边，是因为他清楚，肯定是哪位贵人想教训一下我们。但是我不喜欢这种被人挑弄的感觉。"

"是，院长。"言若海知道院里肯定会想办法处理这件事情，所以并不如何着急，"虽然换俘不见得顺利，但只要冰云不死，也算是对年轻人的一次磨炼，未尝不是好事。"

"有道理，所以我也决定让一个年轻人去磨炼磨炼，不需要太久，几个月就好。"

"几个月？是不是这次回使北齐的事情？"言若海问道。

"不错，而且还要把言冰云完完整整地带回来，希望他能处理好。"

"是谁？"言若海又问。

"走之前，我会让你们八大处都见一见他。"

在庆国付出了相当大的筹码之后，终于与北齐拟定了换俘以及暗中的交换暗探协议，双方似乎皆大欢喜。庆国得了面子和土地；北齐得了面子与肖恩，还有皇帝喜欢的女人。只有东夷城的使团老老实实地待在院子里，都快被人忘了。庆国朝廷是在故意冷淡对方，以便靠着苍山之事敲出更多的金钱来。东夷城乃是天下巨商汇集之处，早在庆国朝廷开放南方港口之前就开始与洋夷通商，武力方面虽然只有剑庐可以凭恃，财力却是取之不竭。

三天后就是庆国皇帝陛下宴请两国使臣之日，范闲身为谈判副使自然要去宫中赴宴，那将会是他的第二次入宫，也是他计划中的那一夜。

他在自己的房间里细心准备着一切，偶尔会瞥一眼床下露出一角的黑色皮箱。这几日的公事中，他更深切地看到了一些东西，庆国看似庞大强盛，不可一世，但朝廷里面囿于某些贵人不可告人的想法，依然会有那么多的污垢与黑水。

帝王家无情，却不见得是对皇族成员无情，更多的是对这天下臣民。范闲很清楚，就算陛下知道是谁想对付监察院，也不会真的痛下杀手，因为那些人有可能是他的妻子、他的妹妹、他的儿子，甚至是他的母亲。

"做一个纯粹的为自己考虑的人。"这是范闲来到这个世界之后，无数次提醒自己的事情。他的目光渐渐冷酷起来，将细长的匕首藏好，将浸好毒的三根细针插入头发之中。

三日后，礼乐大作，大红灯笼高高挂，宾客往来络绎不绝。北齐使团与东夷来客在庆国有关方面的欢迎下，满脸笑容，沿着长长的通道，走入了庆国最庄严的皇宫之中。看着众人的表情，似乎这天下太平异常，前些日子的战争与刺杀根本就没有发生过。

宴席的地点安排在皇宫的外城祈年殿中。

在殿里来回端上食盘与酒浆的宫女们长得非常漂亮，范闲挑着眉尾，满脸带笑地望着她们在宏大的宫殿里忙来忙去。这些宫女们发现年轻英俊的范公子对自己投注了不一样的目光，不免会有些羞涩，淡淡的胭红变得愈发红润，时不时地偷偷瞄他一眼。

殿前名士云集。庆国这方有许多是范闲未曾见过的各部大人和一些王公贵族，只有陈院长与宰相大人同时称病未来。他虽然位卑官低，但由于身兼副使之职，所以被安排在中间坐着，身旁都是些上了年纪的高官，不免有些不自在。正在此时却听到旁边老者微笑地说道："赐宴规矩多，不过陛下向来随和，范公子不要紧张。"

老人是礼部侍郎张子乾，范闲因为与礼部尚书郭家有不可解的仇怨，正有些暗中警惕，忽听对方说话似乎并无恶意，不由惭然一笑道："小子向居乡野，哪里见过这等排场，若有什么失仪的地方，还望老大人指点一二。"

张子乾捋捋颏下长须，微笑道："任少卿今日朝会上说范公子此次谈判中出力极大，当此之际，朝中无人会对你如何，只是要小心对面那些人。"

二人的目光往对面望去，只见北齐使团的长宁侯正百无聊赖地等着，最上手的一桌却依然空着，想来就是那个神龙见首不见尾的庄墨韩大家。在东夷使团的首席坐着一位中年大汉，这大汉腰畔长剑未下，范闲不由皱眉道："为什么他能持剑入宫。"

"四顾剑门下向来是剑不离身，这是特例。"张子乾像给自家晚辈解释一般，细细地说道。

"他就是四顾剑首徒云之澜？"范闲双眼微眯，顿时感觉到那系剑大汉身上自然流露出的一股厉杀之意。

这些天，庆国朝廷刻意冷落东夷使团，看来这位九品剑法大师云之澜的心情并不怎么好，即便坐在庆国宫殿上，整个人依然是冷冰冰的。

范闲正看着云之澜如剑一般的双眉，巧的是此时云之澜也向他望了过来。

两道目光像闪电一般在宫廷的空气中劈到了一处。

片刻之后，范闲示弱般低下头，轻轻咳了两声。

对方目光里的剑意太浓。

这一对望，顿时让殿中所有人都注意到了这边。大家都知道，范闲在牛栏街杀了四顾剑门下两个女徒，东夷城此前来贡就是为了收拾那件事情的首尾。但依照大多数人的看法，只怕这位剑法大师云之澜更想将范闲斩于剑下。

如今东宫太子通过谈判人事安排一事向范闲释放出了善意，朝廷上不论哪个派系，都不敢因为此事幸灾乐祸。外敌当前，庆国不论哪部主官，还有军中人士，都狠狠地瞪向东夷城首剑云之澜，整个宫殿里的气氛顿时紧张了起来。

范闲面无表情，低头调息着体内的真气，时刻准备着。

就在这个时候，殿侧一方传来动静，宫乐庄严中有太监高声喊道："陛下驾到！"

整个天下最有权力的人、庆国唯一的主人——皇帝陛下携着皇后，缓缓从侧方走了过来，满脸温和笑容地站到龙椅之前。

"吾皇万岁万岁万万岁！"

殿前的群臣恭敬跪下行礼，使团来宾躬身行礼，原本残留在殿内的那一丝紧张，全被一种莫名庄严肃穆的感觉所取代。

皇帝陛下高高在上，皇后在旁相伴，太子在父母下方两个台阶也有个独一无二的座位，别的皇子则是没有出现。皇帝的目光在下方群臣身上一扫而过，说道："平身吧。"

赐宴正式开始。首先是北齐使团大臣出列，例行的一番歌功颂德，宣扬了一番两国间的传统友谊，便退了回去。又是东夷城云之澜出列，面无表情地说了几句话，也退了回去。

皇后微微一笑，低声在陛下耳边说道："这个东夷城的人倒是傲气得很。"天子国母高坐在上，他们之间的说话，根本不虞会有旁人听见，说话自然直接。

陛下亦是温和一笑道："若连一丝傲气都没有，怎么有资格成为四顾剑首徒？"

早有宫女将热菜新浆换上，群臣埋头进食，不敢说话。陛下没有开口，自然是一片安静。

范闲低着头，目光不易察觉地飘向对面，先前空无一人的首席之上已经坐上了一个人。那人面容苍老，一双眸子却是清明有神，额上皱纹里似乎都夹杂着无数的智慧，一身白色士袍如云般将他并不高大的身躯护在正中，不问便知此人乃是北齐大家庄墨韩。

不知道他是什么时候落座的，范闲分析着，应该是皇帝陛下来的时候，他同时进来的。看来传言不误，这位庄墨韩极得太后赏识，居然一直留在宫中。

当范闲偷瞄对方的时候，却不知道高高在上的那对夫妇也在瞄着自己。皇后用目光示意了一下范闲所坐的方位，轻声道："那个年轻人就是范闲，晨郡主将来的驸马。"

陛下微微一笑说道："生得倒是好看，在京中也有些诗名，今日朝上，辛其物与任少安同时称赞他的才能。朕倒有些好奇，为何太子舍人与宰相门生都对他如此亲善？"

皇后笑着说道："他毕竟马上就是宰相大人的女婿，太子自然多看两眼。"

陛下似笑非笑，也不看皇后，反而看着下方自己的儿子，"真是难得。"

听出一丝不满意，但皇后感觉到陛下今天心情不错，对太子不像往日那般只想呵斥，难得有些正面的评价，便高兴说道："承乾渐渐长大，总是会懂些事情的。"

皇帝一笑无语。

不知道是紧张还是什么原因，范闲不停地喝着酒。这些酒浆顶多算黄酒一类，度数不高，喝着酸酸甜甜，他没觉得如何，在旁边诸官的眼中，他喝酒的模样却着实有些凶猛，礼部侍郎张子乾忍不住提醒道："范大人，万一殿前失仪，那可是大罪。"

范闲知道对方是提醒自己，这里不是流晶河而是深宫，自己不是酒客而是臣子，于是真气逆运，将酒意逼至脸上，眼眸里顿时多了一丝迷离之意。他压低了声音说道："不敢瞒老大人，小侄实在是紧张，想饮些酒好放松一些。"

张子乾看着他醉态初显，摇头苦笑道："宰相大人称病不来，你那父亲偏生也不来，却将你这小子交给我管，如果真喝得烂醉如泥，我怎么向他们交代？"

北齐使团这些天被鸿胪寺为难惨了，此时见到范闲模样，相视一眼心中拿定了主意。这些天范闲身为副使一直沉默不语，使团众人却是深为厌恶那张漂亮脸上时刻流露出来的蔫坏——北齐在庆国京都依然有不少探子，当然知道庆国鸿胪寺此次之所以如此厉害，全是因为这个叫范闲的副使在背后出的坏主意。至于出的什么坏主意，却没有人知道。

长宁侯阴险一笑，站起身来，对着高处恭敬行礼道："陛下，这些日子双方谈判辛苦，贵国鸿胪寺众属也是辛苦，不知外臣可否敬诸位鸿胪寺官员一杯，以证两国情谊。"

东夷城使团坐在他们旁边，自然也将范闲的醉态看在眼里，知道北齐人想做什么，只是冷眼旁观着，没有凑热闹。

龙椅太高，皇帝与皇后似乎没有看清楚场间的暗流，也没有注意到范闲，一笑允了。太子也凑趣道："长宁侯自然是要尽兴才行。"

太子不清楚发生了何事，却是愁坏了坐在下方的鸿胪寺众官。这些天的谈判里，大家早已经把范副使当作了自己人，怎么能让北齐人将他灌醉，但双方坐得远，却没法子去帮忙。

喝酒不醉难，装醉更难，这是范闲第一次宫廷赐宴时产生的最强烈的感觉。

一通狂饮下来，北齐使团溃不成军，八个官员倒了六个，最后连长宁侯都不顾身份亲自下场，结果还是惨烈牺牲，半挂在范闲的胳膊上。

看着下面的场景，一直与皇后和庄墨韩大家轻声交谈的皇帝陛下唇角微绽笑道："宫里，已经很久没有这么热闹过了。"

那位庄墨韩一直沉默着，只是偶尔在皇帝发问的时候才回答几句，摆足了一代名士的派头，此时他顺着皇帝的目光望去，似乎也才刚刚发现那边的动静。他看着那个正抱着北齐长宁侯灌酒的漂亮年轻人，问道："那位年轻的大人，就是诗家范公子？"

这位名动天下的文学大家，似乎很难相信自己的眼睛——那位传说中只凭三首诗便赢得偌大诗名的少年才子，竟然是个好酒狂徒？

皇帝陛下也有些微微恼怒，提高了声音喊道："范闲！"

整个宫殿里的人看似欢闹，其实大半个耳朵都在仔细听着龙椅上的动静。所以当皇帝陛下发话之后，偌大一座宫殿顿时安静了下来——只有范闲依然在不停地嚷着："喝干净！"

"范闲！"看见他烂醉如泥的模样，太子也忍不住呵斥了一声。任范闲为副使是东宫的建议，他若丢了脸，太子也觉得自己不怎么光彩。

似乎察觉到宫殿里的气氛有些安静得怪异，范闲有些愣愣地站在原地，眼神迷乱地四处扫了一扫，漂亮的脸上却透着一份酒后的洒脱狂意。

"谁喊我呢？"

朝中凡是与范家、宰相家交好的大臣们，听见这小子的回应，都恨不得马上把他的嘴巴堵上，然后塞进马车，赶紧扔回范府。出乎众人意料的是，高高在上的皇帝陛下听见这声只有在酒楼上才有的应答后，却似乎不怎么生气，反而笑了起来："是朕在喊你。"

听见"朕在"这两个字，不论是真醉还是装醉的人都要醒过来，范闲也不例外，手臂一松，赶紧躬身行礼："臣……臣罪该万死，臣……喝多了。"

他这一松手臂，一直被他扼着的北齐长宁侯醉醺醺地就瘫软了下来，叭的一声摔在了地上。庆国官员见敌国谈判长官摔得如此狼狈，不禁唇角泛起微笑，十分得意。北齐使团唯一没有喝醉的两个使臣，赶紧将长宁侯扶回座位，自有宫女体贴送上醒酒汤。

皇帝陛下斥道："朕当然知道你喝多了，不然定要治你个殿前失仪之罪。"

范闲勉力保持着躬身的姿势，苦笑着分辩道："臣不敢自辩，不过有客远来，不亦乐乎？不将北齐的这些大人们陪好，臣身为接待副使，怕是职司没有完成好。"

"瞧瞧。"陛下侧身对皇后说道，"这还是不敢自辩，若他自辩，只怕还会说……是朕让他喝的，与他无关。"

皇后知道陛下一向最疼爱晨郡主那丫头，不知道他是不是爱屋及乌，微微一笑，既不为范闲说好话，自然也不会傻到出言斥责。

"范闲。"这是皇帝陛下第三次在殿上唤出他的名字，众官竖耳听着，内心深处却品咂出别的味道。看来范家与皇室的关系，果然不一般。

只听陛下淡淡地说道："范家与朕的情分不一般，在朕眼中，你也只是个晚辈罢了。且不论君臣，当朕说话时，你还是得把你那张利嘴给闭着！不要以为朕不知道你在酒楼上那番胡诌言语，小小年纪，真以为嘴皮子利索些，便将这天下之人不瞧在眼里。"

明是贬斥，暗中却是呵护有加，群臣哪会听不明白。果不其然，只听得陛下接着说道："值此夏末明夜，君臣融洽，邦谊永固，范闲你向有诗名，不若作诗一首，以志其事。"

群臣纷纷附和，知道陛下想借今日廷宴之机，让众臣子知晓这位八品协律郎是个什么样的人物。只是小范大人此时喝得半醉，若浪费了这个机会，真是可惜。

范闲酒意上涌，确实有些迷糊，这话却是听得清清楚楚，对着龙椅方位一拜道："陛下，下臣只会些酸腐句子，哪里敢在庄先生面前献丑。"

此言一出，群臣目光都望向了庄墨韩，这才明白陛下绝对不仅仅是给范氏子一个露脸的机会而已，而是借此机会要向天下诸国万民证明……

论武，庆国举世无双！

论文，庆国也有一位大才子！

范闲"万里悲秋常作客"的名头在京都里早已响了数月，只是后来他坚不作诗，才渐渐淡了。诸臣听他一句话便把事情推到庄墨韩那里，还以为他与陛下早就暗中有个默契，要打击一下北齐文坛大家的气焰，却哪里知道范闲是真的随意谦虚了一句。但下一刻他便发现事情有些不对，因为皇帝陛下的双眼渐渐眯了起来，目光幽深里透着一丝欣赏。

这欣赏，自然是欣赏小范大人深明朕心；同时也是警告，作首好诗出来，莫在庄墨韩面前丢了庆国的脸面。

"不若你作一首，让庄墨韩先生品评一番，若不佳，可是要罚酒的。"皇后微笑说道，她也清楚自己身旁男人的想法，提前布了后手。

事已至此，还能如何？范闲回到席间，不顾醉意已浓，又倾一杯，让微酸酒浆在口中品咂一番，眉头紧锁。

众臣皆知范公子急才，暗中替他数着数。大约数到十五的时候，范闲双眼里清光微现，满脸微笑，双唇微启，吟道："对酒当歌，人生几何！譬如朝露，去日苦多……青青子衿，悠悠我心。但为君故，沉吟至今……我有嘉宾，鼓瑟吹笙。明明如月，何时可掇？……契阔谈宴，心念旧恩。月明星稀，乌鹊南飞。绕树三匝，何枝可依？山不厌高，海不厌深。周公吐哺，天下归心。"

如同范闲每次丢诗打人一般，此诗一出，满堂俱静。此乃曹公当年大作，他删了几句便抛将出来，值此殿堂之上，天下归心正好契合陛下心思，最妙的是周公吐哺一典，在这个世界里居然也存在，而且此周公没有抱过皇帝，却是实实在在做了皇帝！

许久之后，宏大的宫殿之中，群臣才齐声喝彩："好诗！"

皇帝陛下面露满意之色，转首望向庄墨韩，轻声道："不知庄先生以为此诗如何？"

庄墨韩面色不变，他这一生不知经历过多少次这种场面，也不知品评过多少次诗词，之所以能得天下士民敬重，连殿里这些庆国官员有不少都是读他的文章入仕，所依持的就是他的德行与他的眼光，还有他自身渊博如海的学识。

"好诗。"庄墨韩轻声说道，"果然好诗，虽意有中断，但胜在其质。诗者，意为先，质为重。范公子此诗意足质实，确实好诗，没想到南庆也有这等诗才。"

范闲对这位文坛大家没有什么特别的感觉，只是不喜欢对方的做派，浅浅一礼后便往自己的席上归去，脚下有些跟跄。

诸官还在小声议论着小范大人先前的诗句。如果一般而言，文事到此便算罢了，但今天殿间的气氛似乎有些怪异，只听一个人冷冷地说道："庄先生文章大家，世人皆知，但在这诗词一道上却不见得有范公子水平高，如此点评不免有些可笑。且不说范公子今日十五数内成诗，单提那首'万里悲秋常作客'，臣实在不知，这北齐国内又有哪位才子可以写出？"

这话说得非常不妥，尤其是在国宴上，更显无礼。庆国皇帝没有想到寻常文事竟然到了这一步，眉头微皱，不知道是哪位大臣如此无礼。

范闲停住了回席的脚步，略带歉意地向庄墨韩行了一礼，表示自己并无不敬之意。庄墨韩咳了两声，有些困难地在太后指给他的小太监搀扶下站起身来，平静地望着范闲："范公子诗名早已传至大齐上京，那首'万里悲秋常作客'，老夫倒也时常吟诵。"

范闲忽然从这位文学大家的眼中看到一丝怜惜，一丝将后路斩断得决然，忽然心中大动，感觉到某种一直没有察觉的危险，正慢慢地向自己靠近了过来。他酒意渐上，却依然猛地回头，在殿上酒席后面找到了那张挑起战事的脸来。

此人乃是郭保坤。

被自己打了一拳的郭保坤，太子近人郭保坤，宫中编撰郭保坤，今日也有资格坐于席上。但很明显，他的这番话事先太子并不知情，因此太子和范闲一样，都盯着郭保坤那张隐有得意之色的面容，不知道他究竟想做什么。

庄墨韩又咳了两声，向皇帝陛下行了一礼后轻声说道："老夫身属大齐，心却在天下文字之中，本不愿伤了两国间情谊，但是有些话，却不得不说。"

陛下的脸色也渐渐平静起来，从容道："庄先生但讲无妨。"

庄墨韩缓声说道："风急天高猿啸哀，渚清沙白鸟飞回。　无边落木萧萧下，不尽大江滚滚来。　万里悲秋常作客，百年多病独登台。　艰难苦恨繁霜鬓，潦倒新停浊酒杯。"

宫殿上无比安静，不知道这位名动天下的文学大家，会说出怎样惊人的话来。

"这诗前四句是极好的。"

听着末一句，群臣大感不解，这首诗自春时出现在京中，早已传遍天下，除了大江的"大"字有些读着不舒服之外，众多诗家向来以为此诗全无一丝可挑剔之处。后四句更是全篇精华，不知道庄墨韩大家为何反而言之。

庄墨韩沉默了一会儿，淡然说道："之所以说前四句是好的，不是因为后四句不佳，而是因为……这后四句，并非范公子所作。"

殿中一片哗然，马上变成死一般的寂静，没有谁开口说话。范闲假意愕然，却明白了许多事情，倒是平静了下来，酒醉后的身子斜斜倚在几上，满脸微笑地看着庄墨韩。

几个月之前，林婉儿就说过，宫中有人说这诗是抄的，当时自己并不在意，但没料到却是今日爆发。郭保坤挑起此事，显然是得了某位贵人的授意。

自从入京之后，唯一可以拿得出手的便是所谓文字上的名声，若她将自己的名声毁了，在这样一个极重文章德行的世界里，自己只有主动退婚的分儿。

只是不知道，长公主是怎样说动一向名声极佳的庄墨韩，千里迢迢来做这个小人？

不过范闲并不害怕，因为很明显，庄墨韩不知大江是长江，那就说明他最害怕的事情并没有发生。如果想指证自己抄袭，庄墨韩只有靠自己的学问与清名压人。

仅此而已。

此时陛下的眉头皱得更紧，要知道抄袭一说是极严重的指责，如果庄墨韩没有什么凭仗，断不敢在庆国的皇宫里如此说三道四。

礼部侍郎张子乾说道："庄墨韩先生一代大家，学生少时也常捧着先生所注经书研习，天下间自然无人敢怀疑先生说话。但是事涉抄袭，或许先生是受了小人蒙蔽？"

他看了一眼自己上司的公子郭保坤，并不如何忌惮表露自己所说小人是谁。

庄墨韩抬起头来，充满智慧且又沉静的双眼里飘着一丝复杂的情绪："这诗后四句，乃是家师当年游于亭州所作。因为是家师遗作，故而老夫一直珍藏于心头数十年，却不知范公子是何处机缘巧合得了这词句？本来埋尘之珠能够重见天日，老夫亦觉不错。只是范公子借此邀名，倒为老夫不取，士子首重修心修德，文章词句本属末道。老夫爱才如命，不愿轻率点破此事，本意来庆国一观公子为人，不料范公子不知悔改，实在可惜。"

范闲听着这话险些失笑出声，旁人却笑不出来，殿前的气氛变得十分压抑。如果此事是真的，不要说范闲今后再无脸面入官场上文坛，就连整个庆国朝廷的颜面都会丢个精光。天下士子皆重庄墨韩一生品行道德文章，根本生不起怀疑之心，更何况庄墨韩说是自己家师所作，以天下士人尊师重道之心，等于是在拿老师的人品为证，谁还敢去怀疑？

众官在心里深处已经认定范闲这诗是抄的，望向他的眼神便有些古怪。但毕竟事涉庆国朝野颜面，皇帝陛下冷冷看了一下文渊阁大学士舒芜。一阵尴尬之后，舒大学士为难地站了起来，先向庄墨韩行了一礼："见过老师。"

舒大学士尝游学于北齐，受教于庄墨韩门下，故而以师生之礼相见。他当然相信老师所言范闲那首诗是抄的，但在陛下严厉的目光之下，却不得不站起来替范闲说话："范公子向有诗才，便说先前这首《短歌行》亦是精彩至极，若说他抄袭，实在很难令人相信，而且……似乎也没有这个必要。"

庄墨韩也已经坐了下来，面无表情地说道："莫非你怀疑老夫是在用先师之名撒谎？"

舒大学士大汗淋漓，连道不敢，再也顾不得皇帝陛下的眼光，老老实实地退了回去。此时若再有人置疑，便等若是在说庄墨韩乃是无师无父的无耻之徒，谁也不敢担这个名声。但皇帝不是一般的读书人，只听他冷冷说道："庆国首重律法，与北齐倒有些区别，庄先生若要指人以罪，便需有些证据才是。"

众臣都听得出来陛下怒了。但正是这分怒意，如果庄墨韩真的证实了范闲抄袭，只怕范闲很难再有出头之日。

庄墨韩让身后随从取出一幅纸来，说道："这便是家师手书，若有方家来看，自然知道年代。"他望着范闲怜惜地说道，"范公子本有诗才，奈何画虎之意太浓，却不知诗乃心声，这首诗后四句如何如何，以范公子之经历，又如何写得出来？"

殿内此时只闻得庄墨韩略显苍老，而又无比稳定的解诗之声："万里悲秋，何其凉然？百年多病，正是先师风烛残年之时独自登高，那滔滔江水，满目苍凉……范公子年岁尚小，不知这百年多病何解？繁霜鬓乃是华发丛生，范公子一头乌发潇洒，未免强说愁了些。"

听到这番话，众人愈发觉得这样一首诗，断断然不可能是位年轻人写得出来。庄墨韩最后轻声说道："至于这末一句'潦倒新停浊酒杯'，先不论范公子家世光鲜，有何潦倒可言，但说'新停浊酒杯'五字，只怕范公子也不明白先师为何如此说法吧。"他看着范闲，眉宇间似乎都有些不忍心："先师晚年得了肺病，所以不能饮酒，故而用了'新停'二字。"

庆国诸臣沉默了，心想哪里还需要那幅手书，只说这些无法解释的问题，范闲抄袭的罪名就是极难洗清。然而便在此时，安静的宫殿里忽然响起一阵掌声！

范闲长身而起，看着庄墨韩缓缓放下手掌，心里确实多出一分佩服。这位庄先生的老师是谁自然没人知道，但是对方竟然能从这首诗里推断出当年老杜身周之景、身患之疾，真真配得上当世文学第一大家的称号。不过他知道对方今日是陷害自己，那幅纸只怕也早做过处理，故而不能佩服到底，立时清逸脱尘的脸上多出了一丝狂狷之意，只听他醉笑说道："庄先生今日竟是连令师的脸面都不要了，真不知道是何事让先生不顾往日清名。"

旁人以为他是被揭穿之后患了失心疯，说话已经渐趋不堪，都皱起了眉头。皇后轻声吩咐身边的人去喊侍卫进来，免得范公子做出什么失态之事。不料皇帝陛下却是冷冷一挥手，让诸人听着范闲说话。

范闲身形微晃走到殿上，眼中尽是讥屑神色，高声喝道："酒来！"

后方宫女见他呈癫狂神色不敢上前，有位大臣却一直为范闲觉着不平，从后方抱过约莫两斤左右的酒坛，送到范闲的身前。

"谢了！"范闲哈哈一笑，一把拍碎酒壶封泥，举壶而饮，如鲸吸长海般，不过片刻工夫便将壶中酒浆倾入腹中。一个酒嗝之后，酒意大作，他今日本就喝得极多，此时急酒一催，更是面色红润，双眸晶莹润泽，身子却是摇晃不停。

他像跳舞一般跟跄着走到首席，看着庄墨韩说道："这位大家，您果真坚持这般说法？"

庄墨韩闻着扑面而来的酒味，微微皱眉说道："公子有悔悟之心便好，何必如此自伤。"

范闲盯着他的眼睛说道："凡事有因方有果，庄先生指我抄袭令师四句诗，不知我为何要抄？难道凭先前那首《短歌行》，晚生便不能赢得这生前身后名？"

"生前身后名"五字极好，就连庄墨韩也有些动容。他心系某处紧要事，迫不得已之下，今日舍了名声来刻意构陷面前这少年已是不忍，缓缓将头移开，淡淡道："或许范公子此诗也是抄的。"

"抄谁的？莫非我作首诗，便是抄的？莫非庄先生门生满天下，诗文四海知，便有资格认定晚生抄袭？"看庄墨韩手指轻轻叩响桌上那幅卷轴，范闲冷笑道，"庄大家，这种伎俩糊弄孩子还可以，你说我是抄的令师之诗，我倒奇怪，为何我还没有写之前，这诗便从来没有现于人世？"

庄墨韩似乎不想与他多做口舌之争，倒是范闲轻声细语地说道："先生说到，晚生头未白，故不能言鬓霜，身体无恙，故不能百年多病……然而先生不知，晚生平生最喜胡闹事，拟把今生再从头。你不知我之过往，便来构陷于我，无趣之余，何其荒唐！"

不知道是真的喝多了，还是难得有机会发泄一下郁积了许久的郁闷，范闲那张清逸脱尘的脸上，陡然间多出几分癫狂神色。

"诗乃心声。"庄墨韩认真地说道，"你并无此过往，又如何能写出这首诗来？"

"诗乃文道。"范闲望着他冷冷地说道，"这诗词之道，总是讲究天才的，或许我的诗是强说愁，但谁说没有经历过的事，就不能化作自己的诗意？"

他这话极其狂妄，竟是将自己比作了天才，借此证明先前庄墨韩的论断全是错的。

庄墨韩微微皱眉说道："难道范公子竟能随时随地写出与自己遭逢全然无关的妙词？"

作为世间文学第一大家，他见过不知多少才子文豪，自是不信世间有这样的人物，就算是诗中天才也断没有如此本领。见对方落入自己盘算中，范闲微微一笑，毫无礼数地从对方桌上取过酒壶饮了一口，眼中的醉意渐趋浓烈。只见他忽将青袖一挥，连喝三声：

"纸来！"

"墨来！"

"人来！"

殿中众人不解何意，皇帝陛下平静地吩咐着宫女按照范闲的吩咐去做。不多时殿上便空出一大片地方，摆上了案几与笔墨纸砚，范闲拎着一壶酒，孤独而骄傲地站立在正中。

范闲有些站不稳了，拱手对陛下一礼道："借陛下执笔太监一用。"

皇帝不解何意，微微沉颔允了。一个执笔太监走到桌旁坐下，铺好白纸，研好笔墨。不料范闲打了个酒嗝，摇头说道："一个不够。"

"范闲，你在胡闹什么？"离他颇近的太子忍不住开口说道。皇帝依然是满脸平静允了他的请求，眼睛里渐渐透出笑意，似乎猜到了马上要发生什么事情。

范闲微笑地看了庄墨韩一眼，眼中醉意更胜，对身边正执笔以待的三名太监说道："我念你们写，若写得慢了，没有抄下，我可不会念第二遍。"

这三个太监无来由地紧张起来。很多人都在猜测范闲准备做什么，他如何能够让世人在庄墨韩与他之间，相信自己才是真正的一代诗家？

入夜不久，夏末夜风并不如何清凉，殿里的气氛却越来越紧张，仿佛战鼓渐起。

"……野火烧不尽，春风吹又生……乱花渐欲迷人眼，浅草才能没马蹄……天长地久有时尽，此恨绵绵无绝期。"

毫无征兆，毫无酝酿，范闲脱口而出一段，尽是白居易所作，不一会儿工夫，便有了十几首。他站在书几之旁，眼睛望着宫殿外的夜色，不停地吟诵着自己这奇怪大脑里能记住的所有名诗。几个太监挥笔疾书，却都险些跟不上他的速度。

众人默然，细品。

面对着源源不绝的阴谋与算计，在强大的压力之下，他终于爆发了，带着些癫狂的情绪，将脑中记得的诗句朗朗诵出，不在乎太监写下来了没有，也不在乎旁人听明白了没有。那些咀之生香的前世文字，经由他的薄薄双唇，在这庆国的宫殿里不断地回响着。

庄墨韩的眼神渐渐起了一些很奇妙的变化。

一开始只是纯粹看热闹的诸位臣子，忍不住在心里嘀咕了起来，这些诗他们一首也没有听过，但确确实实是极妙的句子，难道……都是范公子所作？

"晚来天欲雪，能饮一杯无……"这是白乐天在饮酒。

"君不见……"接下来轮到太白饮酒。

"对影成三人……"太白依然在饮酒。

"但使主人能醉客……"太白还是在饮酒。

"弃我去者，昨日之日不可留；乱我心者，今日之日多烦忧……"这是太白酒已经喝多了。

殿中的人再也顾不得君前失仪之罪，渐渐从酒席后走了出来，围坐在范闲的身边，听着他口中诵出的一首首诗，脸上写满了震惊与无法置信。

世上奇才颇多,诗才更多,但自古以来,何曾出现过今天这样的场面?

见过写诗的，没见过这么写诗的！作诗，绝对不是在菜市场里搬大白菜——但无数首从未断绝过的诗句从范闲的嘴里喷涌而出，就像是不需要思虑一般，和搬大白菜有什么区别！

虽然众臣并不知道范闲曾经生活的那个世界里的某些典故，觉得这些诗里的某些句子有些生涩难解，但依然骇然惊恐，因为这些诗……首首都是佳品啊！

范闲还在吟诗，没有停止。

众人此时望向他的目光已经变得极为怪异，觉得面前这个清逸脱尘的年轻人不再是凡间一人，而是天仙下世！震惊之余，早有清醒的文渊阁学士替下腕力不支的三个太监，开始埋头奋笔抄写这些出口即逝的诗句。范闲先前说过，他只会说一遍，如果让这些诗句随风飘出殿去，那怎么可以！

范闲不知道身边的景象，依然闭着双眼，脑筋转得极快，一面是在回忆这些诗句，一面却是在想着稍后的事情。如果让众臣知道他此时犹有余暇，只怕都会吓得昏过去。

他觉得有些渴了，将手伸到旁边的空中，早有识趣的太学士正拿着酒过来，小心翼翼地放在他的手里，生怕打扰了他此时的情绪。

从《诗经》中的"君子好逑"，到龚自珍的"万马齐喑"，唐时明月光，宋时春江水，杜甫盖草房，苏东坡煮黄州鱼，杜牧嫖妓，柳三变也嫖妓，元稹曾经沧海包二奶，李义山锦瑟无端思华年，欧阳修爱煞外甥女却是被人冤枉，说什么以姜换马，都是明人胡呲！

范闲闭着眼睛，饮一口酒，念一首诗，三壶酒尽，三百诗出！

阔大的宫殿之中，似乎有无数的光影正在飞舞，渐渐凝成只有闭着眼睛的他才能看清楚的画面。那是前世的诗家、前世的老帅哥小帅哥在竹下轻歌，在亭中大道快然，在河畔暗自神伤……

这是前世的所有，范闲前世的所有，以这种突兀的方式，陡然降临在庆国的世界，击打在众人的心上。他在前世无数千古风流人物的帮助下，与庄墨韩战斗！

他猛然睁开双眼，冷冷看着庄墨韩，却像是看着更远处的某个世界。

"君不见，黄河之水天上来。"谁能比李白更洒脱？

"浪淘尽，千古风流人物。"谁能比苏轼更豪迈？

"昨夜雨疏风骤，浓睡不消残酒。"谁能比李清照更婉约？

千古风流，岂能以一人之力敌之？

……

当的一声脆响，庄墨韩颤抖的手终于无法再握住酒杯，酒杯摔在地面，化作无数碎片。

安静，一片安静。

不知道过了多久，范闲终于停止了疯狂的表演，皇宫大殿里的人却无法从这种情绪里摆脱出来，怔怔地看着范闲，甚至眼神都有些涣散。那些换了几轮的学士和执笔太监跌坐在地，抚着自己酸痛无比的右手，看着范闲的目光就像是看着一位神仙。

范闲摇摇晃晃地走到庄墨韩身前，伸出一个手指摇了摇，打了个酒嗝后轻声说道：

"注经释文，我不如你。写诗这种事情，你……不如我。"

殿中依然是一片安静，所以这句话虽然说得极轻，却是清清楚楚地落入众人的耳中。如果说是今夜之前，哪怕范闲诗名再盛，说出这样的话来也会成为天下人嘲笑的对象，但此时此刻，没有人不认同他的这句话……不论庄墨韩有如何高的声望，凡是现场听到范闲"朗诵"古代名诗三百首的这些人，都不可能再相信会有谁的诗才能胜过他。

过去没有，现在没有，将来也不可能有。

此时更不要再提什么抄袭之事，众人早已相信范闲所言，世上是有所谓天才的，是可以不必经历某些事，却一样可以写出字字惊心的诗文来。不然刚才他闭着眼睛写的什么？他拎着酒壶做了些什么？那是诗中仙人才能有的手段！

没有人相信以范闲的才能还要去抄诗，那自然就是庄墨韩在说谎。诸人望着庄墨韩的眼神极为复杂，有些失望、有些怜悯、有些鄙视，更多的是震惊与不可思议，想不明白这位德行高洁的一代大家，为何临老德亏，要来做这样的事情？

庄墨韩看着范闲，就像看着一个怪物一样，眼中流露出一片黯然，不知为何，忽然胸口一闷，用白袖掩唇，吐了口血，顿时引来一片哗然！

陛下脸上的神情似笑非笑，望着范闲说道："有此佳才，平日为何不显？"

范闲似醉非醉，回望着陛下说道："诗文乃是陶冶情操之物，又不是争勇斗狠之技。"

这话说得就有些无耻了，他今天夜里难道还不算争勇斗狠？只见范闲终于止不住满腹牢骚酒气，一屁股摔坐在御前阶上，乜斜着眼望着嘴唇微抖的庄墨韩，口中喃喃地说道："我醉欲眠君且去，去你妈的。"

终于摆完了李太白当年的最后一个 pose，范闲在皇帝老子的脚下入了醉梦。

这个夜晚，注定是个不寻常的夜晚。

范闲聊发诗仙疯，一代大家庄墨韩黯然退场。陛下摆明要扶范家，太子地位稳固，今夜的信息太多，所以不论是东夷城的使团，还是各部的大臣，回府之后，都与自己的幕僚或是同行者商议着看到的一切，讨论最多的当然还是八品协律郎范闲今夜在殿前的表现。

最后所有人只能得出一个结论，小范大人实乃诗仙也。

也有人在怀疑是不是范闲这些年里暗中作了这么些首诗，一直不示于人，在今夜全部扔了出来，毕竟这些诗词情境不一、感情不一。若说是一夜之间徘徊在如此相差太大，又分别在激烈的情绪之中，还能天然而成，实在难以想象。但无论如何，除了范闲还有谁能把那么多的好诗像大白菜一样地抱了出来，就算不怕累着，您也得能种得出来啊？

总而言之，范闲曾经生活的那个世界里，一应或美好或激越或黯然的文学精妙词章，今日便借他之口，或不甘或心甘情愿地降落，从此以后成为这个世界精神里再难分割的部分。

那些诗里众人有些不明之典、不解之处，全被众人当作是小范大人喝多了之后的口齿不清，准备等他酒醒之后仔细求教。至于范闲将来会不会因为要圆谎，从而被逼着写一本架空中国通史，写齐四大名著，还是毅然横刀自宫以避麻烦，那都是后话了。

回范府的马车上，范闲依然在沉沉酣睡，后来有好事者给他计算一下，当夜宫宴之上，他作诗多少暂且不论，便是御制美酒也喝了足足九斤。所以当他的诗篇注定要陶醉天下诸多士子的时候，他自己已经醉到人事不省了。

他是被太监从皇帝陛下脚前抬出宫的，浑身酒气熏天，满腹牢骚无言。也亏得如此，才没有昏厥在众人看神仙的目光之中。

上了范府的马车，宫里的公公们细细叮嘱了范府下人，要好好照顾自己的主子。那些老大人们都发了话，这位爷的脑袋可是庆国的宝贝，可不敢颠坏了。

车至范府，消息灵通的范府诸人早就知道自家大少爷在殿前夺了莫大的光彩，扇了庄墨韩一个大大的耳光，阖府上下与有荣焉。近侍兴高采烈地将他背下马车，柳氏亲自开道，将他送入卧房之中，然后亲自下厨去煮醒酒汤。范若若担心丫鬟不够细心，小心地拧着毛巾，沾湿着他有些发干的嘴唇。

被吵醒的范思辙揉着发酸的眼睛，又嫉妒又佩服地看着醉到人事不省的兄长。范建在书房里执笔微笑，老怀安慰的模样，连不通文墨的下人都能在老爷脸上看懂这四个字。他心想给陛下的折子里，应该写些什么好呢？估计陛下应该不会奇怪发生在范闲身上的事情才对，毕竟是她的孩子啊。

夜渐渐深了，兴奋了一阵之后，大家渐渐散开，不敢打扰范闲醉梦。此时他却缓缓睁开双眼，对守在床边的妹妹说道："腰带里，淡青色的丸子。"

若若见他醒了，不及问话，赶紧走过去从腰带里摸出那粒药丸，小心喂他吞服下去。

范闲闭目良久，缓缓运着真气，发现这粒解酒的药丸果然有奇效，胸腹间已经没有了丝毫难受，大脑里也没有一丝醉意。当然，他不是真醉，不然先前殿上"朗诵"的时候，如果一不留神将那些诗的原作者都念了出来，那才真是精彩。

"我担心半夜会有人来看我，我现在应该是酒醉不醒。"范闲一边在妹妹的帮助下穿着夜行衣，眼神一片清明，因为在宫中本就没有醉到那般厉害。

"我吩咐过了，我今天夜里亲自照顾你。"范若若知道他要去做什么，很是担心。

"柳氏……"范闲皱眉道，"会不会来照顾我？"

"她要避嫌，应该不会。"范若若担忧地看着他的双眼低声说道："不过你最好快些。"

范闲摸了摸靴底的匕首，发间的三枚细针，还有腰间的药丸，确认装备齐全，点了点头说："我会尽快。"

从后园绕到准备大婚的宅子里，他已经穿好了夜行衣，在黑夜的掩护下极难被人发现，只有动起来的时候，身体快速移动所带来的黑光流动，才会生出一些鬼魅的感觉。从准备好的院墙下钻了出去，那处已经有一辆马车停在那里。

京都没有宵禁，但巡城司在牛栏街事件之后被整顿得极惨，夜里的巡查格外严密。他临时放弃了用马车代步的想法，真气运至全身，加速起来，消失在京都的黑夜之中。

范府离皇宫并不远，不多时范闲便来到了皇城根西面，那里是宫中杂役与内城交接的地方，平时有些热闹，如今已经入夜，也变得安静了起来。借着矮树的掩护，他半低着身子，蹿到了玉带河的旁边，左手勾住河畔的石栏，整个人像只树袋熊一般往前挪去。

前方的灯光有些亮，河里却显得很黑暗。范闲不敢大意，仗着自己体内源源不绝的霸道真气，半闭着呼吸，小心翼翼地挪动着身体。不知道过了多久，终于绕过了两道拱桥，来到了皇宫一侧的幽静树林。他略微放松了一些，张嘴有些急促地呼吸了两下，感觉到自己的身体已经渐渐亢奋起来，这种危险的活动总能让他非常享受。

朱红色的宫墙在黑夜里显得有些蓝幽幽的，足有五丈高，墙面光滑无比，根本没有一丝可以着力处，武道强者也没有办法跃过，当然对那几位大宗师能不能起作用，则要另当别论。范闲不是大宗师，但他有别的法子，像个影子一般贴着地从树林里掠到墙边，找到一个宫灯照不到的阴暗死角，强行镇定心神，盘膝而坐，缓缓将体内的霸道真气通过大雪山转成温暖的气丝，调理着身体的状况。

皇宫里，离含光殿不远的地方，洪四庠安静地坐在自己的房间内，太后今日身体不大好，听皇上讲了些今日廷宴上的好笑事情。待听到庄墨韩居然被范闲气得吐了血，太后也忍不住笑了起来，但不知怎的，似乎又有些老人相通的悲哀，所以早早睡了。

洪四庠在这个宫里已经待了几十个年头，小太监们都不知道他究竟有多老，估摸着怎么也有七八十岁。反正他从庆国开国便待在这里，年轻的时候还喜欢出宫去逛逛，等年老之后才发现，原来宫外与宫内其实并没有什么差别，便常留在宫里，不时陪太后说说话。

他拈了一颗花生米，送到嘴里扑哧扑哧地嚼着，端起小酒杯享受地抿了一口。桌上的油灯有些黯淡，他想到范家公子今天在殿上发酒疯，唇角不由得绽出一丝微笑。就算是太监，他也是庆国的太监，能让北齐的人吃瘪，心情自然不错。

皇宫另一头，陛下的书房点着明烛，比太监们的房间要明亮许多。皇帝是个勤政爱民的明君，时常在夜里批阅奏章。太监们早就习惯，用温水养着夜宵，随时等着传召。

今日殿前饮宴之后已是夜深，他却没有休息，坐在桌前，手中握着毛笔，毛尖沾着鲜红，像是一把杀人无声的刀。忽然间，他的笔尖在奏章上方悬空停住，眉头渐渐皱了起来。

一旁的秉笔太监小意说道："陛下是不是乏了，要不然先歇会儿？"

皇帝笑骂道："今夜在殿上，难道你抄诗还没有把手抄断。"

那太监抿唇一笑，说道："国朝出诗才，奴才巴不得天天这般抄。"

皇帝没有继续说什么，抬头望了一眼窗外，微微一笑，继续开始批阅奏折。

皇宫很大，夏夜的皇宫很安静，宫女们半闭着眼睛犯困，却一时不敢去睡。侍卫们在外城小心禁卫着，内宫里却是一片太平的感觉。

一方假山的旁边，穿着一身全新微褐色衣裳的五竹，与夜色融为一体。唯一可能让人察觉的双眼也被那块黑布掩住，呼吸与心跳已经缓慢到了极点，与这四周的温柔夜风一般，极为协调地动着，变成了与四周死物极相似的存在。就算有人从他的身边走过，如果不是刻意去看那边，估计都很难发现他的存在。

五竹"看"着皇帝书房里的灯光，不知道过了多久，然后缓缓低下头，罩上了黑色的头罩，往皇宫另外一个方向走去。他行走的路线非常巧妙地避着灯光，借地势而行，依草伴花，入山无痕，巡湖无声，如同鬼魅一般恐怖，像闲游一般行走在禁卫森严的内宫之中。

屋内的油灯忽然跳出花来，这是喜兆，洪四庠的银眉却飘了起来，似乎有些不满意。他苍老的右手稳定地用筷子挟起一粒油炸的花生米，没有太大的动作，一会儿缓缓咽下嘴里的花生米糊，品了品齿间果香，又端起杯酒饮了，才站了起来。

"这个宫里已经很多年没人来逛逛了。"

他眼里有些混浊，略感无神地望着窗外低声说道，手指却轻轻一弹。

院门是开着的。

如同两道劲弓一般，洪公公手上的这双筷子被强大精深的真气一激，嗖嗖两声几乎同时响起，瞬间击碎了面前的窗户，直射门外阴暗的角落——五竹的面门！

筷上带风而刺，声势惊人，如果挨着实的，只怕中筷之人会像被两把强弓射中一般。这位洪公公轻描淡写的一弹指，竟然有如此神力，实是恐怖。

不知为何，今日五竹的反应比在平时要慢了少许，竟是被这筷子撕破了右肩的衣裳。

嗤！筷子斜斜插在泥地之中，筷尾微动。

院外，洪老太监看着面前这个穿着褐色衣衫的来客，眉头微微一抖，对方的头脸全部被包在头罩之中，根本看不清楚容貌。

"您是谁？"洪老太监满脸堆着笑，看上去就像是个卑微的仆人，但很明显，他的内心比表面上显现出来的要可怕许多。

五竹依着范闲的计划，头平抬着，似乎是在"注视"着对方，说道："抱歉，误会。"

"误会？难道是迷路？"洪老太监笑得更开心了，"迷路能迷到皇宫里来的，阁下是第一人。五天前，你应该就来过一次，我一直在等你。我很好奇你是谁，我想，除了那几位老朋友外，应该别人不会有这么大的胆子。"

五竹强行在自己的声音里加了一种惶急，只是他不擅于掩饰自己情绪，所以反而显得有些假："受家国之拘，不得已而入，不方便以真实面目行礼，望前辈见谅。"

洪老太监皱起了眉头，不再眉开眼笑，对方自认晚辈，那不外乎就是那几个老怪物的徒弟一辈，看对方身手，至少也是九品中的超强水准，才可能潜入皇宫后只被自己发现。只是对方的嗓音很明显是刻意扭曲喉部肌肉改变了的，无法从口音中获取有用的信息。

"这里是皇宫啊，孩子。"洪老太监叹了口气，"难道是你说来就来、说走就走的地方吗？"

说完这话，他右手一张，整个人的身体却在地面之上滑行起来，倏乎间来到五竹的身前，枯瘦的手便向五竹的脸上印去。

五竹知道对方对自己的能力判断错误，眼下正是杀死对方的好机会——杀还是不杀，对于往日的他来说不是问题，今夜却不然。他的大脑计算得极快，马上算出，就算此时杀死对方，大概自己也会付出些代价。最关键的是，可能会惊动宫中别的侍卫，从而给范闲接下来的行动造成很大的麻烦。所以他撤步、屈膝、抬肘。

肘下是一柄非常普通的精钢剑，剑芒反肘而上，直刺洪老太监的手腕，计算得分毫不差，更关键是其上所蕴含着的茫然剑意，竟让剑尖所指之人，瞬间有些失了分寸。

洪老太监尖声喝道："顾左？"话语中略有诧异，手下却是丝毫不慢，左手自袖中如苍龙疾出，拍向五竹的胸口。这一掌挟风而至，掌力雄浑，已是世间最顶尖的手段。

五竹再撤一步，直膝，横肘，肘间青剑横在身前，如同自刎一般，却恰好护住前胸，妙到毫巅地挡住了洪老太监的这一记枯掌。

"顾前？"洪老太监的声音愈发地尖了起来，收掌而回，从腰部向上，整个人的身体开始抖了起来，看上去十分怪异。一声闷哼之后，这位老公公将几十年的真气修为化作无数道气流，往前喷出，想要缚住五竹。

五竹却是根本不给他这个机会，再撤两步。这两步看似简单，但在这样绝顶高手的对阵之中，如闲庭信步一般，恰好避过丝丝劲气袭之虞，只是身体微晃，显然受到了洪公公数十年真气气机干扰，略显狼狈。

洪老太监皱纹愈发地深了，看着他冷冷地说道："不要以为你改变了出剑的方向，就能瞒过世人。留下吧，不要想着回剑庐了！"

五竹微微抬头"看"了他一眼，心里不知道是什么样的感觉，下一步却是一拱手。

洪老太监皱眉一惊！

沙沙沙沙的声音响起，五竹背转身体，身后的洪老太监如同不存在一般，负剑于后，便向宫墙的方向跑了过去。整个人的速度奇快，踏草而行，化作一道烟尘。

负剑于后，很简单的一个姿势，却是很完美的防守。

"顾后？"洪老太监双眼里阴郁光芒骤现，也没有呼喊宫中侍卫，双臂一振，整个人便像一只躯干瘦弱、翼展极阔的黑鸟般，追上去。

不过片刻工夫，二人便一前一后来到了高高的宫墙前面。洪老太监冷冷地看着前面的褐衣人，倒要看他究竟能有什么法子可以越墙而出。

五竹直接冲到了宫墙下方，竟是丝毫不减速度，右脚狠狠地踩在宫墙下方的石头上。石头瞬间沉入泥地之中，可以想见这一脚的力量究竟有多恐怖。而他向前的速度也被这一震变成了向上的力量，整个人被生生震得飞了起来，沿着夜色中幽暗的宫墙，像鬼一般飘了上去。

只见他这一跃已经足有三丈的距离，势尽欲堕之时，嗤的一声，手中的普通长剑不知如何竟是深深地扎进墙体之中。他的身体借着剑势之力，一个翻身，像块石头一般，被自己扔出了高墙之外！

洪老太监闷哼一声，这才知道对方竟然早就做好了所有的准备，体内真气疾出，在将要撞到宫墙前的一刻也飘然而起。此时他姿态优美，全凭一口真气施为，比五竹先前的暴戾，看上去要潇洒得多。

跃至三丈处，这个瘦干的老太监轻轻伸出一指，在五竹留下的剑孔上一摁，借力再上，出了宫墙，像一只大鸟般在黑夜之中循着宫墙外侧的光滑墙面缓缓飘下。

在他飘下的过程中，双目如鹰，死死缀着前方，隐没在京都夜色中。奇快无比前行着的褐色身影，阴阴一笑，悄无声息地越过林梢，飘过民宅，跟了上去。

两位绝顶高手的较量，并没有发出什么声音，宫中的侍卫们什么都没有察觉。

像只老鼠一样盘坐在宫墙下黑暗中的范闲，微微侧头听着那边的淡淡风声，站起身来，轻轻抹掉屁股下面的草渣与灰尘，将双手摁在了光滑的宫墙之上。

他没有五竹那般强悍的肉体，也没有洪老太监精深绝伦的内功修为，但他的真气运行法门，与这个世界上所有的武道强者都不同，连澹州城外满是湿滑青苔的悬崖都能爬得上去，更何况这宫墙。这便是他最大的倚仗。

翻过宫墙，小心翼翼地避开可能的暗哨，范闲的双脚踩在了宫里的草地上。在宫墙外打坐冥想的时候，他已经将自己设计的宫中地图在脑中复习了好几次，此时站在皇宫中，看着天穹夜幕下的庞大宫殿群，听着远处隐约可闻的更鼓声，略有些紧张，又有些兴奋。

此时地图仿佛成了眼前清晰可见的一条条通道，他没入皇宫夜色中，速度也没有一丝减慢，全凭脑中记忆，借着假山花丛的掩映，向目的地进发。与五竹的方法极为相似，但也有些细微处的差异，毕竟他的计算能力依然不如五竹。

五天前五竹最后一次入宫，确认了钥匙藏在含光殿中某处，范闲首先探的便是这里。也许是太平得太久，含光殿里一片安静祥和之意，守夜的宫女们也都睡着了，负责看管香炉的小太监也有些昏昏欲睡。

一阵极淡的香气飘过，不论是小太监还是宫女，都死死地睡去。

在昏暗的灯光之中，范闲沿着相对阴暗的角落，滑入寝宫之中，双眼看着远处那张华贵异常的大床，微微皱眉，上面盖着薄绸轻被的那位老妇人就是太后？

他来不及生起太多感叹，也没有历史可能在自己手中改变的无聊幻想，冷静走到那张床的旁边，没有看这位全天下最有权力的妇人一眼。

冷静，是五竹与费介教会范闲的最重要品质。

范闲本以为像古龙写的一样，皇帝太后身边总有些一辈子不见光的隐形杀手，但直到此时也没有预想之中的潜伏高手出现。

他没有打量含光殿里哪里可能是藏宝之处，而是直接钻进太后床下，闭上眼睛，手掌开始抚摸着床下的木板。木料是极好的，但他此时的举动未免有些怪异。

过不多时，他在床底的黑暗中睁开双眼，眸子里清亮一片，闪过一丝夹杂着荒唐的喜悦。

自己在澹州将无名功诀藏在床板下的暗格之中，《鹿鼎记》里毛东珠也将四十二章经藏在床下暗格之中，庆国的这位太后床下居然也有一个暗格。

人类的想象力，在某些时候，显得真的是非常穷酸。

匕首轻轻用力从侧边开了进去，刀锋破木无声，太后在床上翻了个身，咕哝了几句什么。范闲面无表情，就像是没有听见一般，依然稳定地操作着，不一会儿工夫就将那个暗格取了下来。暗格里面没有珠宝没有银票，只有一块白布、一封信，还有……一把钥匙。

他看着这把钥匙的形状，微微挑眉，脸上再次现出荒唐的神色，没有动那块白布和信，只是将钥匙揣入怀中，然后从床下挪了出来。

片刻之后，他又出现在了宫墙之下。

上了马车，看着王启年，范闲轻声说道："我需要的是速度。"

"是。"王启年不知道今天是什么任务，只知道要在这个街口接上大人，然后再去见自己请回来的那个人。

"我不希望有任何人知道我在这辆马车上。"

"大人放心，这是借的枢密院的车，没有人敢拦，也没有人知道。"

"很好。"范闲心神略略放松了一下，半靠在座位上，眉头皱了皱。今天先是假酒发诗癫，然后又要夜探皇宫，无论精神还是体力，都有非常大的损耗。

马车来到一个完全陌生的院落，二人悄无声息地下了车，重新戴上头套，直接走到地下一个密室内。王启年闷着声音说道："大人，这就是锁匠。"

在二人的面前，小木桌上摆放着许多二人根本认不出来的金属工具，在灯光下幽幽发亮，工具的主人是一个看上去有些老实木讷的中年人，脸上一片铁黑之色，却是憨厚地笑着。

锁匠是一种职业，也是一种称呼，但这个叫锁匠的中年人却不仅仅是因为这个样子，而他的名字就叫锁匠，由此可知他的手艺到了何种程度。

范闲点点头，对王启年说道："你出去等着。"

王启年一低头便出了密室，他明白有些事情自己永远都不知道，那才是最安全的。

"事关国朝利益，我以枢密院的身份请求你为国家出力。"范闲透着脸上的面罩，很平静地对锁匠说道。

锁匠心头一凛，联想到最近京里来了这么多外国使团，顿时以为猜到了什么，于是赶紧行了一个礼，不知道此时自己要做什么。

"要快，要准确。"范闲从腰带里摸出那把钥匙，"要一模一样。"

锁匠接了过来，细细看了一看，皱眉道："世界上没有这种锁。"

"我不在乎，我只要你复制这把钥匙。能还是不能？"

"很难，这把钥匙太复杂。就算做出来形状一模一样，没有人能察觉，但是我不能保证复制出来的钥匙可以打开相对应的锁。"

"很好，开始。"范闲听到答复后有种意外之喜，声音却依然清冷。

锁匠在紧张地复制钥匙，密室里时不时传出滋滋的磨铁声。范闲也很紧张地看着密室的门口，他不知道五竹究竟能拖住洪老太监多久。洪老太监住的地方离含光殿太近，如果洪老太监回宫了，他便很难把复制的钥匙再放回去，那么事情总有败露的一天。

终于，锁匠满头大汗地完成了工作，将手中的钥匙递给了范闲。范闲比对着两把钥匙，发现复制后的这把和真的一模一样，就连上面留下的一些锈斑都几乎没有差别。他的心情终于放松了一些，微微一笑问道："你以前是做什么职业的？"

由于他脸上蒙着黑布，所以这一笑看上去有些诡异。

"小人……做贼的。"锁匠大汗淋漓，不知道完成如此诡秘的一项工作之后，自己面临的究竟是什么。

范闲心想原来是同行。看了眼桌上残留的工具与模子，走到桌边，体内霸道真气疾出，顿时将握在手中的模子毁成碎渣。

重入含光殿，甜香已淡，夜风依旧轻拂，太平祥和的气息满布宫中。范闲像个鬼一样滑入床下，放回复制好的钥匙，取出身上带着的粘合剂将暗格重新布置好，遂退出了宫殿。

距离上一次更鼓声的响起不知道过了多久，范闲知道是离开的时候了。但就在这时，他的目光却落在了另一座宫殿里，那里是长公主居住的广信宫。

如果不想节外生枝，他应该马上退出皇宫，等着事情逐渐发酵，但不知道是被得到那把钥匙的喜悦冲昏了头脑，还是什么原因，他竟向着那边掠了过去。凭着五竹与费介打造出来的夜行本领，接近了广信宫，途中甚至还与一个呵欠连天的宫女擦身而过。

独门别院的广信宫与皇宫里其他宫殿都不一样，宫外还有一方小墙，里面灯光依然，明显有人未睡。俗话说大江大河都过来了，还怕这条臭水沟？范闲却知道，很多绝世高手最后都是死在庸人手下，他很小心地绕到宫殿后面，沿着粗粗的廊柱往上爬去。

他今日精神真气损耗太大，不免有些气躁，爬上去后有些辛苦，小心翼翼地上了房顶，不敢揭瓦偷窥，而是寻找琉璃瓦中极难发现的明瓦。也许是他的运气太好，也许长公主是个喜欢天光入室的妙人儿，他竟是很轻松地找到了一块明瓦，向下方望去。

明瓦之下，灯光不亮，但以范闲的眼力耳边依然可以看得清楚，听得清楚，看着广信宫里的画面，听着那些声音，他微微眯眼，知道自己猜对了，而且运气真的不错。

长公主李云睿斜倚在榻上，满脸慵懒之色，身上只穿着一件白色的褛衣，薄丝之下，身体曲线毕露，成熟之中偏透着一分青涩，看上去妩媚动人。这身打扮若让世上某些男人看见了，只怕会拜倒于那双赤足之下。

她身为陛下最亲的妹妹，自然用不着以美色诱人。而她面前这人都快八十岁了，在今夜之前被称作世上第一道德文章大家的庄墨韩，也不是能够被色诱的角色。

庄墨韩有些痛苦地咳了两声，缓声说道："外臣事毕，望长公主不负协议。"

长公主把玩着那幅自己花重金做成的假书卷，嫣然一笑，满室皆春，柔声道："我要庄大家将那范闲踩倒在地，让他再无颜面在京都待下去，庄大家可做到了？"

庄墨韩沉默了一会儿，道："我今日构陷于他，实是赌上了老夫数十载清名，一旦赌输，我自然甘心承受结果。老夫只是不明白，那位范公子实乃诗仙般的人物，若公主早对外臣言明，我断然不会自取其辱。"

长公主叹了一口气说道："我也没想到那小孩子诗名之外，更有如此癫狂心性。"

庄墨韩闭目，脸上涌起一股惋惜神情，半晌之后悠悠地说道："我惋惜的不是别事，只是叹自己清明半生，临到老来，却做下如此丑陋之事。如果那范公子不是一夜写尽人间三百，或许这全天下士民，真会因为老夫一席话，而认定范公子是个抄袭的无耻之徒。"

老人睁开眼睛，眸子里已归平淡清明，微笑道："如此也好。"

"也好？"长公主的赤足轻轻在软榻边沿上滑动着，檀唇轻咬，幽怨道："庄大家，母亲一向敬重你的才德，所以才邀你在宫中居住。我答应你的事情已经办妥了，你答应我的事情呢？莫非以为两国协议已签，你那亲兄弟马上就要被迎接回国……范闲能保住名声，你这假意惜才的老狐狸反而能够心安？"

庄墨韩微笑着说道："错便是错，老夫便是心系亲情，才会落入长公主计算中。我那兄弟前半生杀人无数，若长公主想反悔，老夫也没有办法。唯有回北齐之后，为他祈祷，愿他在贵国监察院的大狱里，能够过得舒服一些。"

长公主寒声说道："我将言冰云卖给你那个学生皇帝，唯如此你们才能将肖恩换回北齐，这桩买卖不是你与我的买卖，是你那皇帝与我的买卖。我已经履约，你却没有做到答应我的事情。今夜殿上如果你不是假装吐那口血认输，而是一口咬定范闲那首诗是抄的，事情还未可知。所以……庄大家，你回国之后，记得给你的皇帝学生带个口信，你们北齐还是欠我广信宫一个人情。"

庄墨韩问道："范公子有大才，诗力实非人力所能及，我很好奇，你为何要除之而后快？更何况，就算指认范公子抄袭一事，又能对他造成何样的伤害？"

长公主淡淡道："如果他的能力只是在吟诗作对这些小道上，对庆国朝廷来说，又有什么好处？至于我为什么会对付他，这就与老先生无关了。"

庄墨韩赌上自己数十年时间在天下士子心中建立起来的无上地位，也要将范闲踩在脚下，全是受长公主所托，但他却不知道庆国官场里的繁复关系，也不清楚长公主与范闲在不久的将来就会成为岳母与女婿的关系。

只有范闲清楚长公主为什么要对付自己。他半跪在殿顶的屋檐上，立在瓦片上的三根手指有些冰凉，看着明瓦下方那个三十出头的妖媚公主，双眼中寒意渐起。

在殿中郭保坤发话之时，范闲就知道是宫中的贵人与这位庄墨韩联手，要将自己赶出京都。抄袭看着似乎只是小事，却涉及了所谓"品性"。如果他不是聊发诗狂，将满殿君臣震住，只怕大家都会相信庄墨韩的说法，将他变成一个文贼。虽然不会有什么惩罚，仕途如何也可再议，只是与婉儿的婚事必然会告吹——太后最不喜欢什么，这位长公主肯定比自己清楚。

更让范闲震惊与寒心的是，原来此次两国秘密协议中的前北魏密谍总头目肖恩竟是庄墨韩的兄长。长公主为了说动庄墨韩来庆国打压自己，竟不惜将庆国驻在北齐的密谍头目、朝中大臣之子言冰云拱手卖于敌国！

夏夜的微风从广信宫的檐上吹过，让范闲稍微冷静了一些，他知道就算自己听到这些秘辛，也不可能用这件事情来要挟对方。她是皇帝的妹妹，太后最疼的小女儿，仅这两个身份，就足以让她在这庆国横行无忌，卖臣子以求私利。看着下方榻上那女子的一头乌黑秀发，他无来由地感到一阵恶心——这女人果然不仅是疯子，还是变态的。

至此，范闲看清楚了整个阴谋的全部面貌。长公主与北齐皇帝之间的协议便是出卖了潜伏北齐四年的监察院密谍头目言冰云，让对方以此交换肖恩及司理理；而北齐方面出的价钱则是请名动天下的一代大家庄墨韩前来庆国京都，借他之口毁掉自己，同时还可以借此事教训一下向来不怎么听长公主支使的监察院系统。只是不知道她与北齐皇帝间的协议里还包括了什么内容。范闲猜想，卖掉庆国在北齐的密谍头目，长公主获得的一定不仅仅是这些而已，肯定有更重要的东西，而且——皇帝究竟知不知道自己的亲妹妹在做什么？

他摸了摸腰间硬硬的钥匙，双眼里闪过两道寒芒，拟定了应对的法子。在殿顶的夜风中他调理了一下呼吸，开始退走——皇宫里面太危险了，自己的好运不知道还能维持多久。

刚下圆柱，长廊尽头有两人持着宫灯缓缓走了过来，范闲心头一凛，藏进柱子的阴影之中，然后随着灯光的临近变化，细微挪动着脚步，保证身体始终在阴影里。

他暗中祈祷这个宫女也会像先前擦身而过的宫女一般，不会发现自己。

忽然其中一名中年宫女停住了脚步。这名宫女看来在广信宫中有些地位，轻声对跟着自己的小姑娘说了声什么，那个小姑娘轻应了一声便迅速离开了。

中年宫女与范闲之间的距离，只有一个木柱。

范闲小心地用真气调理着自己的呼吸，与廊柱后方宫女的呼吸渐趋一致。同时他有些心安地听到这个宫女的呼吸也没有什么变化，想来只是凑巧停在这里，而不是发现了自己。

二人间依然隔着一个木柱。

忽然间，范闲露在黑面罩外的双眼里闪过一道寒芒，整个人的身体强行往左扭曲了数寸之地，这种与生俱来对危险的感觉让他逃过了一劫！

在他身体原本的位置上，一只锋利的剑尖悄无声息地刺穿了木柱！

木柱太粗，剑尖只伸了一点点出来，可爱而又煞气十足地告诉范闲，如果他先前没有那么一扭，此时剑尖应该是在自己的腰骨之中。

范闲绕过长柱，像条泥鳅一般，准确无比地锁手上前，捏住了这个中年宫女的左小臂。而没有像别的武者那样，第一时间去打断对方拔剑的动作。

效果果然很好，那个宫女偷袭不成，担心刺客阻止自己拔剑，全部的真气都集中在右臂之上，左臂的防守就显得弱了许多。

就像一张纸被撕开的声音之后，宫女从木柱里抽出长剑，张嘴欲呼！

范闲双眉一拧，体内的霸道真气向对方的左臂里灌了进去！中年宫女实力极高，却是根本没有遇见过这种古怪真气，经脉一阵刺痛，就像无数把小刀正在刮弄着柔嫩的管壁，让她胸口一闷，竟是生生将示警之声吞了回去，喉头仅发出一声古怪的轻响。

范闲认出这个宫女就是迎自己入广信宫的那人，眉毛极长，长得很有特点。

中年宫女运起体内真气想与他硬拼一记，哪里知道对方手里传过来的真气忽然消失无踪，自己运出体外的真气全数落在了空处，真气激荡之下险些喷血而出，身体微微颤抖。

就在这电光火石的一瞬间，她的右颈处微微一麻，然后身体迅速变得僵硬起来。

范闲的两根手指从她的脖颈处收回，知道针上毒药并不能真正地见血封喉，马上右掌一翻，印在了这个宫女的腹部上方、肋骨连结之处。

一声闷响，宫女胸口塌陷，五官流血，就此死去。

不知道先前的小宫女是报信去了，还是死在自己手上的中年宫女故布疑阵。范闲知道这番打斗一定也会惊动皇宫里的真正高人，因此顾不得收拾地上的尸首，脚尖在石板地上一点，整个人已经化作一道利箭，朝自己选定好的那片宫墙飞奔而去。

宫墙依旧那么高，范闲一只灰鸟般向着上方疾掠，好不容易爬到了墙头，只听着脑后响起一道嗡嗡的声音，似乎身后的空气都开始战栗起来。

他猛然回头，看到极远方宫城的角楼上有一大将正挽弓望着自己。

夜空中，一枝羽箭像噬魂的神物一般，向着他的面部飞来！

一息前，箭在天边。

一息后，箭在眼前。

箭上似有戾魂，不可一世。

范闲闷哼一声，脸上的黑巾被震成碎片，默默修炼了十六年的无名霸道真气，在这生死之刻狂野而不讲理地尽数灌注到了双手之上，只见他横空双拳互击，重重地打在箭杆之上！

片刻辰光里，双拳所挟的狂暴真气与箭上所附的强大力量对冲，使箭杆已经碎成了粉末。箭头险之又险地擦过范闲的发丝，远远地刺破夜空！

一声巨响响彻皇城的夜空，就像一道惊雷，惊醒了无数人。

这一箭太过神猛，全不似凡人所能射出，双拳硬挡之后，范闲体内真气一空，颓然无力地坠下宫墙，黑色的衣衫在夜风里飘荡着，看上去十分凄惨。

远方宫墙角楼上的皇宫大内统领燕小乙，看着那个黑衣刺客坠下宫墙，双眼微眯，透出一道极强悍的神采，冷冷道："没有死，去抓住他。"

"是！"侍卫们领命而去。

穿着黑色夜行衣的范闲向着地面坠落，在最后的那一刻，强行身体一扭，单膝单足单手撑地，与地面生生一撞发出一声闷响，强大的反震力让他喷出一口鲜血，打湿了脸上残存的黑布碎片。他向着树林里跑去，在城角侍卫出现前的一刹那，消失在京都的黑夜之中。

第二日，在皇城根下一处不起眼的小房间里，洪老太监似乎精神有些不好，半闭着眼睛坐在主位上。下方两名将领也在闭目养神，似乎没有人愿意开口说话。

许久之后，昨夜在家休息的副统领宫典才轻声说道："陛下震惊。"

昨夜一箭将范闲射下墙头的大内统领燕小乙此时才缓缓睁开双眼，冷冷说道："长公主的贴身宫女死了一个，长公主非常愤怒。"

在二人开口之后，洪老太监才缓缓睁开眼睛，有些苍老的声音说道："我昨天中了调虎离山之计。他表现出来的水平在九品中上之间，但对京都的建筑却十分熟悉，尤其是在黑夜之中，我被他引着在京都绕了整整一圈，最终还是跟丢了。这个人……很了不起。"

能让他说声了不起，那个人一定是真的很了不起。

燕小乙今年三十五岁，正是精神气势最巅峰的时候，身为宫中侍卫大统领，要承担起整个皇宫的安全之责，他问道："公公最后跟到了哪里？"

洪老太监淡然说道："东夷城使团不远处的一个巷子里。"

宫典说道："今天调查的结果出来了。洪公公那双筷子刺破了第一个刺客的衣服，监察院比对后，确认了出自天祥缎。东夷城使团前些时候曾经在天祥缎订过一批衣服，而且用的不是使团的名义，而是找人帮忙订的。订衣服为什么要假借别人名义？很明显是担心一些细微的痕迹被我们抓住。从种种线索来看，第一次来的刺客应该是东夷城的人。能够有九品中的水准，就只有那位四顾剑的首徒，这些天一直在京都里安静无比的云之澜。"

燕小乙漠然说道："不是云之澜。如果东夷城的人要潜入宫中，何必还要买什么新衣裳，随便在街上打晕个行人，剥了他的衣服便是。云之澜是这种干脆的人。"

洪公公点点头："那位九品中掩饰自己的剑意，但依然走的是四顾剑的路子，所以老夫很感兴趣，如果不是云之澜，难道东夷城还有人来，而且敢不听云之澜的吩咐？"

"嫁祸的可能性很大。"宫典听着两人的说法，微微皱眉，"太巧了，所以可能是有人嫁祸给云之澜。"

"东夷城有可能接过四顾剑衣钵的有几个人？"

"包括云之澜在内的三个九品。"

"那另外两个都有嫌疑。"

"第二个刺客又是谁呢？"

洪老太监忽然望向宫典，说道："你曾经说过陛下在庆庙里曾经遇到过一个少年，他的功法有些古怪，后来查得如何了？"

宫典想到范闲的身份以及陛下的交代，有些犹豫。就在这个时候，一个小太监急匆匆地跑了进来，宣了圣上旨意——昨夜之事全部交由京都守备大人叶重调查。

小太监离开后，屋子里变得很安静。

燕小乙知道陛下开始怀疑自己与宫典当中的一个人。

后几日，京中大索刺客，却一无所获。

第八章

我们都寂寞

皇帝陛下的旨意为真正的入宫者范闲解了围。他的这个计划各方面都没有太大的漏洞，但是让五竹穿上那件褐色的新衣裳却是有些自作聪明，反而露了马脚。

东夷城在天祥缎订购的这批衣服是因为东夷城主的儿子喜欢京都的衣服样式，至于为什么要隐名下订单，只有一个很简单的原因——东夷城少主竟然艳羡南蛮庆国的服饰。这事传出去后，他只怕会被东夷城那些向来胆大的商人们骂死。当然，他会多此一举，主要是不相信五竹叔可以完美模拟四顾剑的剑意，如果早知道五竹叔厉害到这种程度，他一定会将这次栽赃进行得更完美一些。不过结局不错，宫里依然在怀疑东夷城其余的两名九品高手，监察院也开始着手调查宫中来敌的那日四顾剑另两名弟子究竟是在什么地方。

没有人会想到刺客可能是范闲。因为刺客入宫的那一夜，无数人看着他在大殿上饮酒千樽诗百首，将庄墨韩气至吐血，恨不得一夜白头，最后他则烂醉如泥，倒在皇帝陛下的脚下。

这便是人类思维的误区，不仅仅是认为酒醉后的范闲根本不可能起床，而是习惯了当一个人做出某种很令人震惊的事情之后，不可能马上再去做另一件惊天大事。

高潮之后不可能再次高潮，总要有个不应期才是。

范闲安全地、舒服地躺在床上，满脸苍白，像极了一个宿醉未醒的年轻人。床边搁着一只铜盆，盆里倒很干净，呕吐物早就被清理掉了。若若被他赶去睡了，是另外的丫鬟在服侍着他。他的脸发白不是装出来的，呕吐也不是用药物催的，而是燕小乙的那枝箭上所挟的劲气真的伤害到了他的内腑，胸腹间极是烦恶，大约需要将养几天才能好。

　　想到那噬魂夺命的一箭，范闲依然余悸未消。当时如果不是在生死之际又超水准地爆发了真气，只怕他真的会被那一箭射死。隔着那么远这一箭依然有如此威力，真是难以想象。看来那位大统领已经拥有九品上的境界，可能随时迈入人间巅峰。

　　当时双手砸箭之时，范闲的出手依然不及来箭迅猛，只砸了箭杆上，非常危险。也幸亏如此，手上才没有留下伤痕，不然若被有心人看见了，还真不知道如何解释。

　　他摸着腰间的钥匙，心想自己的运气真好，但自己的运气真会一直好下去吗？

　　装醉养病的数日内，范闲在殿上的"诗仙表现"早已传遍京都，几日里踏槛来访的士子权贵不知凡几，都被范建挡在了外面，说儿子当日耗神过度，需要休养。只是来的人层次越来越高，竟连老秦家都代表秦老爷子发出了邀请，这令范建无比头痛。

　　就在这个时候，范闲宣布了一个令世人震惊不解和无比惋惜的决定。

　　他从此不再作诗！

　　很多人以为范公子在开玩笑，没有当回事。只有稍微了解范闲性情的靖王府上下、任辛二位少卿才知道，这事只怕是真的。

　　京都的暑气已经渐渐消退殆尽，一场秋雨缓缓地飘落下来。

　　潜入皇宫只是三天前的事，范闲觉得这是自己两次生命中最漫长的三天。箱子在床下，钥匙在手里，没有什么诱惑比这个更大，但他依然忍了三天，就像是一个小孩子从厨房里偷到妈妈不允许自己吃的点心，小心翼翼地藏在衣柜里，然后心满意足地睡觉，每天临睡前看衣柜一眼，却不真的想去吃，直到最后点心腐烂变质。

箱子不会变质，范闲还是决定今天晚上把它吃掉。

窗外的秋雨淅淅沥沥地下着，落在范府后院里，落在院中那些将要经秋霜的花草上。窗内范闲没有点灯，他知道自己的双眼足以在黑夜中看清楚。箱子放在桌子上面，他稳定地将那把钥匙插入像黄铜一般的钥孔中。

咔嗒一声，箱子前方的夹板弹开，露出一个小小的黑色平板，板上有些奇怪的小方格子，轻轻一按，那些方格子就会沉下去。每个格子上面有一个独特的纹饰，这个世界上的人没有一个能够认识这些纹饰。

看着那些方格子上的纹饰，范闲笑了笑。

只是这笑容有些苦涩，有些了然，有些长时间猜想终于得到证实的安慰。

他闭上了双眼，忍不住又笑了起来，觉得这个世界真的是太疯狂了。所以他用哆嗦的手指，将藤子京孝敬来的上好土烟点了一锅，平复了一下自己的心情。

这是他第一次在庆国的世界里抽烟，烟味很好。白烟在黑暗的屋里袅袅升起，秋雨在落寞的院子里缓缓落下。

他觉得自己从此不再孤单。

这个世界上的人不会知道这些小方格子是什么，不会知道这些格子上的奇怪纹饰是什么。但范闲知道。箱子上的锁打开之后，露出的是键盘——他前世很熟悉的键盘，上面那些奇怪的纹饰其实就是二十六个英文字母，还有数字键，还有范闲最熟悉的F5。

看到F5这个键盘，范闲猜想了许久的那件事情，终于得到了证实——自己肉身的母亲，那位叫叶轻眉的女子，与自己果然来自同一个地方。

暗灯的烟锅在黑暗的房间里一黯一亮，范闲的脸上已经恢复了平静，双手轻柔无比地放到键盘之上，开始猜测密码应该是什么。

"是名字。"不知道什么时候来到他身边的五竹，站在房屋的角落里，双眼虽然被黑布蒙着，脸上却流露出一种被人们称作悲伤的情感，"我只记得是名字，小姐说只有五笔。"

范闲开始试着输入。毕竟有十六年没有接触过这种东西，最开始的感觉不免有些陌生，但试了许多次之后，那种熟悉的感觉又回到他的身体与手上。

他的手指头像跳舞一般在键盘上敲击着。

很多次之后，他忽然苦笑了一下，说道："这个世界上哪有只需要五笔的名字。"

这话一出口，他就知道问题出在了哪里，又吧嗒了两口土烟，看着面前的箱子直是摇头，叹息道："老妈，你还真是胡闹啊，可问题是，难道你以前教过五竹五笔？"

五笔不是五个笔画，而是五笔输入法。

"kfh lca nhd。"范闲输入第一个名字"叶轻眉"，然而没有反应，他又有些不自信地输入自己名字的五笔："aib usi"。

箱子还是没有反应，他苦笑了起来，心想自己的名字是很多年之后才取的，叶轻眉当年怎么可能知道？忽然间他心头一动，似笑非笑地看着房间角落里的五竹叔。

五竹似乎感应到这股奇怪的目光，微微偏头说道："做什么？"

范闲没有回答他，而是输入了五竹的名字"gg tt gh"。

箱子轻轻一响，然后开了。

范闲看着五竹很认真地说道："叔，我现在很怀疑你和母亲之间的真正关系。"

范闲将这箱子从澹州提到京都，当然知道箱子的重量，他并不担心里面藏着枚氢弹。但当他看清箱子里的东西后，还是忍不住摇了摇头，心想母亲大人果然也没有什么创造力。

箱子分成三层，因为形状限制，每一层只能放入狭长的物事。第一层里是被分成三个部分的金属工具，有的部分是管状的，有的部分似乎适合握住。在一根金属管上写着一行字母和数字：M82A1。

范闲前世并不是军事发烧友，但也知道这排字母代表着什么——这是一把那个世界最好的狙击枪，如果配上破甲弹，可以隔着一公里的距离，射穿一堵厚厚的墙。

范闲右手抓起了那支枪管，手指有些战抖。他深深明白，在庆国这样一个还处于冷兵器时代的社会来说，如果自己手上拥有一把狙击枪意味着什么。

这意味着从此以后，自己拥有了隔着几里远杀死任意人，还不用担心被人发现的能力。

这意味着不论是那个一箭惊天的大统领，还是东夷使团里看着自己目光不善的云之澜，只要自己愿意，那就可以无数次尝试去杀死对方。

——只是不知道对上宗师级高手管不管用？

范闲有些紧张地将被拆成三部分的狙击枪轻轻地放到桌上，烟锅也早就放到一边去了。他双手扶在桌上，深深呼吸了几口，平复了一下心情，发现自己似乎已经拥有了成为暗夜恶魔的所有必备条件。

但当他翻开第二层之后，不禁傻了眼，因为那里面除了一封信之外，别无他物，并没有自己预料之中至少十颗以上的子弹。

没有子弹，这把狙击枪比烧火棍也强不到哪里去。

"子弹呢？"此时的范闲就像是一个做美梦的女孩子，梦醒之后发现自己还是睡在厨房的柴火堆上，有些恼火地压低声音问道。

五竹的回答很老实，让人听着却觉得很妙："什么是子弹？"

范闲气结，只好又给五竹叔形容了一下子弹的模样、大小、长度以及用法，然后满怀期盼地说道："以前五竹叔看母亲用过这东西吧？"

五竹摇摇头："我说过，我忘记了一些事情。"正在范闲略觉失望的时候，五竹忽然又开口说道，"不过我记得你说的那些东西，当年觉得没有什么用处，所以抱你走的时候，都扔在太平别院的地窖里。"

范闲的性情早已被锻炼得十分沉稳平静，听见这话依然忍不住想冲上去抱着这个可爱的瞎子亲上一大口。

箱子的第二格里还有一封信，这箱子的密封极好，范闲轻轻弹了一下薄信，也没有灰尘落下来。

"五竹启。"

范闲的心里不知道是什么滋味——原来这箱子不是留给自己的，而是留给身边这人的。他强自微笑了一下，将信递给了五竹，似乎忘记了对方是个瞎子。

五竹不肯接，说道："小姐让我看，也是为了说给你听，你直接看。"

范闲怔了怔，撕开信封开始阅读，读了几行脸色便变得古怪起来。他本来以为箱子里是神兵遗书，那真是件很没有创意的事情，不免对母亲的手段有些瞧不起。没想到真看到这封信后，才发现那个叫叶轻眉的女子，真的有看轻天下须眉的口气。

字迹并不娟秀，比若若妹妹的字要差许多，甚至显得有些粗豪潦草。信里的口吻也很怪，而且里面的文字前言不搭后语，想来不是同一时间内写下的。

> 可爱的小竹竹，亲个……姐姐真的很喜欢你呀，很多次想给你介绍房媳妇儿，结果你总是冷冰冰的。老娘我……嗯，温柔些，老姐我真的很生气。你去那个庙里打架，我估计你还是打不赢，又得像条狗一样逃回来，所以写些东西取笑一下你。

范闲看到这句，忍不住瞥了一眼五竹，心想这么帅的宗师级高手，哪里有狗的影子？

> 我呢趁你走的时候给别人下了点儿春药，借种成功，只是不知道将来会生个宝贝女儿还是混账儿子。这只箱子算是我在这个世界

上留下的唯一一点东西吧。记住，老娘来这个世界一趟，其实也就只是留下这么一只箱子。

看见"借种"两个字和"混账儿子"四字，范闲险些从凳子上摔了下来，心想原来自己的身世不但离奇，而且相当言情。可惜信里面没有说清楚借种的对象是谁，这可是他现在心里最大的疑问。

以下是范闲的母亲，曾经给这个世界带来无穷震惊的叶轻眉的原信：

挺悲伤的是不是？大概世界上除了你之外，也没有别的人能够打开这只箱子，谁叫我这么温柔善良地教会你在这个世界上毫无用处的五笔呢？可爱的小竹竹洋娃娃啊，老娘真想抱着你睡觉，你快点儿回来啊。

我把箱子放回老地方了，你应该知道在哪里，噫，如果你打开箱子看到这封信，那当然是知道在哪里，老娘好像又说了句废话。

我现在只是好奇，我会生女儿还是儿子呢？如果是女儿就好，如果是儿子，就该轮到他爹头痛。而且男人啊野心都太大，鬼知道会做出什么来。

好吧好吧，我承认我野心也大，不过想让这个世界更美好一些，这样一个小女子的美好愿望，难道应该用"野心"二字来形容吗？

为什么感觉自己在写遗言？真是见鬼，呸呸，太不吉利了。

嗯，谁知道呢？就当遗言吧，反正也写顺了，记住了，这把破枪别用了，大刀砍蚂蚁，没什么劲。看完这封信后，把这箱子毁了吧，别让世界上的那些闲杂人等知道老娘光辉灿烂的一生，他们不配。

老娘来过、看过、玩过，当过首富，杀过亲王，拔过老皇帝的胡子，借着这个世界的阳光灿烂过，就差一统天下了，偏生老娘不屑，如何？我的宝贝女儿啊、混账儿子啊，估计怎么都没我能折腾了，平平安安活下去就好。

唉……将来我老死之后，能够回到那个世界吗？

爸爸，妈妈，我很想你们。

小竹竹啊，其实你不明白我说的话，你不知道我是从哪里来的。我很孤单，这个世界上人来人往，但我依然孤单。

我很孤单。

老娘很孤单。

看完了信，范闲沉默了许久，然后微笑着轻声问道："母亲不是这个世界的人，你还记得吗？"

五竹有些迟钝地开口说道："好像记得一点。"

"母亲说你当时去和神庙的人打架去了，是不是那次战斗让你丧失了一部分记忆？"范闲的手缓缓地在箱子的边缘滑动着。

"应该是。"

"如果你没有丧失那部分记忆，这只箱子应该是被你打开。打开之后，你会告诉我这一切吗？"

"应该不会。"

"嗯。"范闲点点头，"我猜也是这样，或许你会找个没人知道的小山村，然后陪着我慢慢地长大。"他的脸上浮现出微笑，"或许那样的日子也不错。"

他接着叹了口气，无奈地摇摇头笑着说道："可惜了，什么事情都是不能从头来过的。"

"为什么你不好奇我能打开这个箱子？"范闲逗弄着五竹，想看看他知道自己也是另一个世界的灵魂后，所表露出来的震惊表情。

"我为什么要好奇？"五竹依然很冷静，只是忽然觉得少爷与小姐一样，都是很啰嗦无聊的一种人。

范闲觉得自己很白痴，转而问道："她的死与神庙有关系吗？"

"不知道。"

范闲沉默了一会儿，然后继续去看箱子，箱子的最后一层上面贴了张纸条。他比画了一下里外的高度差，这一层应该很薄，将纸条揭下来，看过之后，却愣住了。只见纸条上面写着：

喂，如果是五竹的话，看见那封信之后，就应该马上去毁这箱子。你居然还想继续看，老实交代，你是谁？你是怎么打开这只箱子的？

老妈果然是个有水晶心肝的人，范闲一时失神，怔怔回答道："我是你的儿子。"自然，她听不见这个回答。

纸条很短，上面没有写太多字，最后只是一句警告。

估计不是我的闺女就是我的儿子，下面的东西等你搞出人命的时候再来看，切记！

看着那个很夸张的感叹号、母亲遗命、慎重警告，范闲不敢不遵，于是很老实地将纸条贴了回去。

"我出去走走。"范闲对五竹说了这么一句话，便离开了屋子。他低着头，走入绵绵的初秋夜雨之中。

待他有些颓废的身影消失在雨水之中，五竹才缓缓地从角落里走了出来，有些木讷地坐到了桌子旁边。他的手指在箱子里和桌子上的枪上抚过，然后落到那封信上，他的手指轻轻地在信封上来回画着，不知道是在想什么。

呲呲声在指头与信纸间响起，沙沙声在雨水与庭草之间响起。

屋内一片漆黑，五竹坐在箱子旁，头上那块黑布都柔软了起来，脸上浮现出一丝很温柔的神情。

范闲独自走在雨夜的大街上，任由雨水冲洗着自己的脸，淋湿着自己的身体。他的脸上时而浮现出一丝微笑，转瞬间又化作淡淡悲哀，片刻之后又是一片平静。不知道有多少种情绪，此时在心里发酵、交织、冲撞。

叶轻眉，这个光彩夺目的名字，似乎直到今天才真切地进入他的生命，进入他的脑海。他此时已经明白了许多事情，自己的母亲是从哪里来的，在这个世界上做了些什么。

澹州的奶奶说过，今上的父亲即位之前，最有可能接庆国皇位的，应该是那两位亲王。而那两位亲王却死在了有些荒唐的谋杀案件之中。

看了那封信后，范闲自然清楚，那两位随时防备着刺杀的亲王，是死在老妈那支狙击枪下。也就是说，如今的庆国皇室完全是依赖于母亲才能拥有这个天下。母亲建了庆余堂，立了监察院，为这个国家的强大，提供了最根本的基础。

甚至可以说，没有叶轻眉，也就没有如今的庆国。

范闲有些无意识地走在街上，雨水浸进他的衣裳里，冰湿一块，但他心中依然是一片火热。此时他再看这庆国京都的街道，街道上行走着的四轮马车，街畔富豪家中的玻璃窗户，还有以往见到的万花筒，那些滑溜溜的肥皂……所有的这些事物在这一瞬间与他联系了起来。似乎这些事物中都烙印着母亲的气息，这街上、这屋中、这天下，到处都有那个女子的味道。

那封信的最后写着："老娘很孤单"。

在今天之前，范闲也很孤单，但从今天起，他不再孤单。他在下雨的街长声大笑，笑声传得极远，吵醒了一些已经趁着雨夜早早入睡的人。

有人骂着他。

他依然微笑。

叶轻眉绝对不是信中表现出来的那个小女生模样。这一点范闲很坚信，自己的老娘拥有一颗无比坚强的心，这样才能在这完全陌生的世界里，借着陌生的阳光，拥有如此灿烂的一生。

这个熟悉而又陌生的庆国，你们对不起那个叫叶轻眉的女子。

雨水有力地击打在范闲的脸上，他像个怪物一般，与漆黑的夜色渐渐融为一体。或许这只箱子对于自己的人生没有根本性的帮助，但是一种并不孤单的感觉，让他行走在这个世界、这个雨夜中，并且变得越来越自如。

范闲独自在风雨中行走，笑得越来越开心——既然要活着，就得活得潇洒一些，就像当初对妹妹说的那样，当我们回首往事的时候，别老觉着自己的脸上写着"憋屈"二字。

秋风秋雨愁煞人，愁杀人。

他要杀人。

夜入皇宫的事情自然不可能就这么算了，一直没有正式登上舞台的京都守备叶重大人在领了皇命之后，开始着手调查这个案件。他的官职虽为京都守备，但近些年一直领旨在西面的定州遥护京都，赶回京都的时候，事情已经过了三天。

宫里的明眼人自然清楚陛下为什么会选择他。一是因为叶家世受皇恩，忠心不二，被陛下信任的程度仅在陈萍萍之下。而陈萍萍大人自然不可能拖着残缺的身体来调查这件在他看来芝麻大的事情。二是因为燕小乙与宫典此时似乎都处于被怀疑的目光中。

叶重也知道这件事情很复杂。大内侍卫统领燕小乙是多年前被长公主发掘的，修为境界历来称为宫中第一；副统领宫典却是自己的师弟；至于洪老公公……谁敢去问他老人家？

他根本不怀疑这两个人，只是好奇潜入皇宫的第二个刺客究竟有什么样的目的，为什么在广信宫外杀死长公主的贴身宫女？

调查在暗中进行，监察院由于北齐密谍头目泄露一事惹得皇帝陛下震怒，配合起来也有些怏怏无力，很难有实质性的进展。直到某一天，叶重查过几个宫殿之后来到了含光殿，嗅到了一丝极淡的异香，立即想到了当年北伐之时跟随在陛下中军帐中的那个老毒物，再联想起侍卫所说，当夜刺客来犯时那位北齐大家庄墨韩也在广信宫中。深明宫廷斗争残酷的叶重，将事情想偏了，偏到异常。

他立刻向皇帝陛下请罪请辞，满脸惭愧，伏于地面。

"是查不出来，还是不敢查了？"陛下的脸上始终是那种似乎洞悉一切的微笑，真正的近臣偶尔会怀疑这是不是一种御下的手段，但叶重清楚陛下拥有怎样的智慧。他老实地回答道："臣查不出来，臣也不敢查，皇家之事，外臣实在不方便着手。"

"叶卿家，难道不怕朕斥你侍主不忠，公私不分，没有惜命之义？"

叶重惶恐不敢起，应道："臣不敢猜忖陛下心意，只是愚钝不知从何查起。"

"这事不用查了，朕自有分寸。"陛下的笑容里有些阴冷，叶重因为跪着却没有看到。

谈判已毕，北齐使团离开了京都，东夷城使团却还要耽搁一段时间。等到风声真正淡了之后，东夷城使团留下许多银子，也有些颇不是滋味地离开了京都。他们并不知道，庆国在夜探皇宫事发后没有把他们全部囚禁起来，已经是皇帝陛下大发宽宏之心了。

如今的范闲名动京华，再没有人只将目光投注到他背后的势力而是集中在他本人身上。毕竟这个世上能够将庄墨韩当场激到吐血的只有他这独一份，更何况他还如此年轻。

似乎是商量好的一般，太子与二皇子同时加大了对他的拉拢力度，李弘成时常带着柔嘉来府里喝茶，辛少卿也借口多日不见，前来探望。但范闲还有很多事情要做，暂时将两边都推了。夜宴计划他只完成了两个部分，一是成功地找到钥匙，二是近乎成功地陷害到东夷城云之澜，使得朝廷加大监视的力度，让这位九品高手陷于焦头烂额之中，直到离开京都，都根本无法生起找他决斗的念头，以保证了他的生命安全。发现长公主与北齐勾结这个料，他还在等着合适的时机撒进锅里。

东夷城使团离开京都两天之后，范闲知道时机到了。

长公主与北齐小皇帝之间的秘密协议无书证又无人证，如果是一般的庆国子民，碰见这种情况，只有将这个秘密永远地深藏于心，一生都不敢和人说。但范闲不会，他是有两世记忆、两世知识的人，他知道舆论宣传的重要性与杀伤力，也知道自己对付一个疯子般的长公主应该用更疯狂的手段。

夜宴之后，垄断了京都纸张的西山纸坊和内库的相关产业，仍然在不时触动澹泊书局的生意。可是长公主那边没有办法指使监察院八处，所以只能搞些小敲小打。

范闲明白，这只是风雨前夕的宁静，他决定在风雨到来之前，抢先出手。

"如果想不留下痕迹，那就什么都用抢的。"他说道，"这些天打压澹泊书局生意的，是内库的西山纸坊和万松堂，所以我们就要抢内库的纸，再用万松堂的墨。只是……叔，你写的字，这个世界上有人看过吗？"

五竹说："没有。"

范闲知道自己这个看似无用荒唐的计划一定能奏效，脸上的表情是笑眯眯的："传单这种东西，不用太大。"他用双手比画了一下大小，"关键是份数要多，到处都要去贴、去撒，尤其是像太学，还有文渊阁教学院那里得多贴几份。学生们年轻热血，最容易被人挑动。文渊阁里的那些学士们在意风骨，估计看见传单后，会气得直拔胡子。"

五竹冷冷地说道："内容。"

范闲开始细细复述传单应该怎样才有煽动性，一定要讲些似真似假的细节，比如长公主是怎样与庄墨韩对话的；言冰云在北齐潜伏是怎样地含辛茹苦，又是怎样被宫中贵人无情地抛弃；长公主损害朝廷的利益，谋求自己的利益，获取了怎样的好处，在宫里养了多少假太监，外面有多少老情人……

五竹冷静地分析道："没人会相信长公主牺牲如此大的利益，只是为了谋求金钱上的好处。"

范闲挑挑眉毛，说道："世上像你这样的聪明人并不多，只要百姓们相信就好了。至于皇帝那里，我们算是给他提个醒。"

五竹冷冷道："皇帝不需要你提醒。"

住在宫中的长公主与北齐联络，手下拥有无数密谍的皇帝毫不知情，这绝对说不过去。

"你预估皇帝在这件事之后，会有什么样的反应？"范闲很相信五竹的分析能力。

"马上出动监察院消除你一手造成的影响，大加赏赐长公主以证明皇室的团结，等事情平息后找个合适的机会，让长公主回到自己的封地信阳。"五竹冷漠地说道，"赏赐长公主的时候，应该会顺便赏赐晨郡主，同时升你的官。"

范闲知道他是在阐述可能的事实，但听着总有些像冷笑话，叹道："皇帝为什么想不到用我这种简单手法逼长公主出宫，如果他早就知道长公主与北齐的勾结。"

"第一，你这个方法很变态。第二，他不需要逼自己的妹妹出宫，他喜欢等那些潜在水面下的人浮起来然后一网打尽，他做这种事情很拿手。"

范闲听得出来，五竹对于那位皇帝的能力十分信任，眉头皱得愈发紧了。虽然帝王家统统是无情的混蛋，但两相比较，那个见过两次面的皇帝明显要比长公主对自己更温柔些，所以他下意识里开始操心有可能几年之后才会发生的谋反。

"那我们搞这一出，等于是缓解了宫中的局势。长公主在宫里应该还有伙伴才对。"

"我去查。"五竹说道。

范闲想了想，还是决定照原计划进行："我必须想办法让长公主远离宫廷一段时间，不然皇帝陛下还没有来得及将对方一网打尽，我就先成为对方手下的亡魂。皇帝陛下有胆量、有实力等对方先发动，我们可没有。"

一个敢与外邦勾结的势力，如果陷入某种狂热的情绪之中来对付范闲，范闲只有跟在五竹屁股后面逃跑的路，周游世界固然是他所愿，但目前他还不想付出这种代价。

"我去了。"

"去吧。"范闲一挥右臂，觉得自己确实很有年轻学生领袖的气派。

他前世看过许多抗日战争的影片，觉得此时黑夜之中的庆国，像极了被日军占领下的北平，自己与五竹就是那些勇于反抗侵略者的学生们，正在小心翼翼地在夜色中散发着传单，号召庆国的子民们起来反抗那些无耻的统治者。

他躺回床上，熟睡之后，做了一个香甜无比的梦：初秋的京都下了一场大雪，长公主怯生生地上了马车，哀怨无比地回头看了一眼皇城，然后离开了自己生活的世界。

九月初秋的京都，真的下了一场大雪，漫天的白色传单像雪花一样，飘散在京都里的每一处，尤其是太学与文渊阁附近更是拾之不尽。其时天色熹微，晨起的学子与百姓捡起这种陌生的纸片，看过之后，大惊失色。

在庆国这片土地上，这是第一次出现传单战。

但范闲依然高估了庆国子民的热血，低估了监察院和六部衙门的操控能力，两个时辰之内，整座京都的传单都被收拢到了天河路流水畔的那个方正衙门里面。

没有人敢私留传单，因为出面的是监察院。

太学正的反应也很神速，当天就请了旨意，提前开始了秋学的考试。

诸般措施在半日之内连续下发，终于成功地控制住了局势。但流言却不需要翅膀也会飞，不需要空气也能呼吸，早已传遍了京都的大街小巷。人们出门时常常会互望一眼，那眼神不再是表达着"您吃了吗？"的意思，而是说："您看了吗？"

长公主的名声在京都一向不怎么好，所以传单上那些对于她里通外国的指控百姓们虽不见得完全相信，但也认为并非空穴来风。那些街坊婆姨们的逻辑更加简单：她都这么老了还不嫁人，还要赖在皇宫里，肯定不是什么好女人。

庆国皇室第一次面对这种局面，不免有些紧张。虽然监察院措施得力，皇宫之中依然惶惶不安，宫女太监们走路的声音都刻意放小了一些。听说陛下在御书房里大发了一顿脾气，而太后老人家去了一趟广信宫，几个耳光声过后，长公主哭了好久。

监察院的房间内，一片安静和尴尬的沉默。八大处的头目都看着上首方，陈萍萍坐在轮椅上，用手拨拉着颌下没几根的胡须，看着那张传单，呵呵地怪笑着。

陈大人可以笑，下面的头目们却不敢笑。谁都知道那张传单上写的什么。

"你们说说，这纸上写的可有几分真假？"陈萍萍压下心中快意，望向下属们。

首当其冲的自然是八处的头目。京都所有文字归他与文渊阁管着，京都出了这么大的事他早就吓得不轻，不及回答院长大人的问话，抢先汇报道："纸是西山纸坊的纸，那里归内库管。墨是万松堂的墨，那家没有什么背景。"

陈萍萍皱眉看了他两眼，道："我只是问你真假，又没有问你是谁写的。"

八处头目抹了抹额上的汗，小心地回答道："污蔑公主，妄言朝政，挑弄是非，自然无一分是真。"

陈萍萍笑了笑，这笑容有些阴寒："都是假的吗？"

传单上面说长公主与北齐秘密协议，将庆国在北齐的密谍头目言冰云拱手送给对方。四处头目言若海面无表情道："此事肯定是朝中有人泄露的风声，而且品秩一定极高。但如果说是长公主，下属实在不解，这对她有什么好处？"

"这传单上说，前些天夜里庄墨韩与长公主私会于广信宫。"陈萍萍说道。

言若海摇摇头："庄大家是太后请入宫中居住，这事当不得证据。"

陈萍萍欣赏地看了他一眼，说道："冰云被囚北国，你还能冷静分析，不错。"他忽然沉着声音说道，"不过……有该怀疑的对象就该怀疑，不要忘记，本院只是效忠陛下、效忠皇室，却不是效忠皇室里的某人。"

说完这句话，他望向了长桌最后方的某人。

那人是监察院一处头目朱格，专司监视朝内官员，在监察院八大处里权力最大。朱格沉默了一会儿，摇头说道："知道言冰云事情的，包括我与言大人在内，一共只有五个人，如果说长公主与这件事情有关，那她是从哪里得到的消息？"

陈萍萍依然静静地看着他，气氛渐渐变得诡异起来。

朱格依然平静，偶尔皱眉，似乎在思考如果这纸上写的是真的，那长公主是从哪里得的消息？他身边的八处头目，清楚地看到一滴汗从他的发鬓里流了出来。

陈萍萍依然静静地看着他。

朱格忽然开口说道："大人，因何疑我？"

终于等到他开口，陈萍萍缓缓合上眼帘，淡淡道："因为你很愚蠢。"

"为什么不能是言若海？卖子求荣的例子，在这个世界上并不少见。"朱格从知道言冰云被抓的那天起，就知道自己肯定要出事，苦笑一声，望向言若海。

"你是一处的头目，费介老了，若我退后，按理应该是你接掌这个院子。"陈萍萍闭着眼，淡然地说道，"很可惜，你知道我有别的安排，所以不甘心。对方许你日后监察院之权……依陛下的意思，这件有趣的事情还可以看上一段时间，但是没有想到今天晨间这场纸雪花，却将所有的问题提前掀开。所以我只好提前处理了。"

"谢谢大人成全。"朱格的喉咙咕咕响了两下，呼吸略重。他知道，如果陛下亲自处理这件事情，迎接自己的肯定是更加悲惨的结果。

陈萍萍毫无一丝怜悯地望着他："你跟了我十二年，死之前，我给你机会说最后一句话。"

朱格脸色微白，旋即恢复平静，看着将自己从一名普通办事人员提拔成监察院三号人物的老大人，诚恳地说道："不要相信女人，她们都是疯子，天生不适合做这些行当。"

说完这句话，他反手一掌拍中自己的天灵盖，只听咔嚓一声，身子立即趴在了木桌上，再无气息。

这是他的真心话，就算长公主与庄墨韩的夜话没有被范闲听见，看陈萍萍的神情也知道，长公主早就已经是院里重点观察的对象，当长公主疯狂出卖言冰云的那一瞬间，就注定了他的死亡。

朱格的尸体被拖了出去，陈萍萍又看了一眼面前的纸，道："继续。"

他可以古井无波，其他几位主办看见同僚十几年的熟人就这般惨淡收场，不免有些感触。片刻后，他们才回过神来，看着面前的卷宗，开始继续报告。

"据宫里调查的结果，陛下宴请两国使臣之夜，夜入皇宫的刺客可能与东夷城有关。刺客出现在广信宫，杀死了长公主的一个宫女，估计也就是那个时候偷听到了长公主与庄墨韩之间的对话。东夷城之所以现在放出风声，一是希望朝廷能乱上一阵子，毕竟这次两邦之间，并没有和北齐一样达到真正有效的协议，所以东夷城很怕朝廷出兵。"

"而且一旦揭破此事，陛下震惊之余，与北齐的协议只怕也会撕毁，两国战事再起，一直处在夹缝中的东夷城，想必最乐意见到这种局面。不论是从动机还是从最后的效果来看，东夷城都是最有可能出手，也可能是从中获取最大利益的对象。"

"唯一的疑问是，西山纸坊昨夜才丢的纸，东夷城如何能够在一夜之间就写出这么多份出来，要知道他们潜在京中的人手大部分被我们监视着，那些不在我们掌控之中的人，应该没有那么多。一夜之间做成这件事情，至少需要有四十个训练有素的人手。"

陈萍萍听着下属们有条不紊的分析，忽然摇了摇头，室内一下子安静了起来。

片刻后，言若海忽然问道："那换人的协议？"

"继续。"陈萍萍说道。

言若海沉声说道："当年为了抓住肖恩，大人毁了一双腿，如今却因为长公主轻易一卖，就要将肖恩放了回去，属下不甘心。"

"不甘心？你有什么方法能把你儿子活着换回来？"陈萍萍面无表情地说道，"换是一定要换的，我们会把肖恩活着送到北齐人的手里，但之后会发生什么事，谁知道呢？"

听到这句话，屋子里的人才知道院长早有安排，于是便放下心来。要知道他们无论如何也是不愿意将肖恩双手奉还北齐，那个老家伙当年是北魏的密谍首领，不知道杀死了多少庆国探子，而且他脑海中的资料直到今日都会对庆国造成极大的威胁。如果被北齐抓住的人不是四处言若海的儿子，这些冷酷的庆国密探头目们，一定会上书院长，劝说陛下，让那位被北齐抓住的不幸人为国牺牲。

言若海也知道这一点，内心深处对院长大人无比感恩，问道："那长公主那里？"

"陛下没有发话的事情，我们不知道，我们不做。"陈萍萍说道。

"要不要把东夷城的使团抓回来？"

"抓回来干什么？承认朝廷的丢脸？这件事情让八处去做，就说是南方古越余孽不甘国覆，在京中散播谣言，已然全部成擒。从牢里揪几个，去菜市口杀了，杀之前记得让全京都的百姓来看热闹。"陈萍萍淡淡地说道。

众下属领命而去，消毒的消毒，散谣言的散谣言，抓人的抓人。只有言若海留到最后。他说："世上有没有一种毒药让肖恩一路上都活着，最后死在北齐君臣的面前？"

陈萍萍问："你的意思是？"

言若海沉默了一会儿，说道："我了解我的儿子，他也不会同意陛下的做法，我想他很乐意换肖恩一条命。"

"这件事情你要避嫌，不要给意见，至于怎么做是我的事情。不错，的确没有一种毒药可以神奇到那种地步，就连费介也做不到。但是肖恩必须死，言冰云必须回来。"

陈萍萍静静地看着他，说道："不要忘记，三年半之前是我把你的儿子赶到北边去的。"

言若海还要说些什么，被陈萍萍挥手止住："我本来准备等冰云回来之后，让他顶替朱格的位子。朱格本来可以多活几日。但是今天这些纸片到处一飞，京都议论纷纷，我总要给你一个交代。我上次对你说过，院里现在有个提司，我准备让他去北齐。"

言若海一听，立即皱眉说：“很危险。”他明白院长大人是要将杀死肖恩的任务交给那位提司。

“不琢磨，不成器。”陈萍萍显得有些疲惫，“如果他能成功的话，我希望将来的某一天，你能帮助他将这个院子料理妥当。”

言若海终于明白了，微微一惊，不敢多说话，重重地点了点头。

“到底是谁做的呢？”陈萍萍推着轮椅来到窗边，枯瘦的手指缓缓掀开黑布的一角，像个孩子一样探头向窗外望去。连绵几日的秋雨昨天就停了，外面艳阳高照，远处的皇宫闪着金光。

他半靠在轮椅上，借着那黑布一角透过来的光，看着手上那张纸，忍不住摇了摇头：“说她与北齐勾结倒也罢了，何必还要说她养面首三千，淫乱宫帏？”这些涉及皇室清誉的传言，先前的会议中自然是不方便讨论的。

他看着纸上像火柴棍一样整齐的字笑了起来：“真是胡闹台，这字也太丑了些……不过，字迹笔意倒还真像东夷城那个白痴。”

“东夷城啊东夷城，真是你们吗？”他在心里对自己说着，脸上浮出一丝微笑，“当年的四顾剑只是个痴傻儿，可不是这种疯子。对付长公主那个疯丫头，这个法子倒是蛮管用，管他什么玉器瓷器，打碎了搁一垛儿里，谁也分不出来了。不过你们乱了陛下的章程，陛下会不高兴的。”

范闲冷静甚至有些冷漠地旁观着这件事件的余波，他口述的色情文学看来果然是这个国度不可承受之重。不论皇帝内心深处有怎样的真实想法，也不在乎长公主的真正实力会因此遭到多大的创伤，他要的结果终于实现了。

长公主悄然无声地搬离了皇宫，回到了自己的封地信阳。

如同五竹当初计算的那样，皇帝陛下在长公主离京之前果然大肆封赏了一番。范闲也得了许多好处，虽然表面上没有什么关系，似乎陛下只是赞赏他为自己争了脸面。

旨意下来，范闲由八品协律郎变成了五品太学院奉正。

花厅里，范闲捧着旨意问父亲："太学院奉正是做什么的？"

"太学教书的，问题是……"范建也觉得这旨意莫名其妙，"你都没有正式科举，怎么就进了太学院做奉正？"

"是不是明年不用考科举了？"范闲高兴地问道。

"不经科举总不是正途，眼下看着极顺，日后仕途总会有些阻碍。"范建转念想到，自己所要求的，不就是范府一家平安。眼前这个漂亮的年轻人能舒舒服服地度过此生吗？

想来这也应该是那个人的想法。

不然当初他怎么会给这孩子取名为闲，字安之？

范闲听说不用科举，高兴得不行，满脸堆笑地回到书房中，看到范思辙早已经等在房中，一边磨着墨，一边看着自己。

"做什么？"

"题字。"

"什么字？"

"半闲斋诗集。"

"半闲斋是什么东西？"

"就是这间书房，父亲说了，以后这书房单给你用，你婚后再论。我已经让七叶掌柜去老衡居定做横匾，名字就叫'半闲斋'。"

范闲感觉到一丝不对劲，逼问道："那《半闲斋诗集》是什么？"

"嗯？就是你那天在殿上念的诗，已经被太学士集成了集子。陛下准备以文渊阁的名义付印，是我求父亲去将这差事求了过来。"

西山纸坊被盗之后，那些皇商被撤了职司查办，许久没有恢复元气。加上内库得了来自宫中的警告，不敢再作针对，澹泊书局终于缓过劲来，自然要准备大展宏图。七叶大掌柜与范思辙小掌柜二人便盯上了这本御制诗集。

这诗是谁写的？范闲。范闲是谁？范闲是澹泊书局的东家。范思辙本就痛恨兄长一直不肯将《石头记》后十回交出来，如今得了诗集哪肯放过，更没有让利给朝廷的道理。

范闲苦笑着在纸上写下"半闲斋诗集"这五个字，然后又写下了自己的名字。当夜他为了掩饰后半夜的行踪在殿上装醉，结果狂性大发，一时没有收住嘴，这些诗里不知道有多少典故说不清楚。当然，如果要说清楚这些典故，那得要写多少本史书故事。四大名著您得整齐备吧？《世说新语》得来一本吧？《论语》《诗经》，嘿，还真别嫌少，架空版《资治通鉴》，穿越版《史记》。

想到这种工作量，他打了个寒战。如果真这么扩展下去，只怕这澹泊书局还真要变成前世先进文化的传播者，应了自己当年在澹州发的宏愿，他赶紧说道："文渊阁校的不成，你得拿回来我自己重校一遍，那天喝多了，谁知道瞎说了些什么。"

他拿定主意，能糊弄过去的就糊弄过去，实在不成的，那就只有忍痛割肉，以喝醉为借口统统删掉，反正喝多了的人第二天很容易失忆。

"这是绝版啊。"范思辙眉开眼笑，"我看再过五年，你自己说不写诗的话淡了，你再来次复出诗坛，估计又是一大笔钱。"

范闲懒得理他，目光落在书房一角的粉红色纸张上，好奇地问道："那是什么？"

范思辙说道："礼单。"

范闲微微一怔，才想起大婚的日子近了。最近发生这么多事情，毋庸讳言他的心情已与当初庆庙时有了细微的差别。他与她的母亲终究是无法共处的。现在的皇帝还能掌控一切，一旦皇帝陛下不想掌控了，到那时长公主一定会杀死他，或者……被他杀死。

期待已久的日子即将到来，想着这些事情，他竟是无法开心起来。

后几日，澹泊书局的《半闲斋诗集》终于问世，范闲亲自大刀阔斧删了许多，自此稍微安心了一些。

八品协律郎当场喷诗百首，震得一代大家庄墨韩吐血而遁，这故事早已在庆国传扬开来，这次的诗集号称作者亲校版，自然大不寻常。果不其然，诗集一出，京都纸贵，范闲的声名顿时又上了一个台阶。

小楼昨夜又秋风。

范闲温柔地看着自己的未婚妻，微笑地说道："你说的那法子不管用。"

林婉儿的嘴唇可爱地嘟着："好些天都没有出去了。"

关于长公主的那些"言纸"，她自然没有看到，但也听到了一些风声。长公主离开京都去信阳之前，曾经来过别院，母女二人对坐一阵，长公主便上了车驾离开了京都。

林婉儿不知道范闲与母亲的离开之间有什么关系，但敏感的她依然感觉到范闲的心情不如往日那般轻松快意，所以提议找天再出去赏赏秋景。京都西山的红叶是很有名的。但听到"西山"二字，范闲就想到了那家垄断了京都用纸的纸坊，想到纸坊背后似乎正阴森怯弱看着自己的长公主。

范闲清楚，长公主离开京都，最根本的力量还是皇帝陛下，自己的"言纸"只是给皇帝一个说服自己、说服太后的理由而已。

此处需说明的是，如今的庆国朝野间都将那日像雪花一样飘散的传单叫作"言纸"，认为这是一种民间诉求无路之后进言的纸径。

这段日子里京都重复了好几次这样的"言纸"抛撒行动，让监察院紧张了好一阵。其中一个案子被破，原来是太原路铜矿苦役来京城告御状，但根本进不了登闻院，所以学了这么一个法子。监察院追着根儿，发现给这些苦哈哈们提供纸的居然还是西山纸坊！

但是帮这些苦役们书写冤状的人却是无论如何也挖不出来，只知道无比柔润的笔迹出自庆庙旁边一个算命者之手，监察院去庆庙搜索时却发现，这个地方根本没有算命的人——除了庙里那个似乎一辈子都没有出来过的大祭祀。

铜矿的事情交给四处办了，很快就把太原路的官员抓了一串回京，只等月后问斩。只是对于这种言纸行动，朝廷再也无法忍受，加强了对于纸张的管理。监察院的陈院长大人却没有处罚那几个铜山苦役，在官员们的眼中那位老人的心似乎变得软了许多。

范闲回过神来，看着微有愁容的婉儿，微笑着走上前去，轻轻捏了捏她圆润的下颌，说道："想什么呢？长公主回了信阳，咱们婚后自然是要去拜访的。"

这自然是假话。他希望这辈子都不要去信阳，更希望长公主从此老死信阳。当然他也知道，在没有真正撼动长公主与那个神秘伙伴的势力之前，喜欢玩引蛇出洞的皇帝陛下总会有一天把她召回京都。

林婉儿勉强一笑说道："到时再说吧。我昨天入了宫，你也知道最近京里这些事情，娘娘们倒还好，只是太后身子似乎有些不舒服，陛下待我也不如往日般亲切了。"

范闲在心里叹了口气，心想皇帝正在头痛和你老妈勾结的皇子究竟是谁，怎么可能还像往日那般。二人略说了些闲话，忽听着嬷嬷上楼的声音，范闲条件反射纵身，攀在窗沿上，准备翻出去。林婉儿扑哧一笑说道："还真习惯了啊？"

范闲有些窘迫地笑了起来，看着婉儿略有些发白的脸庞，心生怜意，上前将她搂入怀里，低声说道："大婚前别累着了。至于病啊以及别的事情，别怕，一切有我呢。"

窗外的青青树枝在秋风里倔强地保持着鲜活的颜色，试图证明不论外在环境如何萧索，它还是有着对美好的向往。

楼梯转角处，大丫鬟四祺看着姑爷与小姐搂在一处，不由得俏皮地伸了伸舌头，心道范家姑爷这么大的才子，原来还这般不知羞。

大婚在即，整个范府行动了起来。长公主不在京都，女方的安排竟然是由淑贵妃出面。整个范府感到荣光之外，更加小心谨慎，生怕哪里做得不够细致，错了规矩。

但规矩本身就是件极难的事情。林婉儿的郡主身份只在宫里起作用，放在外界，她的身份还是林宰相的私生女，年初才被陛下逼着相认。所以这次大婚究竟是用尚郡主的仪节，还是正常的大臣间子女联姻规格，始终无法确定下来。

柳氏又进了一次宫，终于得到了太后的明确指示。虽然太后极不喜欢林家搀和到自己宝贝儿外孙女的婚事中来，但还是得向天下纲常低头，默许了林府的加入，同时也宣告了大婚不再按郡主出嫁的仪节进行。知道内情的范族妇人们有些小小失望，但想到是与宰相家联姻也是极有面子的事情，复又兴高采烈地准备起来。

京都的秋天与别处都不一般，西山的红叶在街市上被小姑娘们拿着，像花一样地在卖。南面永耀集大湖的白色野草也被扎成一捆一捆的，送到各个有钱人家里摆放驱邪。微凉的秋风穿行在京都的大街小巷，飘过林梢，拂过街上仕女滑嫩的脸颊，吹散了食肆里的蒸腾热气，似乎要将这一整年的燥气与阴晦全部吹走。

天河大道是京都最安静、整洁、美丽的一条街，两边都是各部衙门。这天是初一，正好是十日之首的轮休，官员们难得有了个可以放松一下的日子。不过也不能完全放松，因为今天是范府大公子范闲大婚的日子，不论是不是户部的官员总是要去的。

这门婚事在京中很是轰动。范族在京中本就是大族，司南伯范建因为与皇室之间的关系，近些年圣眷颇隆，户部尚书早就病休在家，大约再过一两年，他就会替上那个位置。

范闲更是最近京城风光最盛的人物，不提半年前牛栏街英勇之举，单说上个月在殿里那次酒后聊发诗仙狂，更令他成为全天下议论的中心。

女方当然也很了不得，新娘子年初才归宗林氏，但毕竟是宰相大人的女儿，宰相宰天下相春秋，乃朝中文官之首，女儿出嫁是何等大事。

至于新郎新娘都是私生子……这事似乎被京都人集体遗忘了。

知道新娘子真正身份的那些高官们，早就偷偷地将礼物的规格提高了几个档次，自己也早就在范府里坐着了，只是心里好奇地想着，宫里今天会有怎样的表示呢？

范闲像个木偶般被五个婆子打扮着，在心里暗暗发誓，如果以后还要接受这种折磨的话，自己一定会逃婚，或者说当个勇敢的不婚主义者。

庆国的婚礼仪式一般在傍晚时候进行，但他天不亮就被人从床上拖了起来，洗澡、刷牙、换衣。虽然他早就习惯了这个世界的衣着，但今天依然有些受不了，直裾的大红礼服里面竟然有三层名称不一的内里，礼服上面更是挂满了玉佩、彩绦、花穗，颜色鲜艳地直打眼睛。光是把这衣服穿好，又花了许多辰光，而他也已经僵硬得不能动了。唯一能动的大脑里十分想念和五竹叔拿着木棍对打的凄惨童年时光。此时他下意识用余光瞥了眼忙得一头微汗的柳氏，带着恶意心想她到底是真忙，还是在借机报复自己？

戴上头冠，系上玉牌，银制鞋扣硌脚，错金衣领硌脖子，范闲像个傻子一样被婆子们推到了前厅。范若若与范思辙今天也打扮得挺喜气，尤其是若若，往日里略嫌冷清的面庞，被粉红的衣裳一衬，显得格外有精神。她看着兄长可怜的模样，掩唇而笑。

范思辙取笑说道："这是从哪里来了个花粽子？"

范闲气结，往前踏了两步，不想身上佩饰太多，竟是不停铛铛地响了起来，顿时没了意思，自嘲地笑道："哪里是花粽子，明明是移动的喷彩大风铃。"

这世上最痛苦的事情，莫过于喷彩大风铃还要去游街。好在不用骑马而是坐轿，不然范闲一定会羞愧得掩面狂奔回澹州；好在林府不算太远，没用太长时间。

林婉儿十天前便搬回了林家。

范家总不能当着天下人的面到皇室别院迎亲，否则皇家颜面何存？

鞭炮声响了起来，范闲略有些失神，嗅着那淡淡的微糊味道，不知怎的想起一些很久之前的东西。后来他将思绪拉了回来，在已经僵硬的面容上堆起笑容，出轿而立。

鞭炮声中，笙声笛声里，林府大门渐开，出来的是林府那边的头面人物袁宏道。这位谋士今天在帽子上别了枝红花，倒还真有些风流味道。

"范公子。"袁宏道满脸笑容地迎了上来。

范闲强作精神道："袁先生。"

二人以往在相府里也见过几面，知道对方的身份，倒也不陌生。

今日京都里专司接亲的老手，有一半都被范府抢了过来，看着林府一开，那些婆子们张开嘴就在那儿说吉利话，硬是把袁宏道说得愣了神，不一时众人便拥到了门口。

然后遇见了真正强大的阻力。

前面说了，今日京都里的婚庆高人有一半被范府抢了，那另一半呢？自然是被林府抢了。所以只见两方唾沫横飞，表面恭维喜庆，暗地里却是刀剑无眼，吹嘘着自己，暗贬着对方，听上去更像是俗不可耐的两位乡里的土财主成亲，而不是宰相的女儿嫁给司南伯的儿子。

这是庆国习俗，接亲之前双方一定会在女方府前吵上一架，说是进行完这个仪式之后，便可以将新婚夫妻日后的架全部吵完。

范闲昏头昏脑地站着，也不知道吵了多久，终于发现耳边的聒噪声小了下来，他大喜过望，问道："成了吧？"

一阵尴尬的安静之后，有人轻声说道："范公子，还早着呢。"

林府办事人员觅得了话头，嘻嘻一笑道："看来姑爷客急了，那倒也是，咱们家这小姐……"又是将自己家的姑娘一顿好吹。

不知道过了多久，袁宏道发现范闲的脸色有些苍白，挤了过去小声问道："范公子且忍忍，京都不比澹州，规矩确实多些。"

后来仪式终于结束，一阵礼乐过后，林府大门第二次缓缓拉开，在两名喜婆的引路下，新娘子终于走了出来。

范闲眼前一亮，今日婉儿一身大红，广袖对襟，秀美之中带着无穷喜气，只是头上那方红巾盖住了头上的珠冠和那张自己念念不忘的容颜。

被隔在外围看热闹的京都民众们，抢在范闲之前，眼亮了起来，叫了起来。有些年轻人更是高叫着新娘子将头顶的红布掀开，让大家伙儿瞧瞧新娘子漂亮不漂亮。

今天是大喜的日子，皇帝娶媳妇也要与天下同乐，林范二府也不能免俗，总不好破坏这种气氛。但范闲有些不爽，淡淡看了那些人一眼，藏身在人群里的属下会意，顿时人群里响起几声细不可闻的哎哟声，估计是那几个兴致最高的年轻人着了黑脚。

又有一套例行程序结束之后，新娘子才轻移脚步，上了头前的那方婚轿。

整个过程中，范闲没能与林婉儿说上一句话、对上一个眼神、滑过一个指尖。

回到范府，宾客已至，礼乐齐鸣，好生热闹。

新娘子被迎往内室暂坐，新郎站在正堂前迎客。范闲满脸微笑着与前来的认识及不认识的人说着话，一面小声对身边的人问道："什么时候拜天地？"

"还早着呢，少爷。同牢、同席、同器之后，还有同……"

后面的话范闲没听进去，只是压抑着骂脏话的冲动，告诉自己都等了三十年了，不要急在这一时。中午吃了些什么，他完全不记得了，只记得酒喝了不少，被很多怀着好意或是贪欲的官员们劝掇着写两首诗来记述此刻佳时佳人佳景。但他喝得再多，也记着自己退出诗坛的宣言，遂一一微笑推过。

宴中的时候，靖王府的人来了，阖院官员齐齐起身相迎。看着那个花农一样的王爷，范闲觉得好生丢脸，心想自己当初第一次见到他的时候怎么就没有认出来？

靖王一向很喜欢范闲，看他今天装扮得如此花里胡哨，嘲笑着说道："不会打扮的东西。"

范闲知道他的性情，反笑着说道："不知道王爷当初大婚的时候，又是怎么一般模样？"

世子李弘成在旁压低声音说道："估计还不如你。"

靖王发飙了，骂道："老子结婚的时候，还没你，你知道个屁。"

旁边的官员们看王爷与世子闹了起来，哪里敢多话，只在一边偷笑。只是苦了作为主人家的范建，劝道："我说王爷您这话真是多余。"

两家交好多年，他与靖王说话倒也随便。

靖王一挥手，不再管这些小的，跟着范建走进了内堂。走到一半的时候，又停了下来，回身对范闲正色说道："你不错。"

范闲一怔，赶紧行礼谢过。靖王又皱眉道："我本想着，过个两年就把柔嘉许给你，没想到，我那姐姐居然和我抢女婿。"他似乎真的深以为憾，摇头走了进去。

靖王的姐姐是谁？自然是范闲如今的丈母娘长公主，幸亏这番话没被众人听去。范闲听着王爷准备将柔嘉郡主许给自己，不由得后怕不已。转念间又想到自己的丈母娘看着比这王爷倒年轻多了，不免有些纳闷。

正走神着，李弘成拍了拍他的肩膀，说道："依你我交情本应早些来，不过你也知道，这种场合我不方便来得太早。"

范闲明白对方毕竟是靖王世子，断没有抢先来为大臣之子帮忙的道理，那样太不合规矩。正准备说些什么，又听到李弘成轻声地说道："柔嘉今天没来，让我与你说一声。"

范闲心想柔嘉素来与若若交好，与自己关系也不错，怎么今日她却不来？

见他神情，李弘成苦笑着说道："妹妹如今正在王府里抹泪珠子。父王先前那话倒是真的，如果不是你这未婚妻也是大有来头，父王说不定真会去请太后出面，让你改娶柔嘉。"

范闲怔住了，此时真的不知道该说些什么。

终于到了拜天地的时辰，范闲与林婉儿拉着红丝络的两端，隔着一方红布含情脉脉对视，柔柔对拜。那股子酸劲儿让一旁的范若若感动得眼泪汪汪，让范思辙肉麻得想要抓狂。

拜父母的时候，范建轻抚胡须坐着，柳氏有些扭捏地坐到了主母位上。观礼的官员权贵们吃了一惊，心想柳氏什么时候扶正的？

没人知道这是范闲的意思。

柳氏熬了十年，终于坐到了正位上。她有些不习惯地摸了一下椅子光滑的扶手，有些不安地接过新妇递过来的茶水，不知味道地浅浅喝了一口，望向侧方范闲的目光有些复杂。

范闲没有望她，微微笑着向父亲敬茶。

柳氏的唇角绽起一丝微笑，有些抱歉，有些感激。

别人不知道内情，不免有些糊涂。偏厅里面柳氏娘家的人们，看着这幕却有些唏嘘。正在此时，府外传来一阵喧哗声，范闲站起身来，无数人齐齐往外望去。

"有旨到，范氏接旨。"

宫中那位与范家相熟的侯公公满脸笑容地推门进来，宣了宫中的旨意。今天大喜之日，范建与范闲都猜到宫中一定会有所安排，并不意外。但庭院里的群臣们很意外。侯公公传旨当中的那些赏赐实在是有些不合规矩，金帛的数量太多，甚至还有很多贡品，怎么看都不像是一位大臣之子结婚应有的赏赐，倒像是嫁郡主或者是皇子娶亲的感觉。

就算是宰相与司南伯联姻，皇家也应该不会如此重视才对。

范闲一面听着旨意，一面小声地对身边的妻子说道："相公我是沾了你的光啊。"

红盖头下的林婉儿娇羞大作。

侯公公退后，众官正松了一口气，不料又听着外面高喊道："范林联姻，佳偶天成，淑贵妃有赏。"

范闲一怔，与婉儿再次行礼，淑贵妃赏的是那套珍奇书籍的原本。众官啧啧称奇，心想淑贵妃是二皇子的母妃，居然也与范宅有旧。

不料过了一阵，又听着外面高喊道："范林联姻，佳偶天成，宁才人同贺。"众官再惊，宁才人名分不高，却是大皇子的亲生母亲，而大皇子一直领兵在外，深得陛下看重。

宁才人的礼物是一把剑，倒是符合她东夷出身的性情。范闲小两口不得已，再次行礼，苦笑着接过这把剑。范闲小声地对妻子说道："看见没，这就轮到娘娘们赏了。宁才人这剑是赏你的，若有什么不顺，你就可以拿剑斩我。"

林婉儿娇羞再作，此时众目睽睽，却又无法做些什么。

既然淑贵妃与宁才人都送了礼，其他的娘娘们自然也有心意送到，位分不高的那几位合着送了份重礼。唯有宜贵嫔本就是柳家的人，出手自然格外不同。况且她昨天夜里得到消息柳氏终于扶正，大喜之下送来的礼单就足足有两尺厚，将院里的众官吓了一大跳。

宫里的诸位娘娘之后，才是皇后的赏赐。皇后身为一国之母，这赏赐自然也不一般，是一柄浑身晶莹剔透的玉如意，贵重宝气，无法形容。

今天群臣总算是开了眼。这庆国开国以来，也没有哪位大臣子女的婚事，可以惊动如此多的宫中贵人！

　　知道林婉儿真实身份的高官们却了解其中内情，林婉儿不仅是长公主的私生女，最关键的是向来极得皇帝与太后宠爱，自小在宫中长大，当然与这些贵人们的情分不一般。

　　渐渐地，院间的桌席上安静了下来，那些六部官员们也终于明白了怎么回事，神情就显得自敛持重了许多，望向新娘子的眼神里多了很多敬畏。

　　终于，最重量级的礼物到了。

　　陛下亲笔御书被太监们像捧宝贝一般捧入了范府。院子里一大批人跪了下来。

　　"奉天承谕，皇帝诏曰，范林联姻，佳时天成，手书一幅，以为祝念。"

　　范建与范闲小心接过，展开昭示众人，只见那洁白的纸上写着四个大字："百年好合"。

　　这四个字的意思很简单，但这四个字是一向不怎么喜欢参与臣子家事的皇帝陛下亲手书写，其中隐藏的意思就非常不简单。院子里一下变得安静起来。

　　深宫中的一间房子里面，皇帝正静静地看着一幅画，画上是用工笔绘成的一位黄衫女子。

　　今天范林联姻能有这么大的排场，旁人都以为是陛下疼惜婉儿的缘故。即便是宫中的娘娘们也没有想到别的地方去，只有他自己知道，这是在弥补范闲。

　　他望着画中的女子，唇角浮起一丝微笑："朕很喜欢婉儿，想来你也会喜欢她做你的儿媳妇，而且你以前就很喜欢这种热闹排场，希望他也喜欢。"

　　在一阵欢欣鼓舞的礼乐声中，范林两家联姻终于尘埃落定，新婚夫妇被送入洞房，宾客开始退场。今天很奇怪，除了靖王爷一人外，竟没有一位大臣喝多。

范建看着被人扶进新房的小两口，脸上露出温柔的微笑。他今天最担心的事情并没有发生。看来太子与二皇子也知道，如果不顾身份贸然前来观礼，会引起宫中的警惕与范闲的抵触。不过太子和二皇子依然让人送了份重重的礼物。

入夜，一对新人在丫鬟们的搀扶下来到新修的那处园子，回到了自己的宅院。此间也是红烛大明，到处贴着喜字，红艳艳的好不喜庆。范闲终于放松下来，这些下人丫鬟有的是自己买的，有些是靖王府上送的，还有几个是宫里跟着婉儿的老人，都可以信任。

他进了屋子，伸了个懒腰，笑眯眯地喊众人退下。这府里的下人丫鬟们齐齐在门外向新婚夫妻叩了个头，婉儿陪嫁过来的贴身大丫鬟四祺赶紧取出赏钱分了。

"四祺，你也累了，去睡吧。"范闲眉开眼笑说着，眉间挤出了一个"丫"字。

四祺有些为难地看了小姐一眼，心想合欢酒还没喝，却看见红布盖头的林婉儿放在膝上的手很不易察觉地挥了一挥，似乎是在赶人出去，不由得掩嘴一笑，赶紧出了新房。

房内就只剩下了范闲与婉儿二人。

"出来吧，如果不想让我打你的话。"出乎林婉儿的意料，范闲冷冷地说了这么一句话。果不其然，范思辙很困难地扭动着肥胖的身躯从床下爬了出来，然后低着头就冲了出去。

范闲皱眉道："也不嫌床后面的马桶会熏死他。"

林婉儿在红盖头下扑哧一笑说道："这马桶又没用过。"范闲心想那倒是真的，马桶上面还漆着金边，里面铺着香草。

四周无人，红烛静默流玉，他眼珠子一转，嘿嘿两声笑，走上前去，握住了林婉儿露在广袖之外的微凉双手。此时他忽然又想到了五竹叔，万一这位大宗师像往常一样喜欢站在角落里，待会儿小两口床上正得意之时，看见角落里的幽魂，可别吓出那方面的毛病来。他赶紧咳了两声，轻声说道："叔叔在不在？"

叔叔不在。

林婉儿被他握着手，想到马上要发生的事情，早已是羞得不行，忽然听到他在唤叔叔，不由得疑惑道："嗯？"

"没什么。"范闲微笑着说道，"日后安定了，让你见见。"

"噢。"林婉儿满头雾水，不知道他说的是谁。

"娘子。"范闲没有依规矩去用那把尺挑起婉儿头上的红盖头，而是温柔地用两只手指拈住红布一边，缓缓地掀了起来。只见红布渐渐上移，露出姑娘家微低含羞的白玉下颔，再上是那两瓣软嫩的唇儿、微翘的鼻尖，因为紧张而紧闭着的双眼、长长的睫毛在微微颤抖。

红烛渐黯，范闲有些紧张地坐在床边，轻轻抚弄着妻子耳下的滑嫩脸颊。

"咳咳。"

屋子外面传来两声极不合时宜的咳嗽声，然后是范闲贴身侍卫们的刀剑出鞘声、闷哼倒地声，最后是今夜当值的王启年发出了一声惊呼！

范闲破门而出，身上的大红喜袍如同一片红云般飘了出去，在黑夜里显得格外艳魅。

红云一飘，他根本看不清来者是谁，手腕一抖，脚步一错，已是避过对方拍自己肩头的一掌。自发间取出的细针，已经刺入对方的肩头。

这时候他才看到石阶前的侍卫们已经倒下了三四个，王启年正满脸恐惧地看着他的身后。

范闲大惊，这世上有谁能够中了自己配的毒还能动的？感受着身后传来的破风之声，他一声闷哼，化掌为刀，一个甩手便劈了过去。

正要劈到那人脸上时，只听他痛苦地呻吟了一声，抱着肚子蹲了下去。

一个原因是那人劈不得，另一个原因是自己中了毒。

只见那人头发有些凌乱，脸上满是风霜之色，年纪十分苍老，却看不出真实的面目。一双阴寒的眸子被染成了淡褐的颜色，看上去十分恐怖。

"老师！"范闲只来得及喊了一声，便觉肚中一阵绞痛，赶紧从腰带里取出一粒解毒丸嚼了。然后赶紧上前见礼、拥抱、相顾无言，感动于十年不见的费介今日突然驾临。

"你的样子倒没怎么变。"费介坐在书房里，一边喝着茶，一边享受着丫鬟捶腿，一边看着站在旁边的范闲，"本想着十年不见，应该认不出来了，没想到你小子还长得这么漂亮。"

范闲不敢坐下，说道："我说老师啊，您能不能……哪怕仅仅一次，不要半夜摸进屋来，很容易产生误会的。虽然现在学生房里用的是软枕头，但如果刚才我用刀子给你来一下怎么办？您明明就是八大处里面武道最弱的一个人，却偏生喜欢扮夜行侠，很危险的。"

他设想过无数次与费介重逢时的场景，有可能是师徒二人抱头痛哭，也有可能是互斟毒茶以试别后技艺，断没有想到在自己大婚之日、春宵苦短之时，这位老先生居然会来搅局。那些别后离思早已尽数化作了欲求不满的愤怒，心想您啥时候来不行，非得今天？

费介根本不管他，说道："我在东夷城听说你要成亲，急忙赶路，总算赶上了。"

范闲心头一阵感动，赶紧俯身行了一个大礼。自己在这个世界上能活到今天，眼前的这人应该算是出力最多的二人之一。费介递给他一个小盒子，盒子里面隐隐有淡淡的香气飘出。范闲问道："这是什么？"

"送给学生成亲的礼物，你看看如何？"

范闲知道这位老师拿出来的礼物一定非同寻常，打开一看，发现里面竟是几粒小指头大小的药丸。他心头一动，用指甲从上面挑了一些粉末，送入唇里品了品。

费介看着他的动作，微微一笑，当年的漂亮小孩童变成如今的英俊青年，老人家很欣慰，尤其是看他依然保留着自己当年教出来的职业习惯，更是安慰。

"龟甲，醋制的。"范闲皱眉分析着丸子里的成分，"地黄、阿胶、蜂蜡……但还有一味药我尝不出来。"

"一烟冰。"费介的唇角翘了起来，有些得意。

范闲已经猜到了这药丸是什么用处，想到老师的惊天手段不免多了许多信心，惊喜非常。

"这是洋外的药材，东夷城世代经商，我四年前就托他们到处找去，今年终于找到了，所以在那里多待了些日子，就是为了等船到。"费介摆摆手，让服侍自己的丫鬟出去。

四年前宫中第一次谈及范林两家的婚事，原来从那时起，费介就开始着手治疗林婉儿的肺痨，想让自己的学生娶个健健康康的老婆，想到此处，由不得范闲不感动。

"我去东夷城还有一件事情。"

范闲明白。

"我将当年治四顾剑的情分都卖了，换来他们一句承诺：不会主动对你生事。"

范闲一屁股坐到老师身边，再也生不出任何怨恨他打断自己春宵的抱怨，感激地说道："多谢老师赐药，多谢老师救命。"

"这药我是第一次配，不过试验过了，有效。"费介微笑着说道，淡褐色的双眼里闪过一道清光，"不过有些副作用，你要听清楚了。"

"老师请讲。"见费介老师慎重，范闲的脸色也严肃了起来。

"服药后，要禁一月房事。"费介想了想，却还是把真正的问题隐藏了起来。

"您真毒。"范闲盯着老师的双眼，恨不得咬死对方。他忽然眼睛一亮，说道，"那我明天再让婉儿吃药。"

费介险些一口茶水喷到他的脸上，指着他的鼻子说道："你真强，这京都里的青楼无数，难道你就非急这一夜？"

范闲呵呵笑道："因为我知道老师是故意玩我的。"

费介还真拿这个漂亮小子没办法，十年前就不是他的对手，这十年后更不是他的对手，只好气鼓鼓地站了起来："难道我是前生注定欠你的？什么都能被你猜到。"

范闲赶紧陪着站了起来，安慰道："因为老师心疼我。"

费介沉默了很长时间。

范闲也不说话。

费介忽然说道："来京都这么久了，监察院你也去过，想来你已经知道了一些事情。"

"知道了一部分。"范闲笑得很无辜，"比如知道了妈，却依然不知道爹。"

费介不想回答这个问题，转而说道："想来你也清楚，小姐当年左手建了叶家，右手建了监察院。如今司南伯与院长大人都想你来接班，只是司南伯想你接手内库的生意，而院长似乎有想让你接手监察院的意思。"

范闲说道："老师，您当年给我的那块腰牌居然是块提司牌，其实从明白这块牌子所代表的意思之后，我就知道后面可能会发生什么。您的意见是什么？"

"我的意见其实和院长大人不一样。"费介有些忧虑，"监察院离天子太近，很容易被牵涉进那些恶心的事情里。内库虽然也是个烫手的大饼，但相对要安全些。"

范闲点了点头，心头却在苦笑，心想自己已经牵涉进那些恶心的宫廷斗争里了，就连长公主被迫离开京都与自己有些关系。

"老师不要费神了，旅途劳累，就先在府里住下吧。至于今后的事情，先不论我想不想接受母亲的遗产，只怕就算陈院长和父亲想给，也有很多人不愿意。"

费介沉重地说道："不错，而且我看宰相大人可能在朝中也待不久了。"

范闲眉头一皱，心想岳丈大人早已从吴伯安一事中摆脱出来，又会出什么事情？

费介没有解释，问道："五大人如今在不在京里？"

范闲没有片刻犹豫，直接说道："我入京后他就离开了，好像是去南海那边找叶流云。"

费介看了范闲一眼，皱眉道："听说你在京城里喜欢写些诗，还出了大名？"

范闲有些不好意思地笑了笑："老师知道，我从小就喜欢写些酸酸的东西。"

费介叹息道："如此看来，那个所谓的贩盐老辛也是你的托词了。"

范闲嘿嘿笑了两声。

费介摇了摇头，对他说道："你母亲当年何等惊才绝艳，却最瞧不起酸生腐士。你入京之后却尽在琢磨这些小道功夫，若你母亲在天有灵，岂不是会气个半死。"

范闲心想母亲只怕是个理科女博士，自然不会喜欢这些。

费介在京中有宅院，自然不会留宿，离开前范闲终于忍不住问了一句话："老师，当年你和陈萍萍，还有五竹叔，是不是一直跟着我母亲？"

"是啊。"

"母亲大人是不是曾经找你拿过一些药？"

"什么药？"

"嗯……"范闲犹豫了一会儿，然后小声问道，"春药或者是迷药。"

费介似乎想起了什么，脸上现出很古怪的神情，说道："你不是才新婚吗？"

第二日清晨，喜鹊叽叽喳喳在枝头叫个不停，就连那些渐渐趋黄的叶子都似乎沾了些喜气，变得嫩了许多。朝阳从院子的那头斜斜映了过来，照得庭院里暖色充盈，院间的青草小花、微斜石径上面都染着一些露水，看着十分清静。

吱呀一声，范闲推门而开，脸上略显乏色，双眸却是清亮无比。他对身后招招手："还不赶紧出来？一日之季在于晨，你叫晨儿，怎么也赖床？"

屋子里传出林婉儿又羞又急的声音："还不赶紧把门给关上！"

范闲哈哈一笑道："昨儿下人们都累了，只怕我们是全院最先起来的。"

话音刚落，便听着院子前前后后，不知道从哪里冒出那么些人来，男男女女的，朝着范闲拜了下去："少爷早安。"

范闲吓了一大跳，赶紧回房关门。过了一会儿，丫鬟们进来服侍二人洗漱。二人穿好衣裳往门外走去。他小心翼翼地扶着婉儿的手，看着自己妻子那张亦嗔亦怒的脸蛋儿，低声说道："昨天夜里陪老师一阵，所以时间短了些，今天晚上一定补回来。"

林婉儿自小生长在宫中，谨言慎行，如今却嫁了个最喜胡言乱语的夫君，不由得啐了一口。

"你又来了。"

"从今日起，要称呼为夫作相公。"

"是，相公。"林婉儿羞答答又听话的模样真是惹人疼爱。

范闲听着"相公"二字却想到了麻将，又想到自己这一生奇妙遭逢，想到昨夜癫狂，想到春宵之美，想到被皇帝赶到封地的长公主，笑道："我好像确实比别人多摸了几张牌。"

入京至此，他终于找到了幸福的感觉，忍不住低声吟唱："One night in 京都，俺留下许多情。"

林婉儿瞪着一双无辜的大眼睛，一个字儿都没听明白。

从花园一角转入范氏正府，又是好一番热闹，仆妇下人们分列两边迎着新婚夫妻。昨夜大婚之时，宫里的连环赏震住了所有人，都知道这位少奶奶是位了不得的人物。

喝完了媳妇茶，范建和颜悦色地让二人起来，又与婉儿说了几句林相身体如何的闲话，便让二人自安。

二人回到自己院里，便又听着院外一阵嘈杂，小厮开门一看，才发现原来是京郊范氏田庄的人们送礼来了。这些人自然不需要范闲与林婉儿亲自去见，只是随意打发了事。倒是藤子京夫妇今天也来了，这让范闲有些诧异。

"腿好了？"范闲坐在主位上，关心地看着藤大的腿。

藤子京笑道："早就好了，就是走起来还有些不方便。"

范闲对身旁的林婉儿说道："前些日子给你送去的獐子肉、白麂子肉，就是藤子京给拾掇的。"

林婉儿微微一笑，略点了点头，不过一夜工夫，就从一个少女变成了持重的主母形象。不得不说，人生的变化总是这样突然。

略说了一会儿话，藤子京夫妇便被领着去歇息。出门之后，藤子京的媳妇好奇地小声说道："这位少奶奶倒挺贵气，只是身子骨似乎有些弱……"

藤子京吓了一大跳，训斥道："少奶奶可是位真正的贵人，当心旁人听了去，生撕了你这张嘴。"藤子京的媳妇儿看着还有些少妇余韵，不置可否地笑道："只是看着新娘子还没新郎官俊俏，有些好笑。"

藤子京也笑道："这京都里要找个比少爷生得更俊的姑娘来，还真不是那么容易。"

话说另一头，澹州祖母的礼物在路上耽搁了数日，今天也终于到了范府。范建自然出府去迎，也让人通知了这边的小两口。范闲满心欢喜，拖着婉儿的手便往院口走，一面走一面说道："奶奶最疼我的，可不知道她会送咱俩一些什么。"

到了府门口，范闲愣在了那里，他断断没想到祖母送给自己的礼物竟然是一个人。

思思姑娘满脸欢愉地看着自己服侍了好几年的少爷，已是盈盈拜了下去："见过少爷，见过少奶奶。"

范闲看着这个与自己度过了好几年美好时光的姑娘，有些高兴又有些头痛。奶奶的意思很清楚，是让自己将思思收入房中，看思思的模样，大概也不会选择别的解决方案。

"先去歇息吧。"他尽量让自己像在澹州时那般随意温和，但思思依然觉得面前的少爷似乎变得有些陌生起来。看见思思有些不安的神色，范闲好笑地说道："这丫头，又在想什么呢？吃饱喝足了，少爷带你到京里去逛逛。"

思思挑眉说道："思思是来服侍少爷的，又不是让少爷来服侍的。"

范闲听的那个爽啊，到底是和自己从小一起长大的女子，说话做事直接许多，哪里像京都范家这些丫鬟们，在自己面前连个大气都不敢出，更遑论当面反驳自己。

他走上前去，轻轻拍了思思略有些消瘦的脸蛋儿，笑着说道："成、成，让你服侍，只是就算要抄书磨墨，你也得先洗洗去。这一身汗酸的，别人都说红袖添香夜读书，难道你准备给少爷我添些子醋味儿？"

庆国并没有房玄龄夫人喝醋明志的典故，所以这话里的俏皮味道也没有人能听出来，范闲不免生起些明珠暗投的遗憾。思思一羞一窘，复又行了个礼，便在丫鬟的带领下梳洗去了。这些丫鬟早看出这位丫鬟与自己一等人大不相同，所以格外客气。

"那个姑娘就是思思啊？"没有范闲预料中的酸味儿，林婉儿的脸上只有好奇，笑着说道："以往就老听你说澹州的大丫头比四祺勤快得多，今儿总算见着了。"

这毕竟是个男尊女卑的世界，林婉儿贵为郡主，似乎也没有什么太多的想法和敏感。再说了，即便范闲今后要收妾室入房，难道堂堂郡主还要和那些女子吃醋？

范闲却不这样想，有些紧张地转了话题："咱们出去走走。"

林婉儿可怜兮兮地说道："我怕冷。"

"苍山雪好，秋冬尤佳。"范闲像旅行社职员一样诱惑着对方，"虽然老师给你配的药极有效，但高海拔的地方对你的身体还是大有好处。"

林婉儿偏了偏头，靠在他的怀里，轻声说道："我还是不明白海拔是什么意思。"

"就是比海面要拔高多少层级的意思。"范闲知道这个解释有些拗口。

"还是不明白。"林婉儿苦着脸说道，"不要去好不好？我好怕爬山，我好怕冷的。"

范闲没好气地说道："瞧瞧你的脸现在圆成什么样子了，多运动运动总没坏处。"

林婉儿忽地一声从他的怀里挣起来，说道："昨天夜里，你才说喜欢我胖些！"

范闲正色道："把灯熄了，当然是胖点儿好。但白天看着嘛……还是瘦点儿好。"

林婉儿气得闷哼一声，抢先在行廊里走了起来。范闲赶紧跟了上去，也不正脸看她，只是提前了一步左右，轻声哼哼道："我最喜欢你身上肉肉的，难道你不知道？"

秋天的宫殿里就像是迎面吹来一阵夏风般，林婉儿脸上一阵燥热，片刻之内就红了起来。她往前踏了两步，抓着范闲的手，低头说道："后面跟着那么多人，你也不嫌害臊。"

二人此时是在皇宫之中，后面跟着一大堆婆子、太监、宫女什么的，不过那些人都低着头，离范闲、林婉儿还有些距离，应该没听到小两口先前说了些什么。

今日二人入宫是大婚后的头一次，那些娘娘们看见林婉儿来了，抱着心肝肉一通乱喊，一通礼物乱赏。范闲倒是来者不拒，只是看着娘娘们心疼林婉儿的样子不免有些心寒。这女人的娘家是皇家，万一将来夫妻闹矛盾，自己岂不是会死无葬身之地？

皇帝陛下只有四个儿子，侧面证明他不是一个好色之徒。另外很巧的是，宫中这么多位娘娘居然没有一个人生出一个公主来，在宫中长大的林婉儿自然成了娘娘们的最爱。

林婉儿在宫中是待惯了的，自然不像范闲初入宫时那般拘谨紧张，倒像是在家里的后园玩耍。范闲受此感染，而且最忌讳的长公主如今也已经回了封地信阳，于是将心放了下来，随她在宫里四处走着。同时终究还是把苍山之行给敲定了。

年后庆国与北齐间的换俘就要正式开始。监察院那边通过王启年递了话，此事与自己也有关系，所以他需要一个安静些的地方处理一些事情、准备一些事情。

此次入宫没有看到皇帝陛下，林婉儿有些失望，范闲却生出一些别的情绪。

离开京都的马车上，左边是像个猫儿一样缩在毛裘里的林婉儿，此时正拿那双春水般的眸子含笑地望着范闲；右边是若若在剥橘子，她细心地剔去橘肉上的白丝，再分瓣送入他的嘴里。

范闲半闭着眼睛，看着婉儿的神情，忍不住皱眉道："才秋天，怎么就怕冷成这样？"

林婉儿嘻嘻一笑，凑到他身边，将嘴张开，逗得范闲心头一阵轻摇，却听到她对若若说道："好姐姐，赏我一口橘子吃吧。"

范若若微笑道："嫂子，你这病不能吃橘子，会上火的。"

林婉儿苦着脸说："可烦人了。"

范闲还是没整明白自己妻子与妹妹间的称呼，问道："一个喊姐姐，一个喊嫂子，这到底是个怎样的喊法？"

林婉儿轻吐舌尖，说道："跟着灵儿喊姐姐喊习惯了。"范若若也是忍不住笑了起来，指着兄长的鼻子说道："你们成婚前，哥就让我喊嫂子，所以我也喊习惯了。"

范闲无奈地摇摇头，不再理会。马车上本就温暖，加上出京之后山路微颠，所以极易让人犯困。林婉儿渐渐靠在了范闲的肩上，若若也撑着颌靠在车厢壁上养神。

马车忽然抖了一下，震醒了婉儿，她揉揉双眼问："到了吗？"

"哪有那么快？"范闲笑着摇摇头，"苍山别业虽然比不得宫中的别院，可也是在山腰上了，从京里出去得走三天。"

林婉儿望着他忽然问道："婚后急着离京，除了养病之外，还因为什么？"

范闲知道这事瞒不过她，也不准备瞒，解释道："你那两位表哥天天派人来府里，我实在是怕了，只好出门躲躲。这时候无论站哪一边，都是很愚蠢的。"

两天之后，范府的车队缓缓驶入了苍山中段。

煌煌苍山雄壮无比，数百年前被一代帝王使动数十万苦役，强行在山里开出一条可容马车行走的官道，以方便自己在苍山消暑度假。可当这条耗资巨大、劳民伤财的山中大道修好之后不久，那位帝王便死在了妃子们柔软的身躯上，竟是一次也没有来过。

数百年间，天下不知多少次兴亡离散，渐渐地，这座离京都最近的大山，成为达官贵人们的后花园。从前朝起就颁行了许多条法例，禁止行猎、禁止烧林开荒、禁止一切穷苦民众所能从事的所有事情，纯粹成为权贵们的度假胜地。

范家别业修在山腰，是先帝驾崩前半年赐的一处好地方，四周十分清静。庄前一道清流小溪，山巅的红叶坠下，便从这道清流里飘了下来。溪旁黄花点点，庄内歌楼寂清，值此冷清暮秋时节，天上雁影稀落，说不出地寂寞。

范闲一行人到后，山庄顿时热闹了起来。早有打前站的人将庄子里收拾得干干净净，因为不知道大少爷与少奶奶、小姐准备在这里住多久。范府准备了许多干货野味，甚至还在京里府中调了三个唱曲的姑娘进山，每天在那里咿咿呀呀地唱着，也不知道吓跑了多少正在储食过冬的小松鼠。

"真是个好地方。"范闲信步走到山庄石坪前端，看着脚下不远处竟然云雾轻飘，远处的瘦山青林也是格外清晰，不由得发出一声感叹。林婉儿靠在他的身边，微微一笑说道："确实挺好，小时候也来苍山住过一段时间，还不如你家这庄子清幽。"

"是我们家。"范闲纠正道，然后将妻子的衣领系好。山上寒气重。

林婉儿笑道："知道了，相公。"

此后数日，他们便在幽静的山中度日，仿佛不知世外是何年月般平静快乐。这种暌违多日的美好，让范闲格外享受，每天不是带着婉儿在滑滑的山路上行走，便是站在妹妹的身后，看她那支细细的毛笔是如何将这苍山美不胜收的景致尽数收入纸上。

一日清晨，林婉儿懒懒地睁开双眼，下意识里将肉乎乎的胳膊轻轻一搁，发现身边又没了人。新婚后她便知道，每天范闲起床极早，不知去了哪里，然后在自己醒来之前又会悄悄地回房。她一直有些好奇，但住在范府的时候不方便做什么，如今来到苍山，身旁再无长辈和那些烦人的老嬷嬷，她哪有不打探一番的道理。她起床拿了件厚厚的披风系在身上，套上了软软的鞋子，像个小偷一样鬼鬼祟祟地开门出去。

迎面一阵山间晨风，冻得她打了个哆嗦。她不敢多耽搁，去了行廊尽头的另一间主房，敲了两下门。睡眼惺忪的范若若听着她的声音，赶紧起来开门，身上也只披了一件单衣，冻得够呛，搓着手苦脸说道："嫂子，这么早？"

林婉儿到了苍山之后，一直被遮掩在微羞可爱性情下的些许小胡闹终于展现了出来，她抱着若若的腰，拉着她钻进了暖和的被窝里，十分舒服地叹了一口气。

范若若不大习惯和别人睡在一张床上，感觉有些怪。倒是婉儿亲热得很，将若若抱着，脸凑到她脸旁，轻声问道："知道不知道你哥每天天不亮的时候都会去做什么？"

范若若的腰上感觉到嫂子的手冰凉的，心想这要是哥哥见着了不得心疼死，赶紧捉住她的手暖和着，没好气地问："你们是两口子，怎么跑来问我？"

林婉儿说道："你那哥哥成天神神秘秘的，就说每天晚上咱们俩在房里说话下棋的时候，他跑哪儿去了？难道你不好奇？"

听嫂嫂这般一说，若若也不免有些疑惑。每天早上是哥哥例行的练功时间，这她是知道的，但最近这些天晚上哥哥也会消失一段时间，还真不清楚他是干什么去了。

"早上哥哥要练功，晚上……还真不清楚，到时候找他问一问。"

林婉儿好奇道："练功？练的什么功？我们能不能去看看？"

"嫂子，你就这么好奇？"

"当然啊。"林婉儿的眼睛亮了起来，像极了避暑庄里的那泓湖水，"自家相公在做什么，当娘子的好奇一下也很正常。"

范若若这才知道这位郡主嫂嫂真没有太多宫里的习气，笑道："这么冷的天，你这时候跑出去，如果被哥哥看见了骂一顿，我可不帮嘴。"

林婉儿还真不知道范闲发脾气是什么模样，但知道夫君的性情，心想那必须把若若带着一起去才成，伸手就去拉她，两个人便在床上闹了起来。

范若若终是不及已婚妇人的手段，气喘吁吁，无可奈何之下起了床，将婉儿包了一层又一层，确认山风吹不进去，才拉着她的手出了山庄去找范闲。

天光熹微，庄里的人没有注意到两位主子竟然像小偷一样溜了出去。山腰里的一大片都是范家的产业，不担心遇着外人，两位姑娘踏着秋露沿着林间小道往山里走去。

不知过了多久，两个女子终于拨开秋叶，拭去衣上露珠，穿过林子，来到山边。幸亏林婉儿吃了费介的药后身体大好，不然这段路都会坚持不下来。看着她气喘吁吁的模样，若若心疼地给她擦了擦脸，系好她解开了的披风前扣，然后同时往前方望去。

只见这边山下是一处苍山难得一见的缓坡，上面是秋霜之下犹自青绿的草甸，而往上望去，却是一道足有十来丈高的陡崖。坡势奇急，乱石之中，隐有黄竹如剑般刺向天空。

崖壁之上站着一身单衣的范闲，看他的模样，竟是准备要跳崖！

林婉儿张嘴便要惊呼阻止范闲的举动，却被一只柔嫩微凉的手掩住了嘴唇。

范若若眯眼看着悬崖上的兄长，强自冷静地说道："没事。"

范闲从悬崖上跳了下来，只见他的身体在乱石之间跳行，每一步都险险踩在唯一可以着力的地方。随着下降，他的速度也愈来愈快，有好几次都险些撞到了竹子上面。

但他似乎能够预判一般，总是会提前一个或是两个转折前便已经选好了落脚的位置，以及反震力量的大小，将身体擦竹而过。

这依赖于他体内霸道真气带来的强悍控制，更依赖于从五竹处耳濡目染的本能。

其实不过是电光火石的一瞬间，他的人已经像道黑光般穿透竹林乱石，稳稳地落在了草甸之上，诧异地看着这边的两位姑娘，说道："你们怎么来了？"

他的气息丝毫不乱，陡坡上的疏竹却是被余息带得轻轻摇晃。

想着先前的画面，林婉儿与范若若不知为何忽然觉得有些鼻酸。

这是很复杂的一种情绪。

苍山的日子一天一天过去，范闲仿佛忘了京都里的一切。范建隔一阵会派人送封密信给他，王启年也会通过自己的渠道不停传来情报。京都风平浪静，唯一的大动作是那位曾经射了他一箭的宫中大统领燕小乙被调往北方，出任戍北神策军大都督。看似平级调动，但由禁军调往北边，不得不说是陛下对燕小乙的一次警告。

庆国与北齐的协议已于上月正式生效，戍北神策军已无用武之地。虽然身为镇北大都督，但燕小乙在当前的局势下，却无法起什么作用，只怕此时心中也会郁闷得厉害。

范闲看着王启年的这封信，微微皱眉，世人皆知燕小乙的猛然崛起靠的是他强悍的九品上武力，还有长公主不遗余力的帮助。如果皇帝陛下想收拾长公主，一定会将燕小乙留在京里方便监察院就近监视，最不济让燕小乙上调枢密院，万没有调往北边亲掌军队的道理。

看来皇帝依然没有下手的想法，可是一代雄君为何会眼睁睁地看着对方坐大？以监察院之能，京都守备师叶家之忠，一举将长公主与那位皇子扑杀是非常轻松的事情，皇帝凭恃的到底是什么？可以如此大胆，可以如此逍遥地看着对方，而不屑于抢先出手？

范闲生出些许悔意，当初在京都里打响传单战迫不得已的一次选择，因为他不是皇帝陛下，所以不敢等，可谁能想到最终却是缓和了朝廷的局势。

在他与长公主的内库之争里，暗中几次交手都是他占了便宜。以长公主的性情，一朝翻身必然不会放过他，如果皇帝陛下继续玩这种危险的游戏，自己该怎么处理？

范闲看了一眼窗外。苍山早雪，今夜已有淡淡雪花从天飘落，将庄院打扮得分外素净。他叹了口气，将父亲与王启年的信件烧掉，便走了出去。

行廊中间的堂屋中燃着火笼，温暖如春。林婉儿与范若若姑嫂二人，正拉着府中送来的三位唱曲姑娘打马吊，多出来的一人在旁边帮着计筹。看见他进来，那三位姑娘赶紧起身行礼，里间正在铺床的小丫鬟也赶紧出来拜见少爷。

范闲挥了挥手，示意她们继续，便坐到了范若若与林婉儿的中间，微笑着说道："如果思辙来了，估计你们都要哭。"

林婉儿微微一笑说道："在府里打过一次，我可没输。"

范闲根本不信，以范思辙那种变态又固执的计算能力，居然会打不赢自己这位娇妻。范若若笑着证明道："嫂子没说谎，思辙那天夜里只赢了嫂子两吊钱。"

范闲眼睛一亮，看着婉儿说道："想不到婉儿居然如此厉害。"

"宫里成天没事，那些娘娘们都喜欢打牌。"林婉儿说道，"宫里的女人们论起算计来，一个精胜一个，自然牌局上也是如此，我在宫中住了这么些年，难免也学些。"

范闲无来由地生出一些惧意，说道："原来如此。"

其他的下人们都在偏院里喝酒聊天，范闲踏着青石板上点点雪粒往外走去，身后是那片昏暗的灯光，和隐隐传来的麻将子儿落地声、姑娘们的呼喊惊喜声。他忽然想到周星驰在唐伯虎点秋香里似乎也有这么一幕，不过小唐很惨，自己很幸福，这就是区别了。

迎小雪而出，踏密径而上，直入竹林深处，在梅边的悬崖下，他停住了脚步很随意地将手伸了出去———五竹的手像从天上伸出来一般，握住了他的手，两手交错用力，他荡上了那处独峰。这里是苍山腰间最僻静的地方，视线开阔，别人却不容易看见有人。

雪夜月光下的苍山十分静谧美丽，范闲接过五竹递过来的那把冷冰冰的、黑黝黝的金属物件，趴到了地上，开始瞄准雪地里的那些岩石。

不知道过了多久，他从雪地上爬了起来。这把狙击枪保护得非常好，过了这么多年也没有问题，就连光学瞄具都像是新的。只不过他是个军盲，只是熟悉这把武器都花费了很多天的时间，而真正开始训练之后，才发现原来理想与现实确实有很大差距。

怎么测距，怎么瞄准，怎么保证流畅地运行，那都不是这个世界上的人所能知道的知识。他没有老师，只能自己慢慢摸索，而计算风差影响和测距，更是难中之难的问题。

好在他身上的许多特质弥补了这些不足。首先，他很冷静，有一种酷似五竹的冷静；其次他很稳定，那股无名霸道真气让他的肌体始终保持在一种很平衡的状态下；最重要的是，他很有耐心，很有猎手的耐心。

这一点则要归功于前世的遭逢和后世的"午睡"，只要体内的能量能跟得上，范闲相信自己可以潜伏在一个地方一整天不动。

他催动真气让身体温暖了一些，看着身边像根旗杆一样站着的五竹，摇了摇头："如果对手是燕小乙，我不能保证在击中他之前，不会被他用箭杀死。"

五竹冷漠地说道："你没有必要用这个。"

范闲不是很明白他的意思，说道："我知道自己的实力在八品上九品下之间，叔以前一直瞒我，是不想让我托大。但如果要对付那些九品上的高手，我还是要用枪的。"

五竹说道："在我看来，你依然只有七品的水平。"

范闲有些不服，说道："那我还能杀死程巨树，还能和宫典对一掌？"

五竹木然道："宫典有八品，程巨树顶多只有七品，也许……我在澹州这十几年的时间，整个天下的武道修为都下降了。"

范闲听着这句话，不免有些异样的感觉，至于异样在何处，一时间却无法找到。沉默了一会儿后说道："我需要让自己强大起来，不然无法保护身边的人。婉儿、皇室与长公主，还有若若，不要忘了，她其实也是个没有母亲的可怜孩子。"

五竹沉默不语。

此时月映雪山，夜间微微清亮，范闲看着几粒雪子落到了那块黑布上，不知怎的心头一动，做出了一个从小到大都不敢做的动作。

他踏前一步，伸手想将落在五竹叔蒙眼黑布上的雪花拣下来，动作极其温柔。

五竹退后一步。这一步退后所拿捏的时间，分寸无不妙到毫巅，让范闲的右手有些尴尬地停留在了空中，距离五竹的脸约有半尺的距离。

"回吧。"五竹从他手中接过那把狙击枪，转身消失在黑暗之中。

范闲看着他消失的地方，心里头涌起一股淡淡的忧伤。这个丧失了记忆的绝世强者，只拥有极少的一些过去，那他的将来会是什么模样？

山中不知岁月，范闲每天极其自律地清晨起床，进行武道修行，晚上抽出时间与五竹叔学习暗夜行者的本领。其余的大部分时间与婉儿、妹妹过着舒心的日子，看着庄园里的姑娘们拢在一处斗诗、斗画、斗曲、斗牌，日子一天一天就这样晃过去了。

其间叶灵儿与柔嘉郡主也来小住了一段时间。柔嘉小姑娘似乎从范闲大婚的伤心事里摆脱了出来，只是忽闪着那对柔情似水的大眼睛，求着范家哥哥写几首诗来听。范闲哪能上这种当，借口上山打母老虎便逃了。将近年关的时候，好不容易离了族学的范思辙屁颠屁颠地坐着马车上了苍山，兴高采烈地拉着月余不见的嫂子打麻将。在他看来牌桌上能够找到林婉儿，就像是绝代剑客找到一个堪与自己为敌的高手那般，人生不再寂寞如雪啊……

范闲也没有忘记妻子的那位兄长，派伤愈后的藤子京将大宝接过来，沿途有王启年小组暗中护送，想来不会出什么问题。这天中午吃过饭后，范闲和林婉儿到山下十里处去接大宝。没过多久便看见车队来了，藤子京赶紧上前给范闲与郡主少奶奶问安。林婉儿知道他是范闲的第一个亲信，温和应对，只是一颗心早飘到马车上了。

"小闲闲。"

听着这声喊，范闲苦笑一声，上前迎着数月不见、身材犹自臃肿的大舅子。大宝看着四周的山景有些好奇，张大了嘴巴呵呵傻笑着："京里的雪可要小很多。"

苍山雪大，林婉儿看着哥哥头发上的雪屑，心疼地走上前去替他抹了下来，将准备好的狐皮大氅套到他身上，埋怨道："父亲也是的，明知道苍山上冷，也不知道多准备几件。"

范闲心想宰相大人毕竟是个男子，如今林府中没有几个女子，就算再爱护大宝，难免还是有些粗疏。他转头问藤子京："路上没出什么事吧？"

路上没事，但京里有事。藤子京带了封信过来，信中范建有些忧心忡忡，似乎朝廷里发生了一些让他有些担心的事情，但似乎又和长公主那边没有任何关联。范闲心想会是什么事呢？待他拆开王启年那边的信，两边内容互相对照，情况便明朗起来。

"经商办政务，如今是院务，这套流程要走多久呢？"

范闲看着窗外的黑雪天，苦笑着摇了摇头。出使北齐的任务终究还是落到他的头上，一方面是自己那次殿上酒后撒泼，锋芒太过，就算躲到苍山也未能平息风波。二来那个一直没有见过面的陈萍萍、母亲当年的亲密战友，很明显地让自己接监察院的班。

如果想接监察院的班，这个难度甚至比当宰相都要大。

监察院不是一般的六部衙门，没有能力的人终于只能混得一时，想要震慑住那成千上万名气息阴寒的密探，不是靠所谓家世与诗名可以做到的。

陈萍萍让他出使北齐的用意很明确，如果他能够成功地将言冰云救回来，便可以获得言若海的好感，而言公子回京之后肯定会上位。再加上费介与陈萍萍的暗中安排，他至少可以获得至少一半以上监察院高官的支持。

问题在于父亲似乎只想他平平安安地接受内库，当一个富家翁就满足了。

两者之间究竟如何取舍，范闲知道自己并没有太多的发言权，就看皇帝陛下究竟是怎么想的了。想到这些问题，范闲的眉皱得更紧了。

如果陛下真的同意自己接手监察院，似乎就能证明自己某个不可思议的猜想。

窗外风雪交加，长长的行廊那头隐隐有欢笑声传了出来，也有火红的光亮透出来。在这雪夜中，让人无比温暖。

范闲将两封信放到手掌间，面不改色地揉成粉末，开窗扔到了雪地上。粉末与粉雪一混，再也找不见了。而外面的夜风也吹了进来，扑面生寒。

屋内明烛一暗后更亮了一些。

"快把窗户关上，冻死了。"早早上了床的婉儿从被窝里可怜兮兮地伸出半张脸，嘴和鼻子都躲在暖和的被面下，一双会说话的双眼望着范闲。

范闲微微一笑，将出使北齐的事情尽数抛诸脑后，向床上走了过去。

窗外风雪依然，衾被之中温暖如春。

困涩无力的婉儿羞羞地低头钻在范闲的怀里，范闲心疼地看着妻子，忍不住用手指轻轻摸了摸婉儿的唇，不知怎的就想到当初庆庙里那只鸡腿来。

"你……你……你的手不干净。"婉儿又羞又气地把头转开。

范闲笑道："哪里又不干净了？我们婉儿身上每一处都是干净的。"

林婉儿生怕夫君还说出什么更羞人的话，赶紧转了话题："到底去不去北齐呢？"

范闲将她搂得更紧了，反问道："你愿意跟我过一辈子吗？"

"嗯？"黑暗中看不到婉儿的神情，但想来一定是很紧张他为何问出这样一句话来，只听她声音微颤道："相公为何这样问？"

范闲这才知道问了一句不合适的话，苦笑着解释道："只是随口一问。"

"随口一问？"林婉儿半信半疑，忽然说道，"相公是在想思思的事情？"

范闲这才想起一直被自己刻意留在京都范宅的思思，藤子京说过她在京里过得不错，但奶奶弄这么一出，他总要想办法解决才是。

他安慰婉儿说："哪有心思想这些，只是咱们二人是要在一处打混一辈子的买卖，当然要谋划个长久，你又不是不知道你母亲一向看我不顺眼。"

这话说得新鲜有趣，而且"一处打混一辈子"几个字落入婉儿耳中让她心头一片温润，十分满足，她幽幽地应道："已经嫁了，我还有什么法子。"

"那就结了。"

范闲说道："京里的贵人在打一桌很大的麻将，但我想和牌。"

婉儿微笑着回道："打黑拳这种事情，我不如你。打牌这种事情，你不如我。"

这是范闲在殿前将庄墨韩激到吐血的句子，早已传遍了京都。

但她这时候说出来，自然不是调笑于他，而是一种承诺。

窗外风雪急，无法入睡的范若若撑着一把伞，望着黑夜里的远方，小心地与石坪边缘保持着距离。这些天她其实有些空虚，敬慕的兄长成婚了，自己的未来又在哪里？哥哥说过自己应该像思辙一样，找到值得为之付出一生的事情，或许是感情，或许是诗画。可是自己却真的不清楚，到底应该追求什么。

雪花簌簌地落在伞上，敲打在她的心上。

蒙着黑布的五竹悄声来到她的身后，没有一丝情绪的声音在范若若的耳边响了起来："你能保守秘密吗？"

第二日清晨，范闲练功回来，发现大宝正围着一件狐皮大氅，一脸满足地望着庄园下方的山崖。范闲担心他失足，赶紧走了过去，轻声问道："大宝，在看什么呢？"

大宝傻傻地咧嘴一笑，指给他看："小闲闲，那里有大白鸟。"

远处的山中，隐隐有白雾升起，有几只黑颈黑尾的白鹤正在那里弯颈觅食。白鹤忽而仰头而歌，清脆至极却又连绵不停，在叫声中展翅而舞，十分美丽。

范闲微微一怔，心想这寒冬天气，怎么还能看见鹤留在苍山上，难道那里会有温泉？

鹤性自由，不喜拘束，远方的鹤舞看上去十分洒脱随意。

看着这画面，他深深吸了一口气，精神为之一振。

"大宝啊，你喜欢那些鸟吗？"

"不喜欢。"

范闲略觉诧异，微笑着问道："为什么呢？难道它们舞得不好看？"

大宝抿抿厚厚的嘴唇说道："老跳太累，大宝看着发慌。"

范闲哈哈一笑，拍了拍大舅子厚实的肩膀。不知道为什么，入京都之后和大宝的三次谈话让他感觉最为放松——也许因为对方真的像个小孩子，不需要担心什么。

鹤舞虽美，确实太累。

"大宝，这几天玩得怎么样？"

大宝开阔的眉宇间显现出一丝惘然，似乎不知道怎么回答这个问题，但他仍然努力地想回答清楚，只好支支吾吾地说道："挺……好，打麻将……小胖子发脾气，挺……好玩。"

范闲呵呵一笑，看着青石坪下方的厚厚雪林、远处的雾气、雾气中的白鹤，良久无语。

年节的时候，按宫中惯例，各皇子都会得到来自宫中的一份赏赐。今年的赏赐有些不一样，太子得了头一份这是自然之义，却较往年更加丰厚，此外还有陛下亲书的书籍一册。其次就是二皇子得的赏赐也随之上了一个层次。远在边关的大皇子得了一副弓箭，最关键的是随这副御弓而去的还有一份旨意，宣他待夏末草长之时回京封王。

臣子们都糊涂了，不知道陛下究竟在想什么。看来太子的地位依然稳固，那为什么又要将大皇子召回来？这位皇子长年在外领军，不是嫡子却是长子，如果他再回京，岂不是更乱？

宫中封赏中还有一份很是引人注目，那是发给躲在苍山的太学五品奉正范闲的，竟是驸马的品例。众人猜想难道陛下这是看在那位郡主的面子上？

东宫与二皇子府的人也带着丰厚的礼物上了苍山。在所有人看来，春闱过后，范闲碍于"郡主驸马"的身份在官场上再无前途，陛下便会下旨让他接手内库。太子与二皇子必须赶在之前加大拉拢力度，只是他们做得很隐蔽，相信那些送礼的使者应该没有人会发现。

"老二送的是什么？"

皇帝陛下靠在软榻上，身上裹着一件黑色的大氅，脸色平静，几道皱纹在保养得极好的脸上显得格外明显。此时，他静静地望着书房外鹅毛般的大雪。

陈萍萍咳了两声，将搭在膝盖上的毯子又裹了一裹，应道："是前朝的诗集。"

皇帝微微一笑，唇角多了一丝讥诮："朕这二儿子喜欢玩酸文，却以为世上所有人都像他一样。范闲随口一诗，便胜却前朝诗人无数，这礼送得太不讲究。"又接着问道，"太子送的什么？"

"一盒翠玉做的麻将。"陈萍萍用手摸了摸光滑的下颔，顺着陛下的眼睛看着皇宫里的一大片平整雪地，微微眯起了眼睛，"范闲很喜欢。"

"范……闲，看来确实有做富贵闲人的意愿。"陛下轻声说道："太子这礼送得高明，不知道是东宫里谁出的主意。"

"应该是辛其物。"陈萍萍微微一笑，说道，"不知道范闲怎么想，但晨郡主与范家那位二少爷是爱玩牌的。"

皇帝的眉梢一翘，说道："晨丫头最近怎么样？"

陈萍萍小心地应道："有个知冷暖的范闲在旁呵护着，应该比在宫中开心些。"

"这宫中没有谁能真正开心起来。"皇帝转而说道，"你真的决定让范闲出使北齐？"

陈萍萍坐在轮椅上，很困难地低了低头，行礼道："陛下既然同意臣当日建议，那臣就要着手安排。如果范闲不为院子做些事情，以后也很难真正掌握这个院子，为陛下效力。"

殿里的气氛忽然变得沉默紧张起来，皇帝冷冷看着陈萍萍的头顶，半晌寒声说道："你不要忘记，他是皇家的血脉，怎能去冒险！"

陈萍萍有些困难地堆起笑容，坚持着自己的意见："主子，问题就在于他永远不可能成为皇家的血脉，臣身为主子的属下，想为他谋个安全的未来。"他顿了顿又说道，"如果他接手内库，一定会成为皇子们大力拉拢的对象，想来主子也不愿意看到这种局面，那还不如让他出去避避风头，老躲在苍山上也不是个事。"

皇帝冷冷地看着面前这个跛子。在群臣眼中，这跛子就是自己养的一条老狗，可是已经多久没有听他口里说出的"主子"二字了。

"准了。"皇帝缓缓闭上了双眼，似乎在这一瞬间，皇宫里的风雪都消失无踪。

陈萍萍安静地坐在轮椅上，等了半天终于等到了天子的下一句话："你要清楚，司南伯与林宰相可不会同意这个安排，待会儿朝议的时候，朕一定会被烦死。"

"起驾！"

小太监清脆的喊声在兴庆宫殿檐下响了起来。窸窸窣窣的，太监宫女们从殿旁拥了出来，抬着天子舆驾，伺候皇帝陛下上乘，往前殿走去。舆驾上密闭得极好，漫天风雪根本无法偷入一片。皇帝半闭着眼，一手撑着下颏，一手缓缓抚摩着微微发烫的小炭炉，不知道在想什么。半晌之后，他叹了口气，睁开双眼，看着这熟悉到厌倦的皇宫景色，轻轻摇了摇头。

皇宫正殿中，太监持拂尘而出，清声诵道："圣上驾到！"

下方候了许久的群臣们整肃衣衫，拜伏于地，山呼万岁。皇帝看了这些臣子一眼，缓缓走到龙椅前坐下，说道："都起来吧。"

臣子们听到发话，才爬起身来。只是这些高官贵爵们在京都里活得滋润，不免体胖身虚，所以动作迟缓不一，看上去好不滑稽。

……

"别的事都议妥了。眼看着春时即到，春闱大比之后，去年与北边拟的协议也到了执行的时候。"皇帝的精神显得不大好，半倚在龙椅上，又接着说："诸位大臣，可有合适的使节人选？"

这几个月里一直有风声，说宰相的新婿、太学五品奉正范闲有可能被指派出使北齐。宰相林若甫一直以为是朝中反对自己的那些文臣们作祟，早就做了充分的准备。

户部侍郎范建站的位置有些靠后，他瞄了一眼队列前头，发现林若甫也在望着自己。二人目光一触，微微一笑。一位是踏踏实实的皇派，一位却与长公主有些说不清道不明的关系，而随着范闲的入京，所有的一切都发生了剧烈的改变。

"禀圣上，臣以为，鸿胪寺少卿辛其物上次谈判时，行事利落，为国谋利不少，实为佳才。若任辛少卿为此次回访使臣，最为合适。"

抢先出来回话的是宰相林若甫的门生——太常寺少卿任少安。今日朝议要论及回访之事，一应礼节规格都要听取他的意见，所以他与鸿胪寺少卿辛其物都在殿上。

辛其物微微一惊，心想怎么把自己推出去了？他当然明白宰相这边肯定不愿意自己的女婿千里迢迢去那敌国。虽然安全上可能没有什么问题，但是山高路远，春试之时范闲肯定会再有擢升，若这时马上出使，谁知道数月后朝中又会变成什么模样？

其实太子的意思也和宰相大人差不多，如今没有长公主的影响，太子思考问题也成熟了许多，认为范闲留在京中接手内库，自己同时加大拉拢力度，这才是正途。如果能够借此掌握住范侍郎，与宰相修复关系那就更好，更何况春闱将至，东宫还有倚重范闲的地方。

如此看来，今日朝上应该没有人会提议范闲才对。就算你是三朝元老，一部尚书，同时面对宰相与司南伯那两个大人物的恨意只怕也承受不起，更不要说还有东宫的意愿。殿上很安静，似乎大臣们都认可了辛其物出使北齐的提议，就连辛其物自己也开始准备领命，替范闲走这一遭。

皇帝微微皱眉，似乎没有想到当前的局面，他将手中的暖炉轻轻放在旁边的黄缎小几上。

此时，臣子队列里却有一人出来，沉声说道："臣提议太学奉正范闲出使北齐。"

群臣断然料不到，居然有人会甘愿得罪范林二家。无数道目光投注在他的身上，才发现说话的原来是枢密院参赞秦恒。这位秦恒在军方的背景极大，倒是不怕文官们的目光，只是众人不解，就算你是老秦家的人，也没必要得罪宰相与范家啊？

听到这个提议，宰相林若甫面色不变，十分宁静。范建则微微挑眉。碍于与范闲的关系，这两位老狐狸自然是不方便说什么的，但自有交好的官员替他们出头。只听得一阵议论之后，有臣子沉声说道："臣以为不妥，出使北齐乃宣扬国威，结交邦谊之大事。小范大人才气纵横，但历练不足，只怕难以担当此等重任。反观辛少卿沉稳妥帖，此行往北齐，应能一路顺畅。"

辛其物在心里叹了口气，知道自己得主动一些，便躬身请命道："臣愿为国效命。"

高坐在龙椅之上的皇帝，看着下方臣子们的表演，唇角露出一丝极难察觉的微笑。他挥挥手让辛其物退了回去，轻声说道："诸位都以为辛其物比较合适？"

"是，陛下。"臣子们齐齐躬身及地，尾音拖得老长，以示尊敬。

提议范闲出使北齐的枢密院参赞秦恒，有些意外地看了陛下一眼，赶紧把目光收了回去，心想此时群臣一致认为范闲不适宜做使节，估计陛下也会改变心意吧。

"朕倒与诸位卿家看法有些不同。"

殿上马上变得安静下来，只听着庆国皇帝清淡的声音在宫中回荡着："所谓玉不琢不成器，范闲当日殿前风姿诸君想必也还记得清楚。虽说是位文臣，但也曾有过牛栏街手屠刺客之勇，如此佳才又岂能总在太常寺、太学院这些清静衙门里打混着。"

众人这才明白皇帝陛下竟是早有了主意，有些惊讶，心想陛下为何非要让范闲去北齐？皇帝淡淡看了群臣一眼，继续说道："历练不足，故而要多加历练，朕看范闲能行。"

天子说行，那就一定行。群臣不敢多言，只是林若甫与范建的脸上多出几丝忧色，他们倒不会刻意掩藏这一点。身为人翁人父有此反应是自然之事，如果要假装出兴高采烈，反而过伪。

"范建。"皇帝看着户部侍郎，轻轻皱了皱眉。

"臣在。"范建听到自己的名字，微微一震，赶紧出列。

皇帝轻声说道："朕要你的儿子担这个差事，你有没有什么想法？"

范建沉默片刻，马上便醒了过来，微笑着应道："臣不敢有想法。"

"是不敢还是没有？"

"是不敢。"

"如果你敢，你会怎么想？"

宫殿之外风雪交加，殿内温暖如春，却因为君臣间的这几句对话便得与室外一般凛然。与范建交好的官员们不禁暗中着急，心想司南伯今日为何殿前应对会乱了分寸？

范建道："臣与犬子分开十六年，如今只是相逢数月便又要分离，不免有些不忍。"

这"不忍"二字轻轻回荡在宫殿之中，不知道会落入谁的耳中。

皇帝微微一笑，知道对方是说给自己听的，只是这个从小一路长大的伙伴其实并不明白自己派范闲出使北齐的真正用意，看来……还是只有陈萍萍最明白自己啊。

"不过数月，春中去秋初回，又有甚不忍的？"皇帝不待范建再说话，摆手宣了旨意，"户部尚书年老病弱，已休养多时，宣旨慰谕……户部左侍郎范建递补尚书一职。"

朝臣并无异议，范建早就在户部一手遮天，只不过一直没有扶正罢了。

有些一肚子坏水的大官忍不住心里嘀咕，心想范侍郎才将自家的柳氏扶了正，这皇帝就将他扶了正，若侍郎大人早知如此，会不会许多年前就应该将柳氏扶正？

当然，众官心里都以为这是陛下对范闲出使北齐的补偿。

范建知道此事再无可能转圜，面色宁静，上前叩首谢恩。皇帝又转向林若甫处，微笑说道："宰相大人，令爱新嫁，朕便将范闲支使出去，你可想说些什么？"

宰相林若甫苦笑着出列一礼。庆国的君相之间看似融洽，但事实上君权威严，没有一个人敢于尝试稍加撩拨。先前他对于范建的举动就有些不解，此时陛下问到自己头上来，自然不敢有二话，于是沉稳地应道："范闲正是该磨炼磨炼。"

朝会后，大臣们沿着直道向高高的宫墙外行去，纷纷向范建道喜，恭贺他出任户部尚书一职，从此以后，可以名正言顺地掌握庆国的一应变财之物。礼部尚书郭攸之打趣地说道："范大人，从今以后，老夫们的俸银就得从您手上领了，可别克扣得太厉害。"

范建呵呵一笑，摇头道："郭大人爱说玩笑话。"

范闲整了郭保坤几次，但是朝堂之上这两位大人之间倒像是毫无芥蒂一般。

林若甫轻轻咳了一声，走上前来，群臣向宰相行礼，知道他有话要和自己的亲家讲，因此刻意落后了些。

林若甫轻声说道："范大人，陛下为何执意让范闲出使北齐？"

如今二人已是亲家关系，自然虚套就少了一些。

范建道："下官确实不知，或许……真是想让犬子磨炼磨炼？"

他这般说着，却知道一定是那个该死的跛子在背后做了什么手脚。不过转念又想，范闲暂时离京避开太子与二皇子的拉拢，等到大皇子领军回京之后再看，或许也是个不错的选择。

林若甫同时想到了这点，不过他有更深的一层疑虑，陛下对于自己的这位"爱婿"似乎关切得有些太多，难道真是因为晨儿的缘故？

"大宝最近一直在山上，劳烦范大人了。"

"哪里话？"范建笑道，"都是一家人了。再过一个月，春暖花开之时，出使北齐的使团就要离京，到时候我会让婉儿常回相府看看。"

"是啊，最近这些天大宝也不在府里，常觉府中冷清。"林若甫若有所感，叹息了一声，"范大人若有空暇时，不妨也多来我府上走动走动。"

"相爷有命，岂敢不从？"范建笑道。

又是僻静无人的老地方，又是两辆马车，又是那两个站在范闲身后十几年的阴谋家，依然各自躲在自家的马车里说话。

"我说过，我不希望他和监察院扯上关系！"刚刚升为户部尚书的范建声音里一点喜悦都没有，冷淡至极。

对面马车里的陈萍萍低笑两声，说道："出使北齐和我这个破院子可没有什么关系。"

范建忍不住掀起马车侧帘，冷声道："没关系？不要以为我不知道你想做什么。肖恩如今在你手里，你想杀就杀了，何苦让他去博这个名声？肖恩是什么样的人你我都清楚，如果让他回到了北齐再想杀他，这个难度有多大，你比谁都清楚！"

"我没有忘记，你手中也有陛下的一部分力量，就算院子里也有你的人。"陈萍萍依然低沉地笑着，笑声里透出一种很阴戾的味道。"你我私下见面，恐怕陛下也不会喜欢。至于肖恩，杀不杀得了都无所谓，我榨了他二十年骨髓，留不下什么了。而且北齐的年轻皇帝也不见得有咱们主子这般大海胸怀，敢不敢用前魏的密谍首领还要另一说。范闲此次出使北齐真的是皇上的意思，范大人也清楚，如果让这孩子留在京里，天天被太子和二皇子拉扯着，将来只怕会惹出极大的麻烦。"

范建知道这是最致命的问题，范闲绝对不能搅和到皇室继承权的争斗之中。但他仍然不能放心那个自己看顾了十几年的孩子与监察院这种可怕的地方发生任何关系。

猜到范建在想什么，陈萍萍冷冷地说道："陛下既然都同意了这个安排，你就放心吧。"

范建的唇角绽起一丝冷笑，说道："言冰云被抓了，你们院里怎么配合他？"

"自然有人接手。"

"不要派些庸才！"

陈萍萍微笑道："或许你也该出些力了。要知道上次东夷城派人入宫刺杀了长公主的宫女，叶重一直疑心是院里做的，现在风声也传到了信阳，所以我这边有些不方便。"

范建心头微微一动。

苍山上积雪深厚，远处温泉处隐有白雾升腾，那些不停舞动的丹顶鹤却不知道去了何处。范闲细细看了一遍父亲与王启年寄来的信件，然后用手搓成粉末，随手扔出窗外。

窗外雪景极美，大宝和范思辙正在堆雪人。一个大胖子和一个小胖子吵个不停，也只有在这种时候，范思辙才会显现出一些小孩子的正常模样，而不再像那种酸腐至极的账房先生。

范闲微微一笑，想到这些天雪大难行，京里的澹泊书局依然派人按规将账目送入山中。那位七叶掌柜还真是很忠于职守。书局的生意如今好得出奇，京中几家分店因为《半闲斋诗集》的推出也牢牢地站稳了脚跟，而州郡里的几家澹泊书局分号也开始回钱了。

范思辙昨天晚上清点账目，看见那两万三千两银子的净入后，眼睛赤红地劝说他赶紧将《石头记》的后十回存稿放出来。范闲却不会答应，写诗就惹了这么多事，如果让人知道《石头记》也是自家写的，谁知道还会闹出什么风波？

他信步走出书房，呼吸着苍山冬日里的清新空气，惬意地伸了个懒腰。循着阵阵麻将声，很容易地找到了妻子与另几位姑娘。看着桌上那副翠绿无比的麻将在那些白生生的俏柔手掌下翻滚着，他不由得心头一动。待他看见一旁的妹妹正借着雪光，捧着二皇子送来的那本前朝诗集认真观看时，心头又是一动。

夜宴后太子与二皇子虽然表面上与自己没有任何交往，但是辛少卿与李弘成可没少去范府，就连自己躲到苍山之后，还是没能阻了对方送来的年礼。

年三十的时候，苍山上这些人曾经回了趟京都，短短几天的时辰，李弘成竟是循着影儿跑了过来，死磨硬缠着要一起上苍山。范闲哪敢答应，最后还是迫不得已将柔嘉小姑娘带进山来。

与长公主暗中联手的到底是太子，还是那位从来没有见过的二皇子？他进屋之后就在发呆，第一个注意到的是柔嘉郡主，小姑娘脆生生地说道："闲哥哥，你要玩牌吗？"

范闲听着"闲哥哥"三个字就想到了宝哥哥，摆了摆手，笑道："郡主玩吧，下臣随意走走。"

听他刻意说的生疏，柔嘉郡主噘起了小嘴，却忍着没有表露出不悦，看着很是可怜。林婉儿忍不住说道："相公，你也来玩几把吧。"

"免了。"范闲使劲摆手，连忙离开牌桌，不料脚下却碰着一个软软乎乎的东西，他微微一怔，望下去才发现脚下是一个盒子。盒里堆着干草碎布，上面有三只肉乎乎的小猫正在睡觉。小猫眯着眼睛，皱着黑鼻尖的模样，看上去十分可爱。

范闲惊道："这是怎么回事？"

林婉儿这才发现猫就放在他的脚下，害怕吓着小猫，赶紧从桌旁走开，将盒子抱了起来，笑着应道："藤大媳妇怕我们在山上闷得慌，所以今天送了三只小猫过来。"

范闲凑到近旁，发现这三只小猫一黄一黑一白，模样极似，但毛色差别极大，不由得笑道："你们这些姑娘，给自己填肚子都不会，更何况养猫。"他伸手从盒子里拎了一只黑的到怀里抱着，感觉胸前有一个小肉团似的好玩。轻轻挠了挠小猫的后脑勺，小猫睁开眼，看了他一眼，复又沉沉睡去，似乎并不抵触他的体息。

"取了名字没？"

"没，先小黄小黑小白地叫着吧。"

"嗯，小白好听。"

晚饭后，范闲与范思辙听了范府来人的报告。年关时节，范氏在京郊的田庄，还有澹州的封地，以及一些零碎的产业都要向京府里报账。京中范府一向是柳氏主事，如今她已扶正，做起来更是名正言顺。但不知道为什么，今年她在处理完这些事情之后，喊府上的崔先生拣重要的几项进账支出写了封信，让人进苍山别业通禀大少爷一声。

范闲理解她的意思，没有刻意不听，反而很认真地听了，偶尔还会插几句话，问上一问。管家老老实实地说完，范闲闭眼想了一会儿，睁眼问坐在旁边的思辙："你看有没有什么问题？"

范思辙手指头摸了摸左边脸颊上的那三粒麻点，摇了摇头："没什么问题，大哥，这账向来是母亲理的，怎么今年要咱们二人过一道手？"

这个小家伙在某些方面很有天分，在另外一些方面却如白纸一张。

管家又恭谨地说道："各处的年货年前应该入京，只是今年东面、北面雪大，所以耽搁了些日子。除了上次送山上来的那些南稻瓜果，前些日子北面庄子的各式肉脯、野货，还有澹州老祖宗那边赐过来的花茶，这些数目信里都写着。想着大少爷、少奶奶、小姐、小少爷，还有郡主都在别业里待着，所以夫人各样又备了一些，准备分三拨往山上送，应该足够用到春中。"

"用不了这么多，拣新鲜的玩意儿送些来就成。三拨太多，再来一次就够了。"范闲随口应道，"只是奶奶从澹州送的花茶，记得要多拿些。"他时常对婉儿、若若讲及澹州的生活，其中那飘着淡淡花香的茶，更是说了不知道有多少次。

管家笑着应道："茶今日已经到了。后两批主要是些吃食和小物件儿，主要是备着两位少爷打算住到春闱开前。"

范闲听得清楚无比，暗赞一声柳氏得体，管家利落，也不多话，让他先下去领赏休息。

春闱将至，范闲身为太学五品奉正总是要回京，不可能老待在苍山之上。而四月科举结束后，秘密的换俘协议也要马上开始，所有的事情似乎都堆了起来。从范闲的本心来讲，换俘之事去年就该开始，不说那些被俘的庆国将士在异国他乡受怎样的罪，只说那位从未谋面的言冰云言公子，身为庆国驻北齐密谍首领在敌国被囚大半年，不知道要多受多少罪。

只是两国间来往总是烦琐无比，而且入冬后北疆冰寒难行，才将回使之事拖到春末。每每想到那位言冰云可能待在苦寒的房子里受苦，范闲在苍山冬日享福也不免会减了几丝滋味。

他早就知道自己是此次出使北齐的正角儿，心里并不抵触，如果能在监察院聚集自己的力量，对以后的发展总是有好处的。而且无论在澹州还是在京都，十七年的生涯早已经让他从内心深处认定自己就是庆国的一分子，他愿意为这个国度而不是这个朝廷做些事情。

夜晚，范闲完成例行训练，回到山庄，将满是雪渣污水的夜行衣塞进准备好的袋子里，扔到一旁。训练的时候，他一个人孤独地躺卧在雪地中追寻着淡淡月色下的目标，目光凝成直线，盯着那些钻出雪面千年不动的黑色岩石或是急速变线跑动中的雪兔，非常疲惫。

山庄里一片安静，只有主卧室还点着一盏灯，婉儿在等他回来。

范闲往那边走去，路过妹妹房间门口时，却忽然停下了脚步。他耳尖微动，眉头微挑，眼中厉色渐起，转身一掌按在门上，微一用力，霸道真气顿时将木制门插震成两截，而他的人也随着夜风飘至床边。床上被褥凌乱，空无一人，若若果然不见了。

范闲将手伸进被褥里，发现除了暖脚炉那处，其他的地方都是冰凉一片，看来若若已经离开了很久。他的心微微颤抖了起来，依然强行镇定着转身，噌的一声，左手反抽那柄细长黑色匕首，准备入夜觅人。

"哥哥！"门外范若若举着一盏灯，满脸惊异地看着自己床上持刀而立的兄长。范闲看见她安然无恙，精神一松，忍不住闭着双眼加重了几次呼吸，片刻后问道："你到哪里去了？没事吧？"

若若身上披着一件银毛褛子，里面是件单衣，看着瑟瑟可怜。听着问话有些呆愕，半晌之后才勉强地笑了笑，说道："哥哥，你拿把刀子问我，好可怕。"

范闲苦笑着摇摇头，将细长的匕首收回了靴中，走上前去，握住她略显瘦削的肩头："你才可怕，走在外面听到里面安静得异常，连你的呼吸声都没有，吓死我了。"

范若若笑道："哥哥真是的，大半夜在外面跑，却说我吓你。"

"你到底做什么去了？"范闲追问道。

范若若脸上一红："有些事情，哥哥别问那么清楚。"

范闲明白过来，苦笑道："房里又不是没有马桶，山里夜风冷得很，不要冻着了。"

"知道啦。"范若若羞羞一笑，将他推出门去，"嫂子还在等你。"

房门外，范闲轻轻搓了搓冰凉的手指，妹妹被褥的温度说明她出去已经有一段时间了，绝对不是起夜，应该是待他离开山庄后，就起床去了某处。

他不禁生出极大的疑问，却强行压抑了下来，不再追问。谁都有自己的秘密，需要尊重——当初在京都澹州通信中他就是这样教育妹妹的，身为兄长当然要做表率。

人在春风里得意，马蹄儿急。在苍山将养了整整一个冬天的范闲，终于领着一家大小浩浩荡荡地从苍山里杀了出来。这个冬天对于他来说是入京后难得的一次修整，不论是武道修为还是精神上面，都有了长足的进步。此时放眼望去，只见苍山脚下一片肃冷中已有点点青翠，淡淡青枝从冬树中生长出来，似将这回京的天空都染上了许多生机。

天光清淡，远处可见一片黑云。说来奇怪，那片乌云极薄，隔着就能看见后方的灰蓝天空和更上方的丝丝白云，给人的感觉依然是厚黑沉重。

范闲收回观天的无聊目光，对身边的妻子说道："在山里待了这么久，只怕憋坏了吧？"

林婉儿好奇地望着他，说道："什么事情憋着了？"范闲微微一怔道："山中虽好，但眼见尽是白雪树木，总不免有些厌乏，你不想念京中的繁华生活？"

林婉儿微微一笑，说道："在京中，不是在宫里就是在别院里，相公知道我在相府里住得也不久，根本没有出来的机会。山中日子虽然单调，但总比那些高墙之中要舒心一些。"她看着相公心疼自己的表情，心头一片温暖，轻声道，"而且山中一直有你啊。"

说完这话，范闲还没什么感觉，她自己倒抢先羞了起来，将脸别了过去。范闲哈哈一笑，旋即想到那件事情，轻声说道："等春闱的事情忙完了，估计朝廷会派我去趟北齐。"

马车里安静了下来，只听得见前面的马蹄声和马打响鼻的声音以及车轮在山路上震动的声音。半晌之后，林婉儿说道："放心吧，京里有我。"

范闲说道："我会带王启年走，有什么事情你先问问父亲的意见，如果费介老师还在京中，你也可以找他帮忙。这些事情通过藤子京做就好了，我已经吩咐过他了。"

回到京中，彩灯痕迹犹在，僻巷中鞭炮纸屑未扫。看着穿着新衣，犹自沉浸在年节气氛中的行人们，范闲有些后悔，决定年初四再进苍山，似乎错过了正月里闹花灯的热闹。

车至范府，不免又是好一番折腾，先向父母行礼，又与族中众人见面，范闲才发现范族果然名不虚传，在朝中大官不多，但很多人都在朝中要害部门里吃着肥饷，个个活得挺滋润。

第二天他便领着婉儿回了相府，拜见老丈人，与大宝依依不舍地告别，然后又去靖王府拜见那位农夫王爷。还没等消停一下，太常寺少卿任少安、鸿胪寺少卿辛其物，又是两顿宴请。

一晃便入了二月，各路各州各县的举子们已经入了京都，有钱的找客栈住下，有人的找亲戚投奔，没钱没人的只好跑到京都郊外那些书塾里将就一下。太学的宿舍也已经开放，专供那些实在没有地方去的举子们暂住。

会试由礼部主持，分作三场，分别在二月初九、十二、十五日进行。等范闲入太学就职的时候，时间已经有些紧了。好在他这个五品奉正只是个虚职，属于圣上胡乱点的，太学方面对他根本没有安排，会试已近也不需要他去授课，如此倒也清闲。只是那些太学里的学生却不会放过他，听说他的消息后，都跑了过来，用围观表示对他的敬仰。

范闲唰的一声打开手中折扇，在这冬末春初的天气里摇个不停，将身边的学生们冷地闪开一段距离后，微笑着说道："诸位，本官年岁尚浅，若说'教育'二字，是万万当不起的。"

见他说话风趣，这位以十七稚龄便官至五品的朝中大红人似乎也不是那等惹人厌憎的权贵模样，学生们的隔膜感渐渐退去，更有人壮着胆子开起了玩笑："范大人初入京都，便曾在一石居上点评过'风骨'二字，如今大人却有心思扇扇子了。"

范闲哈哈一笑应道："这说明什么？说明本人向来喜欢胡闹，说什么话都是做不得准的。"

澹泊书局的《半闲斋诗集》早已行销全国，从各州郡赶来的举子，不免对这位名动京华的年轻人感到十分好奇。有些莽撞的人，更是靠着一张嘴，竟真找着了范宅的位置。只是看着那门脸、那石狮，才知道这位范才子不仅仅是腹中锦绣，竟是真的披锦绣而生的权贵子弟，阶层森严。这些举子哪敢贸然叩门相访，只好悻悻然离去。

范闲在太学没待数日，也曾随着上司四处查看举子入京后的状况，发现有些穷苦家的孩子入京后确实极苦，朝廷早有明旨令京郊的几座大书塾全部开放，一些土庙也暂时供应住宿。但是京都居大不易，依然有些人囊中羞涩，竟是连饭钱都快负担不起。

想到五竹叔在澹州讲过的故事，范闲心头微动，便从书局的账上支了些银子，又请庆余堂的掌柜们代为处理，将那些穷举子的生活安顿了一下。无心市恩，他当然也不会让那些举子知道是自己出的银子，回府却向身为户部尚书的父亲抱怨了一番。

范尚书发现自己这个儿子如今竟然关心起这些事情来，不免有些讶异，欣慰之余，对范闲的似乎安于仕途而放心起来。

二月初七，会试前两日，范闲实在是受不了那些不正经读书、只来与自己论诗的学子，偷偷溜出了太学。走过皇城之外，看着御沟里的清水细荇，感觉分外轻松。偶尔看一眼那高高的宫墙和远处严肃的侍卫，再沉稳的性子也不免生出几分得意来——本公子曾经偷偷进去过，咋地？

他忽然想起了燕小乙那道可怕的箭，心生悸意。那名九品上强者如今已经调任北方大都督，自己去北齐必须经过他的辖区，只希望他永远不知道那夜的刺客就是自己。

经过皇城不远便是天河道，道旁流水依然温柔，监察院门前石碑上的金字淡淡发光，范闲神情自若地走了过去，就像没有看到那些文字，余光都没有瞥一下。

"小范大人，本世子如今要见你一面都这么难，看来真是京中的大红人了。"

范闲回头看见靖王世子骑在马上望着自己。

"下官只是想图个清静，哪里知道竟会与世子巧遇。"

"不是巧遇。"李弘成挥挥手中马鞭，笑道，"我可是从太学一路追你追过来的。"

范闲略略一惊，清亮的眸子马上恢复平静，回道："世子有什么事？"

世子微笑说道："今日有人请。"

"谁？"直觉告诉范闲今天这宴请有些问题。

"二皇子。"李弘成说道。

这是一次私宴，地点依然安排在流晶河的花舫上，只是这座花舫分外清雅，没有河对面那些红袖疾招的夸张感觉。此时河上无雨无云，满江淡瑟，微风之下，水波柔息，与远处隐隐能闻的欢声笑语相较，便只觉得二皇子安排的这座花舫竟多出了一丝江上孤舟的出尘感。

范闲与靖王世子李弘成一路说说笑笑来到河畔，自有侍卫拉了马去，二人互伸一手略让了让，便上了花舫。他看着船上的陈设布置，脸上微笑不减，内心深处却在叹息，这位皇子看来真是个清雅之人，只是不知为何不甘心安分做个皇子，非要惹出这多事情来。

忽听得舫中传出一声铮的琴弦拨动声，其中并无肃杀之意，只有清心之感。

> 恰离了绿水青山那搭，早来到竹篱茅舍人家。野花路畔开，村酒槽头榨，直吃的欠欠答答。醉了山童不劝咱，白发上黄花乱插。①

范闲听着这曲子里的涎漫隐趣，越发好奇这位二皇子是个什么样的人物。

珠帘掀开，入目处，只见一位穿着青色绸衫的年轻人正

① 出自元代卢挚所作《双调》。

211

用一种很奇怪的姿势坐在椅子上，头微微偏着，双目微闭，脸上露出一种很满足的神情，侧耳听着角落里歌女的轻声吟唱。

不问而知，他自然就是当今庆国皇帝陛下与淑贵妃生下的二皇子。

二皇子的坐姿确实很奇特，竟是半蹲在椅子上，像极了一位在田间休憩的农夫，青色的绸衫盖住了他的双腿。但更奇特的是，看着他陶醉的神情、清秀的五官，浑身透露出来的竟是一种清雅安宁的感觉，似乎早已倦了这身周一切、这世间过往，只是以曲为念。

这是范闲第一次看见二皇子，当时他的第一个念头是，这人好熟悉。第二个念头是，这人很疲惫。第三个念头是，这个人的心思很重。

想着这些事情，他发现李弘成早已安静地找了把椅子坐下，而这位二皇子似乎只顾着听曲子，忘记了自己这个客人。当然，以对方的身份，让自己等上一等也是自然。

一曲袅袅作断，那位歌女横抱古琴，款款向厅中三人各自行了一礼，退入后室。蹲在椅子上的二皇子却似乎仍然沉浸在琴声歌声中，许久没有回过神来，闭着双眼，右手悬空着缓缓向旁边挪去。摸着几上搁着的那盘葡萄，两根手指捏着葡萄茎提了一串起来，高高抬着，像孩子一样搁到空中，抬头、张唇、合齿，缓缓咬下一颗青翠至极的葡萄，嚼了两下，咽了下去，喉咙极好看地动了两下。似乎连吃葡萄也是件很享受的事情。

范闲不急不躁，微笑地看着这位皇子，眼神宁静，却没有放过对方任何一个小动作，试图看出对方究竟是一个什么性情的人。

半晌后，二皇子将手中的葡萄摸索着搁回盘子里，缓缓睁开双眼，似乎才知道自己请的客人已经到了，眼里现出一丝很奇妙的笑意。只见他唇角微微一翘，绽出有些羞涩的笑容。

范闲心头一动，那种熟悉的感觉越来越强烈了。

二皇子静静地看着站在身前的范闲，问道："既然来了，为何不坐？"

李弘成微笑着坐在旁边饮茶，没有帮范闲说话的意思。

范闲行礼道："皇子在上，不行礼不敢坐。"

二皇子微笑地看着范闲，说道："我不曾迎你，你也不用敬我。"

范闲笑道："二殿下不用迎臣，臣须敬殿下。"

二皇子笑着摇摇头，将沾了些葡萄汁水的右手随意在自己的青色绸衫上擦了擦，说道："这船上只有我与弘成两兄弟，再加你一个妹夫，哪有什么殿下臣子的？"

范闲笑了笑，不再多说什么，自去李弘成对面的椅子上坐下。

两人先前这几句对话并没有什么太深的意思，但范闲的感觉还是很奇妙。因为二皇子说话的语速特别地缓慢，而且每次开口的节奏总是比一般人要慢半拍，所以对话时总感觉他发出的声音有些突然。更觉有趣的是，他越看这位二皇子越是熟悉，却又不知道这种熟悉感是从何而来，他很肯定不是因为婉儿的关系。

"这花舫是我出钱造的，你看如何？"二皇子似乎有些热切于知道范闲对于这座花舫的感觉。

范闲摇头笑道："殿下这花舫清静至极，和花字不合啊。"

二皇子浅浅一笑，说道："清静好。"

范闲觉得这种对话实在无聊和艰难，正准备将求助的目光投向李弘成，就听着他的声音适时响了起来："我说，你们两个人说话能不能不要这么累？"

二皇子呵呵一笑，对范闲说道："瞧见没？不要以为我们这些皇族子弟都是些无趣的人。再说了，你如今已经和婉儿成婚，也算是一家人，今后得多走动走动才是。"

李弘成取笑道："我们王府就算了，你可是堂堂二皇子，走动起来是会出危险的。"

三人都知道这说的是数月前范闲赴二皇子宴请路上，在牛栏街被北齐刺客刺杀之事。三人互视一眼，想到数月前数月后这种种过往，遂生出莫名之感，不约而同地笑了起来。

那件事情也就算过去了，二皇子微笑地说道："别叫殿下了，跟着婉儿叫二哥吧。"

范闲面色不改，心里却感觉有些麻烦，这关系要拉得太近确实有些问题。似乎猜到他在担心什么，二皇子双手垂在自己的膝前，依然半蹲着笑道："凡事不用太过谨慎，婉儿是宫里的宝，你要记着，你如今多了一个大哥，此时还在西边骑马玩，我这个二哥依然躲在翰林院里编书。至于太子，你更要多亲近才是。多些亲戚，难道就让你如此烦恼？"

范闲笑了笑，心想这些皇家亲戚当然都是大麻烦的根源，口里应道："这是我的福分，只是不称殿下，确实感觉有些失礼。"

二皇子笑道："你可以回家问问婉儿，她是怎么叫我的。"

寒暄毕，宴席开，桌上尽是一些时令鲜蔬和精巧小菜，范闲吃得极开心。他早已拟定了方略，熟悉之后便将心神放开，三人随意聊些京中人物往事、前贤遗作，倒也相谈甚欢。

二皇子果然深受淑贵妃影响，对于文学之道深有研究，与范闲一唱一和颇为相得。李弘成在旁却说些脂粉间的妙闻，少不得还要提一提司南伯当年的辉煌战绩，男人间的话题一起，二皇子和范闲不便搭话，气氛却活跃了起来。

饭毕，二皇子与范闲各有所得，微笑告别。

二皇子也不相送，依然蹲在那个椅子上。这大半晌的时光，他竟然是保持着这个姿势一动未动，直到看着范闲与李弘成的身影消失在花舫门口，才轻声叹了口气。

"殿下看这位小范大人如何？"一个亲信恭敬地问道。

二皇子微微一笑，说道："这位妹夫太过小心谨慎了，哪有半点儿庆国人骨子里数十年间养成的骄傲狂纵。说实话，真怀疑那次殿上夜宴发诗狂的诗仙是不是我今天见到的这人。"

说完这句话，他又习惯性地低下了头，手伸到一旁去摸那串青葡萄。亲信一见便知道二殿下又在思考一些极其重要的国家大事，不敢打扰，赶紧悄无声息地退出门去。

范闲骑在马上想着二皇子，心中那种熟悉的感觉依然挥之不去，拂去迎面那枝嫩青河柳，问着身边的李弘成："今天二殿下就是想见见我？"

他自然清楚这是第一次见面，交浅言不能深，内库之类的事情提也不会提。

李弘成笑着回答道："他是你的仰慕者，恰巧你又娶了晨郡主，所以借着看妹夫的名义，想看看一代诗仙究竟是什么模样。"

范闲一怔，哪里想到竟是这么个由头，问道："为何我看这位二殿下总是很眼熟？"

李弘成与他相交数月，早知道他骨子里强硬，表面上温和，除了偶尔发疯，大部分时间都极为沉稳。此时见他有些失神，不由得纳闷道："你应是没有与他见过面才对。"

范闲摇了摇头，心想二皇子虽然生得清秀，但毕竟不是林妹妹，再说自己也不好那些，可怎么会对他如此念念不忘？想到这儿不由得微微一羞笑了出来。

李弘成正看着他，见他抿唇一笑便怔住了，呆呆望了半天，才喃喃应道："我知道你为什么觉着二殿下眼熟了。"

范闲睁大眼睛，好奇地问道："为什么？"

李弘成做出习惯呕吐的表情："因为你们两个有时候都喜欢像娘们儿一样羞答答地笑。"

范闲一愣，赶紧敛了唇角笑容，说道："就是这样吗？"

李弘成看着范闲清美的脸，忽然间一阵恶寒，说道："你们两个人身上的气质也有些相像，确实很像娘们儿。"

"扯淡。"范闲哭笑不得，旋即心中一动。

也许……二皇子真的与自己在某些方面很像？他摇摇头，驱走那件一直盘旋在心里的惊天之惑，再次微微一笑恶心了李弘成一把，然后一挥马鞭，催马往京城里奔去。

一路沿河而行，马行急速，春风扑面而来。河畔的青青杨柳也扑面而来。范闲懒得去躲，将霸道真气运到脸上充个厚脸皮，将那些杨柳震开，纵马快活。

不一时，他便将世子与侍卫甩开了一段距离。马有些累，渐渐缓了下来。范闲坐在马上，下意识扭头往水面望去，只见自己已经绕了一段路，来到了花舫很集中的地方。远处有一座花舫已然蒙灰，颓凉靠在岸边，与河中的结彩妓船一比，更显凄惨。

范闲眯了眯眼睛，猜到是司凌妇人的花舫。这艘花舫上曾经有京都里最红的女子，也是京都最红火的处所，如今却已经成了这个模样。他不由想起了那位如今还在监察院大牢里凄苦度日的司理理，春闱后朝廷就会放她回北齐，不知道再见面时，二人会是什么情形。

身后传来一阵急促的马蹄声，李弘成甩开侍卫单骑跟了过来，两匹马同时停在了水畔，静静望着湖里的太平盛景，偶尔一瞥那处衰败的景象。

李弘成说道："你打郭保坤的那天夜里，就是在那个花舫上和我喝酒。"

范闲笑了笑，说道："我们还在那个花舫上过了一夜。"

李弘成看了他一眼，说道："现在又起了怜香惜玉之心？你如今身份与我不同，不说还在牢里的司理理，就说这水上的诸多可人儿，只要你敢，第二天宫里就会派大内侍卫把你打一顿。"

范闲苦笑着应道："我哪有这些心思，只是看着那座花舫偶有所感。"

"吴伯安并不是你岳父的人。"李弘成以为他不知道这些秘辛，小声提醒道。

"我知道他是长公主的人。"范闲轻声地应道，"长公主走了，我不想再理这些。"

"不要忘记，长公主与皇后的关系极好，又得太后宠爱，而且这些年，太子一直很信服她。"李弘成看了他一眼，似乎想用这些话来表明某些东西。

范闲微笑着说："你想说什么就直接说吧，二皇子与我初见，有些话自然是不方便说的，我既然甩开了侍卫，就是想和你私下说说。"

两匹马缓缓地向前行走着，马首之间偶尔会磨蹭一下表示亲热。李弘成拨开面前的青青柳枝，说道："你从北齐回来之后，大概就会掌管内库。不论是东宫，还是二皇子都需要你，我想你自己也很明白这一点。"

范闲微笑无语，听着对方继续说话。

"东宫虽然现在向你示好，但那是因为长公主离京的缘故。我虽然不清楚为什么长公主会这样讨厌你，但我知道，在东宫的心目中，一千个你的分量也抵不上长公主的一句话，所以你不能信任东宫。"李弘成正色说道，"你我两家世交，我与你也算是朋友，所以要提醒你，如果真要选择的话，于公于私，我都希望你能倒向那边。"

他指着河对岸一处独山，那山背后被一道树林断开，正构成了一个"二"字。

"真巧。"范闲顺着他的手指望过去，"排队是很愚蠢的事情，我劝你也不要太早站队。"

"不是巧，那里就是二殿下的别院。"李弘成微笑道，"你的说法与父亲很相像，但是人世间总是有一些事情是必须要做的。"

范闲不认同地摇摇头："今日见着二皇子之后，就感觉很奇妙，这样一个水晶般的人，为什么却不肯像靖王一样做个安分的王爷？"

李弘成听到他说到自己的父王，双眼渐渐冰冷起来，往日如春风一般温暖的笑容也消失不见了，只听他淡淡说道："天子家无私事，有很多事情不是你想躲就能躲开的。你应该记得先帝，也就是我的祖父当年是如何登上帝位的。两位亲王在同一天内惨遭刺杀，当时京都的血雨腥风何其可怕！若你能回到过去，是不是也要问一下那两人为何不让？"

范闲勉强一笑掩饰内心的情绪，说道："当时开国不久，与当前太平景象又不一样，若二皇子肯让一让，东宫也不见得会如何。你看靖王天天在府里种草种花，不也很快乐吗？二皇子看得出来是真的喜欢文学之道，为何不能学学你父亲？"

"你见过陛下，也见过长公主，我父王排行第二，但他的容貌却已经是个老头子了。"李弘成似笑非笑地说道："退让，真的会有好结果吗？我父王心中总有一股悲怨之气，我虽然不知道是什么原因，但想来还不是天子家的这些破事。"

其实他真的猜错了靖王如今甘作花农的真实原因。

范闲皱眉道："可是你不该跟着二皇子这么紧，不论从哪个角度看，他都是最没有可能的一个人。"以他与李弘成的交情，这番话已经显得过于深切直白了。李弘成听了之后，微微一怔，旋即微笑浮上面庞，知道范闲是真正把自己当作了朋友，感动道："如果父母拿了些甜点摆在孩子们的面前，我们必须首先表明自己想吃，父母分配食物的时候才不会完全忘记你。"

范闲沉默了一会儿，说道："我仍然不明白，你为什么要选择他？"

"很简单的原因。"李弘成微笑着说道，"我看着他顺眼。"

范闲知道这话或许真假在三七之数，不可全信，便没有再说什么。

进城后二人分手，临别之时李弘成留下了一句话："今日二皇子要抢先见你，是因为会试之后也许你逃不出太子之请了。"

范闲微微一凛，听出对方话中透露出的信息。果不其然，他回家后与婉儿略谈了一下白天与二皇子的会面，即迎来了意料之中的另一位客人——辛其物，太子东宫近人。

入座看茶，看着手中纸条子上的那些姓名，他忍不住苦笑起来，知道太子要做什么，却不知道对方为什么会来找自己："少卿大人，会试的事情下官是根本插不了手的。"

数月前与北齐的谈判中，这二位一位是正使一位是副使，配合得极为默契，性格上也没有太抵触的地方。加上前些天两个人醉了一次，自然熟络了很多。辛其物端起茶杯喝了一口，轻声解释道："你应该清楚这些人名是什么。"

范闲当然清楚，后天就是会试之日，这个节骨眼上各府都千方百计、马不停蹄，后门的门槛都快被踩烂了。据说礼部大佬郭攸之不胜其烦，又不敢得罪太多王公贵族，干脆请旨躲进了宫里。另外四名同考和提调也是将太学当作了家，根本不敢回府。

但是依东宫的能量，如果太子想在此次科举中提拔一些想培养的年轻人会有的是法子，单说会试总裁官郭攸之便是人人皆知的东宫支持者，怎么会找到范闲呢？

辛其物笑着说道："小范大人才气纵横，但对京中的诸多规矩却是不大了然。本朝一应科举规矩都是依着前朝惯例来的，改动太大，为防止舞弊，应试学生们的卷子都要重新抄写，防止笔迹被人认出来。最关键的就是糊名这个步骤。"

范闲向来以为自己是一个很冷静的人。但当辛其物走后，他坐在书房中看着手中那张纸条时，依然有些隐隐愤怒。后天就是会试的正日子，而他直到今天才知道原来除了总裁、门师、提调之外，会试诸官之中自己还担任着一个很麻烦很重要的角色。

辛其物告诉他，朝廷已经下旨令太学五品奉正范闲担任此次会试的居中郎——居中郎这个有些古怪的职位，其实就是全权负责此次会试秩序的官员，手中握有相当的实权。更关键的是，当夜里封卷之后，糊名的事宜会由居中郎一手负责。

但凡想在会试里玩手段的人，首先要处理的便是糊名的环节。就算那些学子的后台已经买通了礼部官员，甚至是座师考官，如果糊名时不做手脚，批阅试卷的考官也无从下手。

这些年的科举过去，那些舞弊营私的庆国官员早就做成了熟练工种，各方势力的分配也有了定式。但此次是声名太盛的范闲莫名其妙地坐到了居中郎的位置上，朝中各方不免有些拿不准，不知道他会有什么样的举动。

所以太子才会毫不避嫌地让辛其物事先来范府，他认为范闲应该不会违背自己的意思。这些日子里东宫给了范闲足够多的善意，也该是范闲表明自己态度的时候了。

范闲又看了一眼纸条上的六个人名，摇了摇头，将纸条毁成粉末，然后走回卧室，心里对二皇子凭空多了一丝感激。如果二皇子也来这么一手，自己夹在中间真是很难处理。

但他依然低估了事情的复杂性。林婉儿有些无奈地递过来几张纸。

范闲叹息一声，一拍额头说道："不要告诉我，那上面写的是人名。"

林婉儿走过来，轻轻地拍了拍他："相公果然是个聪明人。"

范闲苦笑道："本来以为去北齐之前，我们可以在京都里好好休养生息，谁知道……"他终于忍不住低声咒骂了起来，"是谁让我当这个居中郎的！"

"我们的父亲大人。"林婉儿可怜兮兮地望着他，"这个职司及不上提调，但更是要害。按往年里的惯例，会试后入朝为官的举子将来见着你的面也要喊一声老师，很是重要。"

范闲没好气地说："咱们那两个不怎么亲的爹是不是有些太热心了？我才十七，难道以后在朝上，让一拨中年翰林迂腐学士见着我便行礼？"

林婉儿笑着说道："如今你名声太盛，这次甚至有人推举你出任座师，如果不是年纪太小被宫里驳了回来，你真可能成为数百年间最年轻的会试座师。"

此时，范闲真有些后悔在殿上发了那场酒疯，不过世上从来就没有什么后悔药可以吃。他将那几张纸条细细看了看，发现有些人名比较熟悉，都是京中出名的才子，有些自己曾经接触过的人确实有些才学，看到这里心里才稍微安定了一些。

"既然我是居中郎，他们还这么明目张胆地来府里？"范闲叹道，"这纸条子就是他们舞弊的罪证，送到我手上，他们的胆子未免也太大了些。"

林婉儿久居宫中，自然知道这些事情，解释道："往年的居中郎虽属要冲，但是品秩太低，各方都不怎么看重，宫中哪位想栽培自己几个心腹，那位居中郎只装看不见，哪里敢多话。只是今年轮到相公担任这个职司，那些人忌惮你的手段背景，却不了解你的性情，才会像对待总裁官一般，提前来向你打声招呼，表示礼貌，也表示尊敬。当然那些自认巴结不上你的官员，还是会依旧例去走座师的门路，不敢来骚扰你。"

"如此看来，我只要依往年规矩做就好了。"范闲真没有想到庆国的官场已经败坏到如此地步，一想到那些在郊外书塾里辛苦度日的学生，心里不免有些不舒服。

"想怎么做就怎么做。"林婉儿不是寻常人，轻声说道："即便这些人的面子一个不卖，谁还敢把你怎么着？"

范闲心想您是郡主，当然谁都不怕，但是你那太子哥哥却是要借此让自己表态，他转而问道："这些人名是谁送来的？"纸条其实只有三张，没有他想象的多。

林婉儿有些不好意思地笑道："其实……都是我惹出来的事。"

范闲诧异地问："怎么讲？"

林婉儿应道："今天入宫去宁才人宫里坐了坐，我小时候是在她身边玩大的。其他的两张纸条，一张是父亲派袁先生送来的，另一张是枢密院的秦大人送来的。"

范闲摇摇头，宁才人代表的自然是那位依然远在西方戍边的大皇子，宰相大人既然将自己送到居中郎的位置上，断然没有不利用自家女婿的道理。倒是那位枢密院的秦大人，虽然从来没有见过面，也知道对方是军方的大人物，他家的秦老爷子更是三朝元老、军方的超级实权人物，只是秦家不老老实实栽培几个将领，怎么也到文臣科举里插一脚？

"算了，都是小事，既然举国皆是乌鸦，我自然也不会去冒充丹顶鹤。"范闲说着，将这些纸条全数毁了，揽着妻子的双肩，往前府走去。

二月初九是大比之日，庆国的读书人要将十年寒窗所学尽数卖于帝王家，至于帝王家买是不买，就看这几场考试。那些穿着长衫的读书人像游动的鱼一般，或惶然或兴奋地往大试的地点——礼部二衙考院里走去，就像是奋不顾身地往一个狭小的鱼篓里钻。

一把太师椅搁在大门之侧，身旁是衙门差役，还有监察院按例派来的官员。

范闲稳稳坐在众人中间的太师椅上，冷眼看着这些学生在自己的面前走过。考生行过他的面前，不论老幼都恭敬行礼，认识范闲的人敬的是他的声名，不认识范闲的人敬的是他的位置。

虎狼之吏早已拉开了布幔，开始挨次搜身，严防学生夹带违禁之物入内。范闲啜了一口茶，看着这些扛着被褥马桶吃食、像极了村里长工般的苦命学生们，不由得摇了摇头。此时忽然看见一个学生正准备入院，他大喊道："等等！"

院外一下子安静了下来，无数道目光有些畏怯地投向了小范大人，不知道那位学生有什么问题。范闲看了那个扛着一团烂被褥的学生两眼，问道："查过了吗？"

礼部官员与监察院官员同时报道："已查过了，并无异样。"

那个学生抬头挺胸看着这位年轻的范大人，面色平静，并无一丝慌乱。

范闲微微挑眉，再问道："脱了衣服查的？"

"是，大人。"他身边的官员看见院门口堵的人越来越多，不免有些着急。再过半个时辰，宫中的御令就要来了，如果以这个速度，考生们极难全部放进去。

范闲从太师椅上站了起来，走到那个学生旁边，打量了他两眼，忽然笑了起来，附到他的耳边说道："你的衣服有问题。"

他说话的声音极小，只有那个学生听到了，顿时惊慌失色，在二月初的陡寒天气里竟冒出了汗！此人姓杨名万里，全然不知道这位以诗才名噪天下的小范大人如何发现自己的秘密，在范闲静静的目光下露出崩溃的样子。

范闲忽然微笑着说道："你进去吧，如果此时说穿了，你十年工夫白费，但是记住，这两日考院中，不要让我发现你用了这身衣服。"

这个学生惊喜交加，后怕难止，哭丧着脸说道："谢大人成全。"生怕他反悔，把破烂的被裤一扛，掩面就冲进了考院。紧接着，范闲又警告了几个妄图想带小抄入考院的穷学生，渐渐地，围在他身边的吏员也明白了怎么回事，很是惊讶小范大人的眼力与判断。

范闲头一次做官就做出了感觉，面带微笑一一审视着入院的学子，很仔细地一个也不放过。扒掉了许多双鞋、许多顶帽子、许多支后藏纸团的毛笔，在考院的门口堆成了一座小山。到此时，那些排着队的学生们才知道，今年这位居中郎竟然是位杀气十足的厉害人物，全不像人们想象中的诗仙散漫。于是赶紧退了出去，将夹带的东西扔到考院背后的阴沟里。

今日监察院领头的是范闲的熟人——那位目前暂代一处部分职司的沐铁沐大人。他听着手下的汇报，赶紧到了这边，见着范闲二话不说就是一个大礼拜了下去，为难地说道："大人，时辰不早了，得快些。"

旁边的官员与监察院的人看见他对范闲如此恭谨，不免吓了一跳，心想监察院的人居然会对一位文臣如此客气，此时才想到范闲身后的背景，再不敢多嘴。

范闲摸出舶来的怀表看了看，发现时间确实不早了，这才摇摇头停止了这个有趣的游戏。站起身，清声对考院门口的数百名学生说道："本官范闲，想来诸位也是听过。先前大家见着了，为免耽搁会试正时，今日便不脱衣搜身。"

众考生大喜。

范闲微笑看了看四周，说道："你们自己把身上夹带的东西扔进这竹筐里，一概不咎。如果这两日考试之中被本官发现了，当心我让人把你扒光了扔在皇城前面，让天下人都知道你们的斯文是何等模样。"

众考生大惧，这才知道诗仙小范大人的微笑里原来藏着沁骨的杀气，各自老实鱼贯而入。至于还有没有那一等想要冒险的学生，那是日后之事。这一放行，速度顿时快不了少，不一会儿，考院门口马上回复清静，只留下满地臭鞋、无数纸屑。礼部官赶紧安排人手打扫，以迎接宫里开考的旨意，还要布置香案鸣炮，一时间忙了个不亦乐乎。

众人一边忙碌着，一边想着这位小范大人行事果然与一般庆国官员大不相同。若不理会那些夹带之事便罢了，哪有像今天这种查出之后，依然放行让学生进去考试的道理？这事若摊在别的考官身上，只怕御史台那边又是好一阵扰攘，但谁都知道，范闲既然敢这么做，当然是敢于承担。

范闲坐在太师椅上，一边微笑地看着众人忙碌，一边与身边的沐铁搭着话。沐铁如今的职位早起来了，一直以为是拜范闲所赐，所以对他格外亲热，连声道："大人辛苦了，待会儿旨意一到，炮响开考后，快请回院中休息，这一应勘防之事交给下官处理便是。"

范闲笑着看了他一眼，说道："职司所在，待会儿还要在考场里转悠，哪里有闲工夫。"

"大人头一次领这个差使，所以不知道，其实入了考场，便不用太过操心。"沐铁以为这位年轻的权贵不清楚会试的潜规则，赔笑说道。

范闲忽然低声问道："这次去北齐，沐大人去不去？"

沐铁没有什么思想准备，下意识地回答道："院里还在安排，不过应该是四处那边的事务，我可能插不上手。"他忽然眼睛一转，想到这位小范大人会写诗却不爱写诗，偏生喜欢做些小生意，就笑着说道："范大人是不是准备在北边进什么货？我可以帮着安排。"

范闲哈哈一笑道："没事没事，只是随口问问。"旁边有下属端上茶来，范闲向沐铁让了一让。沐铁好奇地问道："范大人，看来今天心情不错。"

范闲眼里闪过一丝莫名的神情，似笑非笑地说道："我一向以为，读书而不用考试乃是人生最大乐趣。入京后我最怕的便是会试，没料到我竟然成了居中郎，能读书而不用考试，更能轻松无比地看着读书的同仁们辛苦考试，原来这才是人生最大的乐趣。"

圣旨至，春炮鸣，香案撤，院门闭，一年一度的会试正式拉开帷幕。范闲听着考院的重重木门在身后缓缓合上，心里一阵惘然，前世的高考自己也没有参加过，当时以为是人生最大的缺憾，现在这会试自己又无法参与，虽说轻松，心中也是犹自有些小遗憾。

入了大堂，春初寒风从门口处涌了起来，范闲向礼部尚书郭攸之行了一礼，说道："院门已闭，无大人手令不得再开。此时院中各路郡州县的学子已经拿到了试卷，负责送吃食用水入内的角门处，由监察院沐大人及礼部大人们共同把守，应该无虞。"

郭攸之看着他那张清俊的面容，不易察觉地皱了皱眉，旋即满脸微笑道："小范大人辛苦了。"接着对身边两位座师吩咐道："依往年规矩，一个时辰之后，你们下场巡视。"

两位座师一位是太学正，一位是同文阁的大学士，都是陛下钦点，当即应道："听大人安排。"

郭攸之又转向范闲说道："小范大人，你的职司是考场秩序，协助两位提调不定时巡场，还要留神角门处动静，随时准备接旨。"随即对天抱拳一礼道："春闱之试，为国择良才不可不慎，诸位大人各自用心吧。"

随着郭尚书的发话，考院之中的各色官员们各归其职，一股严肃而紧张的气氛悄然无息地弥漫在考院中的每个角落里。所有人都知道，当今皇帝陛下在数次北伐之后，已经将治国的重心转移到了文治之上，对科举格外重视，前些年甚至有过微服视察的先例，因此谁也不敢大意。

春闱对于那些正埋案伏首疾笔的学生们来说，更是人生中最紧要的一个关头。若能顺利通过，那便是跃上了龙门；若是不行，便只能黯然回乡，准备来年的乡试。一折一返，不知会消磨掉多少人的青春年华。更有那等倔傲之辈，一旦落第之后，竟是缠绵京中不肯归乡，颓败者有之，浪荡者有之，更多的消失得无影无踪。

此乃国之大典，此乃士子之生死场。

范闲站在石阶之上，听着考院里四面八方响起的沙沙声，想到那些纸条，但笑不语。

日头渐渐升了起来，驱散了考院里的寒意，考生们终于有机会可以暖一暖自己的身子。他们不停地搓着手，以保证落在纸上的笔迹不会显得过于生硬。书法也是评分标准之一，所以虽然已经开考良久，大多数人还只是在打腹稿，没有急于动笔。

范闲在考场里行走着，尽量不发出一丝声音，以免打扰了考生们的思绪。说来也奇怪，考生们破题时往往最害怕考官在自己身边经过，或是打量自己的试卷，但当他们发现站在自己身边驻足观看的竟然是赫赫有名的小范大人时，却无由地生出很多喜意与信心。

因为范闲不像那两位座师和提调一般满脸肃然，反是挂着如淡淡阳光般的笑意，但凡敢抬头看他的学生，总是觉得小范大人脸上的笑容是在鼓励自己。

在考院走了一遭，范闲回到角门处，沐铁早就泡好茶等着了。看着他坐到椅子上，压低声音笑道："大人选在这儿歇脚最合适，角门与外界交通，有风，不怎么难受。"

范闲一笑，心想回正厅与郭尚书坐在一起，对方不高兴，自己也会不舒服。一边饮着茶，他却想起了一件蹊跷的事情，太子那边给的名单有六人，却没有贺宗纬的名字。他入京之后便知道贺宗纬是大学士的学生，更是东宫潜臣，按理讲今朝应该是要参加春闱的。

他将这事放下，目光隔着数重小门投向考院最里处，心里生出荒谬感。自己只不过是借着酒疯演了下李太白，出了本诗集，居然就能坐在这里监考，这人生果然是很不公平。

那些犹在奋笔的学生们，如果知道会试的结果早已经被朝中宫中的那些大人物像分西瓜一样地分好了，他们会有怎样的想法？

时间过得极慢，范闲快要在角门的椅子上睡着了，才发现日头刚刚移到正中。有人送了中饭过来，细细查验过食具之后，发现并无异常，才将其中六份食盒抬到了中厅。

范闲去了中厅与几位大人用饭，听他们讲上午的情况。提调大人在东南角逮了个舞弊的学生，摇头叹气道："见过舞弊的学生，没见过这么舞弊的学生，居然堂而皇之将整本破题策放在书案下面抄，以为四周有隔幕就不会有人发现，也不知这脑子是怎么长的！"

郭攸之忽然皱眉道："这书是怎么带进来的？"

范闲知道这是自己的失误，应道："先前检查太慢，监察院那边的官员催了一下，下官有些着急，怕误了圣上定的时辰，所以出了纰漏，请大人恕罪。"

这话听着是请了罪，却将责任推了一半到监察院方面，倒是油滑。郭攸之看了他一眼，嗯了一声，没有难为他，毕竟这种小事历朝历代的科举都无法杜绝，总不能以此来攻击范闲，于是说道："小范大人初历此事，经验不足，你们几位大人要多帮一些。"

范闲笑着向四周的几位大人拱手一礼，尤其是对着自己的直属上司太学正说道："学正大人，下官才疏学浅，请多多看护。"

太学正便是那日殿上的舒大学士，他是庄墨韩的学生，却不记恨殿前范闲将庄墨韩激得吐血的事，指着范闲笑道："若你才疏学浅，这庆国上下哪有人敢自称有才？"

另一位座师和提调也纷纷笑着附和，拿范闲打趣："堂堂庆国第一才子，若非学识惊人，小范大人此时应该在场中奋笔疾书，饿了啃两个干馍，哪里能坐在此处用饭。"

这话一说，连郭攸之也忍不住笑了起来。范闲的才学究竟如何，他自己是没有丝毫信心，但看来不论是在京都官场，还是在庆国天下，众人对他的信心倒是比他自己还要强许多。

考院里的学生们依然在紧张恐惧地做着试卷，天时渐渐暗了下来，范闲在场中走了几圈，看了众人试卷，还真发现了几个有真才实学的人，不免多驻足仔细观察。

他在澹州时也曾经通读这个世界的经书，但毕竟没有想过经科举入仕途，真要做起这等文章来怕是还不如大多数人。但毕竟两世为人，博览群书，眼光还是有的。他暗中将那几个人的名字记下，走到角门处发现沐铁躺在椅子上快要睡着了，不由得失笑，心想这也是个妙人。

"大人，角门开不得。"看见范闲走到角门旁的偏僻处，一位监察院官员面露为难之色，上前拦住，说道，"除了送饭送水，角门必须一直关闭。"

"本官知道规矩。"范闲说道，"只是想随便走走，看看有没有什么好玩的东西。"

这话有些莫名其妙，不合体统。堂堂国朝大典，身为考官的范闲却想在考院里寻些好玩的东西。奇怪的是那位监察院官员听到这句话后，却是身体微僵，应道："院子里好玩的东西挺多，大人以后常来。"

范闲看着这位官员普通的脸庞，开口说道："我要找的就是你？"

"不错，大人。"那位官员低头道。

范闲看着他的双眼，知道这位监察院官员官职不高，但肯定是陈萍萍安插在一处的亲信，不由得微笑说道："说了具体的时间没有？"

"春闱之后，三日之内。"那位官员轻声应道。

"我还有件事情要你帮忙，我需要查几个人的来历。"范闲将自己先前记的人名告诉了这位官员，说道，"不查家世，只查为人。"

"是。"那位官员轻声道，"请大人出示令牌。"

范闲自腰间将那块帮了自己不知道多少次的监察院提司令牌取出，在官员的眼前晃了一晃。

官员看清楚了"提司"二字，身体更加僵硬，应道："此事下官会上报院长。"

"明白。"范闲笑道，"封卷之前，我要你的回报。"

"是。"

"我需要知道你的名字吗？"

那位官员低声说道："不敢劳烦大人费神记名，卑职姜瑞随时听命。"

太子要在朝廷里安排自己的人，大皇子也是如此，至于宰相和枢密院那边则是典型的奸官行径了。想到这里，范闲不由得苦笑起来，看来岳丈还真不肯给自己省些事啊。

不过他也明白，这是官场里的常态，自己要做的事情倒是有些变态。

接着他又生出一些感叹，再过些年，难道也要安排自己的人进入这个像游戏场一样的官场？

用言纸将长公主逼出宫后，他一直平稳地处理着一切。如果不是这次东宫方面拉自己的手段太过霸道，或许他还会忍下去。而且他认为自己的计划并不冒险，只要不去触动庆国皇室最根本的利益，在这个看似强大、实则互相牵制的官场上，依然大有可为之地。

"胡闹台！"陈萍萍咕哝着骂了一句，将膝盖上的毯子扯了下来，咳了两声，花白的头发乱糟糟的没有一丝美感，"院里的规矩很清楚，宫里的事情我们不能插手，除非陛下下旨。"

几位监察院的头目沉默地看着院长大人发脾气，只有言若海摇头道："未免可惜了些，以往倒是查过科举舞弊之事，但都在高门大院之中，我们安插的人手不足，难以找到线头。今次得了这几个人名，顺藤摸瓜不难将事情背后的官员揪出来，只是想不到竟然会牵连到东宫。"

监察院内部说话向来极大胆，除了对皇帝陛下的忠心，这些人根本不在乎什么。

陈萍萍推着轮椅来到窗边，花白的头发与窗上的黑布一映，显得格外分明。他冷冷地说道："这位提司大人的命真好，陛下昨夜才决定今年要查科场弊案，他就送了这么份礼物来。"

言若海对于那位从来没有见过面的提司也是极为好奇，不知道对方是如何能拿到那些名单，轻声地应道："早该查了。"

陈萍萍挥挥手，让属下自去各府安排，准备数日后的大动作，却将言若海留了下来。半晌之后，他才寒声说道："知道他身份的有很多人，这件事情无法保密，陛下还想给太子留些颜面，东宫那边的人不要动。"

"那宰相？"言若海忽然间灵光一闪，猜出了提司的身份，极为震惊。

陈萍萍眯着眼睛看着他："你既然知道他是谁，还想动他岳父？"

"其实这些人都不能动。"言若海苦笑道，"除了太子，一位是宫中贵人，一位是宰相，还有一位是枢密院元老。院子与军方关系一向良好，总不能为了这些小事撕破脸。"

"三条线都要动，但都不要追到根上，不然朝野震动，连陛下都无法收场。这些做臣子的或许就是猜到陛下不可能因为科场弊案而穷治天下官吏，这些年才会如此大胆。"陈萍萍忽然笑了起来，那笑容有些阴寒，"但他们没有想到，世上还有人的胆子比他们还要大，居然一反手就卖了这么多人。"

言若海皱眉道："提司大人此举大为不妥，一下子得罪这么多贵人，如何收场？"

"他这是把题目交给老夫在做。"陈萍萍的脸色不知道是阴怒还是狂躁，总之心情不怎么好，"他把这名单送过来就是告诉我，他不想被人牵着鼻子走，要我帮着处理！"

言若海不敢接话，心里却是更加震惊，那位提司究竟与陈院长是什么关系？居然敢如此行事？而且看大人的表情竟似真的准备按照他的方略去做！

陈萍萍回复了冷静，说道："有意思，果然有些意思。"

言若海好奇地问道："范提司这样做，对他有什么好处？"

"这个世界上总是有些怪人，不是为了给自己谋好处做事的。"陈萍萍不知道想到了什么，脸上流露出一种很少见的尊敬神情。言若海在院长提到陛下时甚至都没有见到过，不由得微微低头，说道："请示下，此次查科场弊案，最上可到哪级？"

陈萍萍寒声说道："陛下觉得郭家把持礼部太久了。"

"明白。"

"目前一处没人，沐铁不够聪明，此事由你领头。"

"是。"

春闱已经进入了第三轮。范闲拿起温热的湿毛巾擦了擦眼角，发现最近几天确实有些疲乏，眼屎都多了起来，不由得苦笑着伸了个懒腰。再细细去看那些趴在桌子上睡觉的学生，心想连自己这做考官的都如此辛苦，学生更是可怜。

今日是最后一天，虽然家中时常送些醒神的东西和吃食过来，但他的身体和精神已经疲乏到了极点，打了个呵欠，走到那个名叫杨万里的考生身边。这几天，杨万里倒是老实得很，夹在衣服里的那些东西还真是一动未动，让他有些满意。更让他意外的是，此人竟然胸中颇有才学，几道疏论做得虽不是滴水不漏，见解走的也不是堂而皇之的路线，但胜在切实、不饰虚华，倒合了范闲的性子。监察院那位叫姜瑞的官员回报也来了，说这杨万里家境贫寒，自幼在泉州族学读书，乡试的成绩也是极好。

最后一场试题已经做完了，杨万里正满脸倦容地在查看有没有什么纰漏，余光瞥见小范大人又一次来到自己身边，不免有些紧张。

考院中自然不能交谈，但折腾了几天之后杨万里神思已然有些恍惚，竟是大着胆子捏了捏自己的衣襟，然后可怜兮兮地看了范闲一眼，似乎是在问这位年轻的考官，当初在考院之外，是如何发现自己夹带的。

范闲忍俊不禁，心想凭你的才学用得着使这些手段吗？也不方便与他说话，只是将右手食指轻轻点了点杨万里的被褥。

杨万里一头雾水，低头望去，只见自己身后那团像黑老枣般的被褥，再看看自己身上虽然数日不洗却依然透出清贵气的绸缎长衫，便知道自己的马脚是如何露出来的了。试想哪有一位能穿得起水洗绸长衫的考生，会扛那样一卷黑不拉叽的被褥进场，不由得憨憨地笑了一声。

范闲微微一笑，心头做了决断，负手于身后，继续向前走去。

时已入夜，考生们陆续离开考院。

经过数日折磨，众人早已是委顿不堪，呵欠连天，浑身酸臭，一脸惘然。还剩下一些笔头慢的学生犹在伏案咬笔，又有些学生却是在灯下和衣睡着，没到时间也没有考官去管他。

礼部之侧铜驼巷中忽然响起一声锣，锣声清脆，似乎要唤醒笼盖在京都上空的夜色。

"时辰到，停笔。"

随着一声喝，礼部官员们开始清场，将那些犹自抓着毛笔不放的学生向院外赶去。有位至少有四十多岁的考生，头发已经花白，试卷却还没有做完，哭号着死不肯离开自己的书案，结果惨被几位监察院的吏员生生架了出去。良久之后，众人似乎还能听到那位考生嘤嘤切切、鬼哭一般的难听声音，在礼部考院之外回荡着。

范闲叹了一口气，心里却没有什么同情——这个世界、那个世界都是一样的，你能够做什么、适合做什么其实全看你自己的努力罢了。他并非是冷漠无情之人，只是对于他来说，考生们的会试结束了，他自己的会试却才刚刚开始。

春闱结束当夜便要马上封卷，这是范闲的职司。总裁官与两位座师提调高坐堂中，也不敢离开，全等着范闲领人完成糊名抄录这两道手续才能封卷画押。

明烛大亮，礼部二衙里一片繁忙景象。外间是数十位老吏在分割试卷、分类整理。另一个小房间里，则是范闲一面揉着太阳穴，一面看着两位礼部的官员进行糊名。

所有试卷糊名之前都要先送到范闲面前过一道，范闲看着卷子上的名字，与那四张纸条上的名字做着对应，从里面挑了十数张卷子，不引人注意地搁在了自己的右手边。在他侧方的那两位礼部官员低着头互视一眼，知道那十几张卷子是朝里宫里的大人物打过招呼的。

做完了手头的事情，范闲示意开始糊名，那两位礼部官员不敢怠慢，赶紧将试卷上的学子姓名、籍贯一处用纸张盖住。

范闲也不避嫌，细细在旁看着，终于发现了这些官员是怎样做的。原来但凡他挑出来的卷子，糊名时所用的纸条会比一般学生糊名的纸条略微短上一点。

看着礼部官员严肃地在自己挑的试卷上郑重糊上短纸条，范闲忍不住笑了起来，心想如果日后郭攸之知道，这些试卷并不全是朝中大员所请，有几份却是自己看中的真有才学之人的卷子，比如那个叫杨万里的憨人，郭老匹夫会不会气得吐血？

糊名时长短相差极少的那一点纸，随意看去绝对看不出什么古怪，但如果抄录的官员心中有数，一定能分辨出来。范闲看着杨万里的卷子被糊上一截短纸后，心情无来由地变得极佳，忍不住开口问道："就算挑出来了，抄录的时候怎么做记号？"

礼部官员有些为难地笑了笑，知道这位新晋红人还是不大了解规矩，小心地回答道："小范大人，抄录时只要在某些字的笔画上下功夫，那批卷的大人自然就明白了。"

范闲恍然大悟，赞叹道："就算批卷的大人不知道是谁，但只要知道是正确的人就成。"

"是啊，大人。"礼部官员礼貌地回答道，却在腹诽这位才名惊天下的年轻人连官场规矩都不知道。殊不知此时范闲也在暗骂这些人的愚蠢，如果不是官员们太过嚣张，这种漏洞百出的老规矩居然沿袭这么多年，自己也不可能利用其中漏洞为那些真正的读书人做些事情。

当然他也明白，之所以这个方法一直通行，是因为在这件事情上不论是不是政敌，都已经默认了这种分西瓜的手段，除了他这个疯子，哪有什么官员敢多生事端？

一夜忙碌，能够决定无数士子人生的春闱终于结束。官员们揉着发困的双眼，聚在了正厅之中，听着本次春闱的总裁官、礼部尚书郭攸之大人训话。

一番毫无新意的说辞、为国取才的谎话后，郭攸之挥手让诸位下层官吏散了，然后和蔼地望着范闲说道："小范大人这几日也辛苦了。"

范闲强打精神笑道："大人不敢言苦，何况下官。"

郭攸之微笑道："大家都辛苦。"此时在场的几位高级官员都明白此次春闱的内情究竟如何，除了太学学正，谁都捞了极大好处。范闲并不知道前几日里早有人将他应得的一份银两送入了范府，那个数目竟是比澹泊书局半年的收入还要多。

接连数日的会试，整个考院都弥漫着一股黄白之物的馊臭味。范闲站在石阶上，用手捂着鼻子，最后看了一眼黑暗的试院，脸上浮现出一丝满足的笑容。

他来到这个世界已经很多年了，只知道自己要活下去，却不知道自己应该怎样活下去。直到下定决心做这件事情之后，才发现原来做一个好人感觉还真的不错。

当然，好人不是迂腐的老好人的意思。

范闲离开了这个臭气熏天的考院，院门口早有范府的马车等着了。上车后，他接过藤子京递过来的毛巾，胡乱擦了一下脸，疲惫地问道："父亲对我的做法有什么意见没有？"

"没有。"藤子京将自己受过伤的大腿挪了一挪，"但老爷有些不高兴，总觉得少爷应该提前和宰相大人知会一声。此事牵连范围太广，若真惹得众怒，只怕相爷与老爷都极难回护您。"

范闲笑了笑，没有说什么。心想自己后面还有个监察院，更关键的是陈萍萍让王启年传过话，陛下今年准备整顿吏治，他只是顺势而为罢了。

后几日京都里风平浪静，监察院方面隐藏在暗中的力量动了起来，在三甲名单出笼之前，一直没有什么惊悚的消息在官场传开。而最后定三甲，范闲偷偷塞进去的那些人居然没有被剔出，很明显在太学和礼部里，都有陈萍萍那个恐怖老人的眼线，在暗中帮助范闲隐藏。

郭攸之那些高官或许是前些年科场舞弊做得太顺手，身后又有东宫之类的大主子做靠山，关注明显不够，竟没有看出那么明显的问题。

二月二十二日，道路两旁春枝渐展，枝上小鸟成双成对，正是喜气盈盈的春之佳时。地处京都西侧距太学不远处的客栈里，等待消息的各地学子们都心慌慌地聚集在楼下，桌上没有摆什么酒菜，因为这些学生们此时根本无心饮食，将心思全放在了打听消息上面。

"没戏。"一位山东路的学生苦笑着摇头道，"估计今次还是没戏。"

"佳林兄何出此言？"坐在他旁边的那位学生面色微黑，正是那位在考院上与范闲有过目光对视的杨万里。

杨万里来自泉州，时常在海边谋生活，与那些出身豪贵、前半生尽在书堂里度过的才子书生大不相同。可以看得出来，他的心情倒是极为放松，从桌上夹了一筷老醋泡花生吃了，一面嚼着，一面含糊不清地说道："佳林兄乃是山东路出名的人物，一手策论写得精彩至极，前几日大家看过之后都是赞不绝口。至于小弟本来就不擅此道，文字功夫不成，虽然自信若牧一县足以，但肯定是没有什么可能上榜。"

那位成佳林来自山东路，今次已经是第三次参加会试了，他苦笑着压低声音说道："这些事情难道你我还不清楚？每科取的人只有那么多，朝中大员们托几个，宫中定几个，太学的取几个学生。我们或许在家乡有些名气，放在这京中又算是什么？就算朝廷想找几个有才之人做陪衬，以堵天下士子之口，也有大把京中名士可选，怎么也轮不到我们头上来。"

酒桌上另一位读书人面相精瘦，看上去不是有福之人，或许是喝得多了，胸中又有积郁不能发，说话极为大胆，此时他冷笑道："佳林兄说法不错，我看这科举日后还是不要再考的好，免得你们二人还要浪费这么多银钱做路费。什么狗屁会试，不过是朝中高官们给自己挑狗罢了！"

成佳林面色一黯，接着却是微微一惧，劝告道："季常兄声音小些，若让监察院的密探听着，不说你我仕途如何，只怕连身家性命都有问题。"

那位季常兄姓侯，也是个极不爱走权贵路子的怪人。虽说在京中薄有才名，与贺宗纬并称，但就因为他那张利嘴、那等性子，故而一直有些落寞，此时听着友人担心话语，不由哈哈大笑道："监察院虽然恐怖，但那些密探又怎会瞧得起你我这些小人物？他们如果真的厉害，怎么不去盯盯科场之上的弊案？"

杨万里摇头道："监察院虽然口碑一向极差，但在监督吏治上确实极有用处。"

侯季常摆摆手指头道："官家哪有清白人？若寄望于监察院，岂不是与虎谋皮。"

杨万里反驳道："官也是读书人里选出来的，哪里可能全是坏人，我看……"一时间他竟是在京都出名的官员中找不到一个以清明著称的人物，不免有些讷讷，半晌后忽然眼睛一亮说道："我看太学奉正范闲大人就是个极好的官。"

他身旁两位友人自然知道杨万里在衣衫里夹带被小范大人揪出来的事情，不由得齐声取笑道："原来让你考完便是好官，这好官也真简单了些。"

三人又说笑了几句，酒渐上头，不免开始低声骂起朝廷里的弊端，又扯回前面说若监察院真肯彻查弊案的话，这科场风气或许还真有可能好转。正此时，忽听得客栈外一阵喧哗，三人好奇地站了起来，听着有士子在外狂喜嘶吼道："科场弊案发，礼部尚书郭攸之夺职入狱！"

轰的一声，春雷在京都的上空炸响，一阵清新春雨洒向客栈内外的学生身上。

稀稀疏疏的雨点，落在客栈四周，伴着雨点，时不时还有一道春雷响起，那些学生们却似乎呆了，傻乎乎地站在客栈内外的细雨中。

许久之后，才有人回过神来，向先前喊话的那个学生围了过去，好一阵扰攘，就像是炸开了一般，七嘴八舌问着到底发生了什么事情。侯季常、杨万里三人脸上也露出了激动的神色，却强压着内心的冲动，只是走到了栏边，听着众人的对话。

问话的人太多，答话的却只有一个，弄了半天才听明白，原来昨夜监察院竟是出动了一百多名密探，直接封了郭府，另外又暗中捉了四个江南来的学子。由于动作极快，消息被封锁了整夜，直到早朝之时，皇帝陛下才淡淡地说道，他已经颁旨令监察院详察本次科场弊案，朝堂顿时陷入混乱，诸位大臣才知道为什么礼部尚书郭攸之会没有站在殿上。内心深处真正一片平静的，只有宰相大人、户部尚书大人。当然，还有那位依然没有上朝的监察院陈萍萍大人。

监察院的行动极快极准，尤其是抓四个江南士子的队伍当场搜出了他们与某些官员来往的书信，而在郭府中更是查抄出来了数目相当惊人的银两。据初步的调查结果显示，这四个江南士子家中均是一方豪强，其中有三家盐商，此次入京赶考携带了大批金银，走了许多路子，终于投到了郭尚书的门下。

郭攸之已经入了监察院大狱，那四个江南士子自然也随之而入，监察院四处更是从昨日起就开始令江南分部着手拿人，务求办成铁案。因为名义上这四位江南士子是买通了春闱总裁官郭尚书，实际上大部分的银钱却是递进了东宫……当然，这些细节学生们不会知道一丝一毫，只知道在雨中痛骂郭尚书，竟是连郭家的家人都没有放过。

陛下彻查科场弊案的决心极大，除了礼部，至少还有十数位官员被停职待查。据传言，之所以此次查得如此之快，捉得如此之准，全因为一份名单。那名单上面写着此次春闱与朝中官员们勾结的士子名字，监察院由士子着手反推而索，成效极佳。

侯季常震惊地从栏边走回酒桌，举起酒杯倾入喉中，不觉酒水辛辣，出神地说道："没想到，真的没想到。"

"没想到什么？"杨万里与成佳林二人也没有从这惊天的消息里回过神来。

侯季常哈哈一笑，重重一拍桌面，说道："没想到监察院出手如此之准、如此之狠，竟能搞到能致朝中贵人于死地的名单。"他端起酒壶，给二位朋友杯中倒满，举杯相邀，满脸兴奋地说："来，咱们敬监察院一杯！"

"干！"杨成二人兴奋地举杯而尽。

客栈中全是兴奋的年轻学子在邀人痛饮。官场积弊已久，谁都知道不可能靠捉住一位礼部尚书就完全改变这积弊，但正所谓万里之行始于足下，只要陛下发现问题，愿意解决这个问题就好。这些年轻的、有朝气的，甚至可以说是单纯至极的读书人都相信庆国的未来一定会变得更加美好。

良久之后，酒意渐上，杨万里迷离着双眼，有些傻傻地笑道："真是痛快，就算此次不中，但能身逢如此惊天之事发生，也算是痛快了一回。"

成佳林喝得少些，人也最清醒，他对于仕途向来热衷，有些迟疑地问道："既然此次科场弊案已经揭开了，那……此次春闱会不会重考？"

"不会。"侯季常在几壶酒下肚之后，清瘦的脸上却平静了起来，眸子极为清亮，"这只是陛下的一次警告，而且有过先例。十二年前天下初定，春闱事变，斩了十四位礼部官员，但是春闱的成绩依然照常发布，只是那些与官员有染的学生被除名，由后面的补了上来。"

"那……咱们岂不是有机会了？"杨万里慈慈地笑着，本性纯良的他想问题很简单，"三甲只有这么些名额，等那些走歪门邪道的仁兄被除名，我们的机会就大多了。"

侯季常冷笑道："如果不是有真正的贵人也在做这件事情，郭尚书哪里敢在这国之大典上动手脚。那些贵人要保的学生只怕更多，只不过剔了四个盐商的儿子，于大势又有何补？"

二人心想果然如此，脸色有些黯然。半晌后，杨万里忽然一拍桌子，笑道："不论如何，这也算是一桩痛快事。去年京里最轰动的便是那场言纸，逼着长公主回了信阳。今年最轰动的，恐怕便是这份黑名单了，居然生生掀翻了一个当朝尚书。"

成佳林面有忧色地说："等明天三甲出来了再说吧。"

侯季常与杨万里知道他的性子，对于此次春闱依然保有幻想，也不去理他，说道："我得去把史阐立那小子从床上拉起来，告诉他这个好消息。"

杨万里笑道："记得让他买些吃食。"

"漂亮，真漂亮。"范闲轻轻弹着王启年带过来的纸，心情大佳。婉儿坐在他身旁，有些担心地问道："你不担心太子哥哥知道是你告发的弊案？"

今天范闲被父亲重重训斥了一顿，破天荒地被禁了足，只得老老实实待在府里。他知道自己做的确实有些过于荒唐，当然如果不是事先从院里得到消息，知道皇帝陛下今年准备杀鸡儆猴，范闲也不敢与满朝文武为敌。其实那份名单算不得什么秘辛，范闲有纸条，那些座师提调谁手里没几张？单看这种光明正大的声势，就知道庆国官场早已习以为常。也正因为如此，此次监察院查弊案才会出乎所有人的意料，一时间没有谁怀疑到范闲头上来。

"你那位太子哥哥的胆子太大，手段太差，这满朝文武也是一群胆大包天的糊涂蛋！春闱舞弊是何等样的大事，竟然闹得天下皆知，就算我不告发，陛下要查，难道他们还能瞒住？"

婉儿静静地看着他的脸说："以后不要这么行险了，世上没有不过风的墙，若真让人知道此事与你有关，日后怎么办？"

"凉拌。"范闲又说了一个妻子听不懂的俏皮话，"就算知道了又如何？"

婉儿叹了一口气，心想自己这位相公知书达礼，满腹诗华，外表看似平稳，但谁也闹不准他什么时候会做出一些癫狂的事情来。

范闲知道她担心自己，说道："此事的关键还是宫中。科举是什么？是陛下为自己收拢人才的手段，他能容忍朝中官员用科举的名额来换取财富，但不能容忍所有的名额都被用来换取不义之财。更何况太子和大皇子都在这件事情里插了手，咱们的皇帝舅舅不得不要问一句……自己这两个儿子到底想做什么？"

婉儿有些听不明白，好奇地说道："自然是要培植自己日后在朝中的势力。"

范闲笑着继续问道："那陛下就要问了，你培植自己的势力做什么？大皇子可是个领兵的人，在朝中要这么大的势力做什么？"

婉儿苦笑道："那太子哥哥呢？他是一国储君，培养人才倒算是说得过去，毕竟他将来也是要执掌国朝的天子。以往在东宫听太傅讲课，太傅曾经说过，东宫不能无为，不惧流言，率先准备一些臣子以备将来之用，这才算是真正的赤忠，天子家的孝义。"

范闲嘲讽地说道："太傅文章大约是好的，道理肯定是对的，但问题是陛下身体健康，东宫这时候就开始培养人才，陛下难道不会问自己一句……太子难道着急了？"

婉儿倒吸一口凉气，发现确实是这样，又听到范闲继续说道："所以说陛下能忍一时不能忍一世，能忍百官不能忍自己的儿子。陛下不想便罢了，只要开始想，便无法控制地会怀疑很多的人和事，整顿科场弊案也就成了自然之举。"

林婉儿将头靠在他的怀里，轻声说道："这些事情说起来也简单，若我愿意想也能想明白，为什么太子哥哥他们想不明白？"

"不是想不明白，是太子本身开始有了不安全感。"范闲想到年初时皇帝陛下给三位成年皇子的赏赐，那里面含着的深意他也看不大明白。想来不论是太子还是大皇子都有些惊悚不安，此次科场上才会把手伸得如此长。

林婉儿叹了一口气道："我也不求你如何，只要平安便好。"

"富贵闲人，固我所愿也。"范闲笑着应道，想到贾宝玉的那个外号，接着说道，"只是有些事情看不惯，总会犯犯嫌，我与父亲大人的名字取得都不怎么好。"

见他打趣家翁，林婉儿忍不住扑哧一声笑了出来，然后问道："那边应该没什么问题吧？"

"放心，父亲当天夜里就去了相府。"范闲赞叹道，"所以我先前说监察院这事办得漂亮，你看看最近落网的这些官员，除了郭尚书，东宫、枢密院里都有人落马。岳丈那边虽然也损了一位右侍郎，毕竟没有伤筋动骨，这种分寸感如果不是浸淫官场数十年的老手来办，断然不能掌握得如此炉火纯青。"

"这很难吗？"林婉儿微笑着问道。范闲手指轻轻从妻子的黑发间梳过，回答道："很难，要让那些势力痛，又不能让他们痛死，免得陛下不好处理。"

说完这话，他的眉间涌出淡淡忧色。

"怎么了？"心细如发的婉儿抱紧了相公的胳膊，关心地问道。

范闲说道："我本以为这次揭弊案一定瞒不住天下人，没想到监察院将我掩护得极好，不过你说的对，这个世上没有水泥墙，东宫最终会知道我与监察院的关系。而且庆国的疯子太多，这时候我在担心那个跛了的疯子。"

"陈萍萍？"林婉儿知道他说的是谁，但并不清楚相公除了告发弊案之外，与监察院那个鬼地方还有什么联系，所以有些疑惑，这疑惑太过强烈，甚至掩去了'水泥墙'这三个字。

范闲说道："我担心陈萍萍从一开始就没想着要瞒这件事情。"

"他敢！"

每一个少女都喜欢自己的相公是个满心正义感的英雄，所以范闲此次暗中告发弊案，林婉儿有些担心，但内心深处是满足与骄傲，此时听着陈萍萍要将相公推到世人面前，一想到那种危险，娇躯一震，郡主之气大作，喝道："我明天就入宫找太后去！"

范闲见状哈哈大笑，安慰道："陈萍萍就算将我托出来，存的也不是什么坏念头。"

在夜宴诗会之后，如果他想再次提升自己的地位名声，此次揭弊案无疑是最好的机会。按照费介老师所言，既然母亲的亲密战友陈萍萍一直不甘心自己当个内库富家翁，非要让自己执掌监察院，那借着春闱弊案让自己猛然跃出众生，也不是不可能的。

——问题在于，得到与失去的比例到底是多少，这一点他还有些拿不准。

此次揭弊案，是因为他确实可怜那些真有才学的士子，二是不忿皇子们把自己当绳子一样在拔，最重要的原因却是他想最后试一次陈萍萍。他将去北齐，所以必须清楚那个实力恐怖的监察院老人对自己究竟是什么态度，同时更想看清楚，那位隐在老人背后的九五至尊对自己究竟是什么态度。态度决定一切，态度决定关系，态度可以揭示历史，可以揭示……身世。

　　范闲微微眯眼，透着烙印着母亲气息的玻璃窗，看着天上的乌云，觉得庆国的一切就像一道有趣的脑筋急转弯，而自己似乎一直行走在无限接近真相的道路上。

　　也许，目标已经很近了。

第十三章

侧伞为圣人

　　范府外微湿的长街上，一辆没有标记的马车安静地停在那儿，一个人影从里面像落叶一般飘了出来，在将要降落地面的时候，他右掌在车厢沿上一搭，整个人立即钻入了车里。

　　"走。"范闲屁股刚刚坐到椅上就发了话。藤子京从御者的位置上回头看了少爷一眼，苦笑道："少爷，如果老爷知道这时节你还出门，会教训小的。"

　　范闲笑得更苦："再不赶紧走，不止老爷要拿棍子打我这不孝子，就连你那位温柔的少奶奶都要拿绳子来绑我了，幸亏我还有你这么一个心腹。"

　　礼部尚书郭攸之下狱的消息只用了一个时辰就传遍了整座京都，但凡与春闱有关的官员们都坐立不安地留在家中，生怕一会儿之后，监察院的密探会来敲门，然后客客气气地请自己去喝茶。范闲身为弊案的关键人物，深知内情的范建与林婉儿更是不敢放他出门。

　　一直安静地坐在他身边的王启年，笑容明显变成了最苦的那个，只听他愁眉苦脸地说道："大人，下官一直想努力成为你的心腹。"

　　范闲哈哈地笑了起来，调笑道："王启年，你应该去说相声。"

　　马鞭一响，黑色的马车缓缓向前行去，车轮碾过街上的水洼。四周的青树被雨水一洗，更显青嫩，马车后方有几个监察院的密探穿着各色雨具远远跟着这辆马车。

"如果有人报复怎么办？我这里的人手有些不足。"王启年有些担心。

范闲微微一笑，眸子里寒意一现："现在不是当初，我们要去的地方也不是牛栏街，本官倒想看看，除了那个疯婆子，还有谁敢在京都、在圣上的眼皮下面刺杀我。"

"去哪里？"藤子京低声问道。

范闲看了王启年一眼，王启年轻声说了个地名，然后解释道："很凑巧，大人看上的那几名学生都住在一家客栈里。"

马车在叠衣巷的外面停了下来，空中还落着小雨，范闲下车后与藤子京二人撑着纸伞往里走去，王启年早已消失在人群中。

叠衣巷是外郡来京举子聚居的地方，今天京里又爆发了科场弊案，此时这里人声鼎沸，拥挤得厉害。范闲举着伞，小心翼翼地从街沿往里走着，伞面略微向外倾着，免得伞上的雨水落到街边檐下避雨的小贩锅中。

"借光借光。"一位身材瘦削的读书人急切喊着，手里提着两壶酒，擦过范闲二人的身边，朝着前方急奔，竟是不畏由天而降的雨水，路过时回头看了范闲一眼。

范闲举着伞，看着消失在雨中的那人，摇头笑道："这和当初毕业时的那群疯子多像。只要考试完了，就得狂醉一番。"他还是有些遗憾当初因为身体的原因无法参加学校的毕业宴。

藤子京听得不是很明白，依然解释道："估摸着是郭攸之倒台，让这些学生如此兴奋。"

"郭尚书的风评很差吗？"范闲随意往前行着，看着就像是个喜欢在雨中散步的公子哥儿。

藤子京笑道："京官没几个风评好的。庄里有句俗话，若将六部的官员排队砍了脑袋，估摸着能有一个是冤枉的。"

范闲哈哈一笑，心想前世时也有这种笑话，打趣道："那你说我父亲是不是被冤枉的那个？"

世人皆知，司南伯范建先为户部侍郎，后为尚书，不知道从国库里捞了多少银子。若说大贪官，范闲的父亲、岳父，只怕是逃不出前三名。但这话藤子京哪里敢说，听着少爷这问题，冷汗开始往后背里钻，苦笑道："少爷，小的失言，您可千万别介意。"

"贪官怕什么？世人不患官贪，却患这官贪而无能。"

"公子这话不妥。"忽然有个人毫不客气地从旁钻进了范闲的伞里避雨，手里捧着一个纸包的烧鸡，烧鸡的微焦香味连这漫天雨丝都掩不住。

雨一直落下来，巷中行人里的几把伞像几株可怜的花儿一样开放着。

范闲微笑地看了这个莽撞的年轻人一眼，发现对方身上已经湿了一大片，便没有再说什么。如果对方真是个歹人的话，先前那一瞬间，他至少有五种方法让对方马上丧失行动能力。

这只是一个买烧鸡去凑酒席的穷书生。范闲举伞往前走去。他走得潇洒，那位挤进伞里的年轻人也是潇洒，竟不多说一句，借他的布伞挡着满天雨丝，神态自若地跟上前去。

同伞而行数十步，范闲越发觉着这年轻人的性情有些可爱，偏头打量了一番，发现此人长相虽普通，两抹眉毛却极浓，就像是被人用毛笔厚厚涂了一般。

藤子京落后两步跟着。

伞下二人依然沉默前行，不知道是在比拼着耐心还是什么，终究还是范闲微笑着发问："先前说不妥，不知哪里不妥？"

见伞主发话，那位年轻书生极有礼貌地笑了笑，说道："官若贪了，自然不会将心思放在政事上，所以若想贪官有能，本身就是件极可笑的事情。"

范闲笑了笑，发现伞下并不能容下两人，年轻书生的右肩已经湿了一大块，于是悄悄将伞往那边挪了挪，应道："贪官疏于政事，也总比什么都不会的人做官之后一通瞎弄好一些。"

年轻书生一挑眉毛，似乎有些不解："只要肯做事，总比荒废政事要好些。"

范闲握着伞把的手紧了紧，说道："一条河堤，不修的话大概隔几年就会决一次。如果一个不会河工的清官在河堤上一阵瞎修，说不定每年都会决几次口。你说那些在沿河居住的百姓，到底是希望郡上是个无能勤勉的清官，还是个无能懒惰的贪官？"

年轻书生一时语塞，半晌之后呵呵笑道："这怕也是特例，一任父母官总有些事情是必须要做的，比如量田发粮，赈灾济民，断讼决狱。如果是个懒官，这治下只怕也会乱七八糟。"

范闲笑了笑，说道："所以关键在于能力，还不是在清或贪。"

他这看法不见得正确，说来还是受了前世那些官场小说的影响，但这种论点在如今庆国倒也颇为新鲜。那位与他共伞的年轻书生不免来了兴趣，追问道："如果一个官员有能力，却十分贪腐，难道朝廷就由着他去？"

范闲听他这样一说，便想起了自己的老丈人、庆国著名的奸相林若甫，世人皆知其贪，但陛下深知其能，故而一直任用至今，只好说道："吏治本就艰难，哪有简单有效的法子。不过若只求朝廷监管，自修德养，便奢求官场清明，未免有些异想天开。"

"朝廷若加强监管力度，难道不能防治贪腐？"年轻书生皱着眉头，粗眉如椽挤作一堆，"就说今日那位礼部尚书郭攸之然下狱，如果监察院前些年也如今次一般，科场的风气怎会败坏成如今的模样。"

范闲在这方面没有什么高见，骨子里却有些清谈不怕误国的劲儿，兴致一起就接下话去："若是监察院陈院长向郭攸之行贿，让他的子侄被录入头等之中，那你说谁去监管此事？"

年轻书生不以为然道："自然还有陛下神目如电。"

范闲更加不以为然回道："以一人治天下，哪里如此容易？"

他清楚皇帝一定还有暗中的手段在制衡独大的监察院，在这些手段里甚至可能还包括父亲一直没有显露出来的力量，但他对于当皇帝这种工作一向嗤之以鼻，也不认为将天下视作一碗肥肉的天子会有那个闲心去理会官场上所有的不公。

来到一间客栈外面，那年轻书生温和一笑说道："谢谢公子半伞之赐，我已到了。"

范闲将伞侧了一侧，瞄了眼客栈上的店名，发现真巧，居然也是自己要找的地方，笑道："我与你一同进去吧，我来找人。"

客栈的名字很俗很大众——同福客栈。

与年轻书生入客栈的时候，知道了对方名叫史阐立，也是此次入京的考生。范闲不方便说出自己姓名，只是告诉对方自己姓范。

"范公子来寻什么人？"史阐立此时才从这位公子身上的服饰发现对方一定是位权贵子弟，故而说话不像先前伞下那般无拘，多了分矜持，"我来访友，日后有缘再见吧。"

史阐立说完这话，向范闲行了一礼，便往客栈前堂的角落里走去。那里有一方酒桌，桌旁有两个学生模样的人正在斗酒，旁边一位已经酒醉不知人事，伏桌而睡。酒桌上并没有摆放什么菜肴，看来是在等他的烧鸡。

范闲眼睛一眯，便看清楚那桌旁醉着的人就是自己要寻访的杨万里，便微微一笑，跟着史阐立往那酒桌走去。

史阐立却不知道他还跟在自己身后，将油纸包好的烧鸡往桌上一放，对着停住拼酒的二人笑骂道："好你个侯季常，喊我送菜来，却不将酒给我留一些。"

侯季常笑道："我这酒也是先前才在巷口打来的劣酒，口味虽不好，量却是足的，给你介绍一下，这位是山东路的才子成佳林。"他刚把手伸向成佳林的方向，却愕然发现史阐立的身后站着一位满脸笑容、清秀无比的公子哥，偏偏这公子哥看上去似乎还有些眼熟。

"史兄，这位是？"侯季常疑惑地问道。

史阐立一怔，回头才发现范闲竟是跟着自己来了这酒桌，遂苦笑着说道："范公子，只是借了半片伞，不至于还要收躲雨钱吧。"

范闲看出对方对自己似乎有些忌惮，想来是猜出自己出身豪贵，不敢亲近，于是笑着说道："不敢收钱，只是有些口馋史公子带的这烧鸡。"

史阐立无可奈何地说道："范公子不是来寻人吗？"

"踏破铁鞋无觅处，得来全不费功夫。"范闲微笑着说，当初在流晶河畔初见圣颜的时候便曾经拽过这两句话，结果一点反应也没有，今天用在这些读书人身上自然不同。果不其然侯季常等人马上明白了是什么意思，大感有趣，问道："范公子竟是来寻我们的？"

范闲指指醉中的杨万里说道："我与杨公子有故，今日特意前来拜访。"

侯季常笑道："还从未听说万里在京中有这等豪阔的朋友。来来来，范公子请坐，淡酒烧鸡，不嫌弃就好。"史阐立本来就有些喜欢范闲的谈吐，此时见他既然是友人之友，也不再端着架子，笑着让出座来。那边成佳林却是推了半天杨万里没有推醒，不由得向范闲笑了笑。范闲倒是好奇另一件事，对侯季常拱手一礼道："不知这位兄台如何称呼？"

"侯季常。"

"侯公子为何认定在下就是个豪阔的公子哥？"范闲听着"季常"二字便忍不住想笑，问道，"在下自忖生得不是肥头大耳，也不是那种一看就是终日饱食无事之徒。"

侯季常笑着告了个歉，道："公子这身衣衫就值不少银子，哪里是一般读书人能穿得起的。至于'豪阔'二字，只是我们向来开玩笑惯了，请莫要介意。"他总觉着这位公子面熟，但酒后有些眼花，所以老想不起来。

"哪里哪里。"范闲温和一笑，自在桌边坐了下来。读书人都有酒脱劲，多了位不速之客倒也不是太在意，反正杨万里一时半会儿也醒不过来。成佳林劝了范闲几杯，侯季常与史阐立二人倒是旁若无人地拼起了酒。酒未足，意欲满时，又开始坐而论道。

不是玄之又玄的道，却是国家经济民生之道。范闲在一旁拿了只鸡腿慢条斯理地啃着，一边竖着耳朵听这二人辩论。他发现侯季常的想法有些偏法家的感觉，极重律法，而史阐立却是个感性人物，极重教化。只是说来说去，偏法家的并不一味求苛，讲教化的也不是一味劝谕，倒真是两个看事极明的读书人。偶尔说到各路政事，也是细细辨析，并不一味泛谈，更不像一般书生那般总将目光放在'天下'二字上，却不知道这'天下'二字比世上绝大多数人的眼帘要宽大太多。

范闲越听越是得意。这侯季常的名字可是自己糊名的对象之一，看来自己的眼光确实不错。只是这位史阐立性情温和洒脱，怎么考院中却没有什么印象？正得意间，忽听着性情温和的史阐立一拍酒桌，怒斥道："说来说去，全怪那位小范大人不好！"

范闲不由得一惊，下一刻才发现酒桌上的谈话已经由官场转入文场，自然不免会谈到去年诗名惊天下的他。他端着酒杯抿着，心想这个家伙敢说自己一句坏话，就把手里这杯酒水泼将出去。

不料史阐立却长身而起，面露桃花之色，口颂肉麻之语，怆然涕下道："手捧《半闲斋诗集》读了数月，今后哪里还看得下旁人诗篇？自己又如何还有胆量再提笔落纸？虽说有几首诗我还是觉着有些怪异，但小范在前，小史何以自处？悲乎哉，悲乎哉。"

范闲眉开眼笑，想到了那些批评领导同志太不注意休息的可爱人们。侯季常却有些不以为然地说道："诗文乃外道，经世治国又有何助？"说完这话，又转向冷落了半天的范闲求助道，"不知范公子意下如何？"他忍不住又看了范闲两眼，忽然哎哟一声说道："原来是你！"

范闲再惊，心想难道被对方认出来了？考院里的灯光可不怎么明亮，除了杨万里这种憨人敢直视自己、敢用目光对话之外，还真没有太多人敢端详自己这个考官的面容。

侯季常下一句来得极快："先前我买酒路上曾经与范公子擦肩而过。"

范闲马上想了起来，原来对方就是那个提着两壶酒的书生。不知道为什么，侯季常马上显得对范闲亲热了许多，热切地说起话来。不止范闲有些奇怪，史阐立也有些摸不着头脑。

"范公子与那位小范大人同宗，不妨说说对于小范大人《半闲斋诗集》的看法。"

"不过是拾前人牙慧而已。"范闲脸皮再厚，也不好意思当着别人的面对自己一顿猛夸。

谁知道史阐立听着这话却怒了，将筷子一搁说道："难道范公子也与那位庄大家一般？我本极敬重庄墨韩，却料不得是个糊涂老贼。范公子若少读诗书，还是不要胡言乱语为好！"

此时，杨万里终于在成佳林的照顾下悠悠醒了过来，入眼处便是范闲那张漂亮的脸，顿时吓得不轻，赶紧站起身来，对范闲一礼说道："范大……大人……怎会在此？"

"范大人？哪位范大人？"酒桌上另三人一头雾水，不知道杨万里为何如此紧张。

杨万里苦笑道："这位便是先前提到的那位，放学生入考院的小范大人……史兄，你不是最喜《半闲斋》之诗，还不赶紧上前拜见。"

史阐立这才知道自己出言训斥的竟然就是范闲本人！

他直接从凳子上蹦了起来，对着范闲拜也不是，不拜也不是，尴尬至极。就连沉稳许多的侯季常与成佳林二人都张大了嘴巴，看着范闲不知道该说些什么。

如今的范闲早已经是天下士子心中一等风流人物，后来又娶了宰相的女儿，以十七岁的年纪做了太学五品奉正，不论从哪个角度来看都是读书人最敬服的对象。

范闲有些不好意思地笑道："怎么，见着活人竟如此吃惊？"

侯季常第一个醒了过来，笑着说道："原来公子便是小范大人，先前真是失礼了。"

史阐立双眼放光，对着范闲是深深鞠了一躬，诚恳地说道："不期今日托杨兄的福，竟然能够亲见小范大人，实是万幸。"

范闲微笑说道："会试已毕，我也不想老待在府中，随意出来走走。知道杨万里住在这间客栈便来寻他，没想到运气不错。先前酒桌上听着诸位兄台的高论，真是不虚此行。"

众生不免有些汗然惭愧，心想先前自己这些人在当世大才子的面前高谈阔论，着实有些荒唐，就连一向心高气傲的侯季常也是苦笑道："都怪万里，居然一直醉着。"

说话有些缓慢的成佳林终于开口说道："范大人，晚生姓成，成佳林的林。"一想到似乎能与这位当朝红人拉上关系，这位山东路才子无来由地紧张，说话有些磕磕绊绊。

众人一怔，旋即才听出这话里的错漏处，不由得哈哈大笑起来。成佳林也是脸上一红，不知该如何言语。也亏得这阵笑，才稍稍冲淡了大家心头的震惊。杨万里听着小范大人竟是来寻自己的，有些疑惑，也有些受宠若惊，问道："不知小范大人有何吩咐？"

好在这几个人都是有分寸的，而且心里多半还存在天宝私藏的想法，没有嚷嚷起来，还以为是客栈里的学生在饮酒作乐。没有人知道，诸生经常提及的小范大人此时正在客栈中，不然只怕又是一场混乱。

范闲本来只是想来点明杨万里一下，没料到却是如此一个局面，自然不好深谈，说道："不论如何，我与杨兄也算是一衫之缘。"又转向史阐立道，"与史兄也有半伞之缘。"接着又对侯季常说道："与侯兄也有一擦身的缘分，所以有些话还是想提醒诸位一下。"

此话一出，就连没有被他点到名的成佳林也紧张了起来，侯季常再无法保持平稳表情。读书人谁不想谋个好前程，小范大人不避嫌疑来到此处，要讲的话自然极重要。

范闲斟酌了一下用词后说道："三月初一便是殿试，几位还是要准备一下。"

四人再次震惊，袖中的手也禁不住有些颤抖——这话看似寻常，隐着的意思却是十分惊人。小范大人是朝中红人，身后更有宰相、司南伯这种人物，如果说有人能够提前知道三甲名单，他一定有这种资格。既然他让己等数人准备殿试，那就说明……自己一定能上榜！

　　范闲将手指竖到自己的唇边，做了个噤声的手势，微笑着说道：“不一定，只是来提醒一声。”

　　侯季常有些失神地说道：“郭尚书被逮入狱，榜单一定会有所变化。”

　　范闲道：“成兄与史兄我记不清楚了，但侯兄与杨兄是一定中的。”

　　侯杨二人大喜，再也顾不得自矜，站起身来对范闲深深行了一礼。成佳林与史阐立稍觉失望，又想小范大人只是记不清，不见得明日不会有个好结果，都在心中安慰着自己。

　　客栈中明显已经不是说话的合适场合，杨万里恭敬地将范闲请入房间，奉上清茶，诚恳地说道：“学生实在不知如何能得大人青眼相看，更不知大人为何冒险前来告知这个消息。”

　　范闲道：“三甲的名单还没出来，但大体上已经定了。我今日来着实是怕万里你自暴自弃，不温书，不事应对，殿上丢了脸面，我的脸上只怕也不好过。需知道那日考院之外有许多人看着我将你放进考院，不妨明说我是冒了一些小险，不过倒也无妨。”

　　今日京中考官皆自惶恐不安，偏生范闲倒说无妨，众人不免有些诧异。事已至此，这几个聪明人自然明白范闲此行的意义，互视一眼，侯季常便当先拜了下去，口道：“学生谢过老师。”杨万里再拜，就连史阐立与成佳林二人也不再坐着，对范闲行了门师之礼。

　　范闲看着比自己还要大几岁的四位读书人，感觉还是有些怪异：“我不是我岳丈，也不是郭尚书，我有钱，日后会更有钱，所以你们且放心，我只是看重你们的才学德行。殿试之后，入朝为官，只要你们忠心勤政，为国谋利，我确信自己没有看错人，自然心里高兴。”

　　这话极温柔，骨子里又极寒冷。四人赶紧应下，又稍叙几句，范闲问清楚了此次贺宗纬之所以没有参加春闱，原来是因为家中长辈病逝的缘故，叹息了几声，便告辞而去。

出门后上了马车，范闲皱着眉对藤子京说道："为什么我做这种事情还是很不习惯？"

捧哏王启年适时地出现在马车中，柔声应道："因为大人骨子里还是个读书人，不是大人。"

范闲离开同福客栈之后，杨万里四人面面相觑。

"这可如何是好？"杨万里有些傻乎乎地坐在床上。成佳林与史阐立向他恭喜之后，笑道："从此以后，杨兄等于是攀上了相爷与户部尚书，仕途必会一帆风顺。"

杨万里憨厚的脸上却透着一份苦闷："我向来欣赏小范大人的才学，此次春闱也多亏大人通融，想来幕后阅卷大人也出了不少力，只是……我更希望小范大人今天没有来这么一趟。"

成史二人哑然无语，知道杨万里为何如此说。一向隐为众人首领的侯季常却微笑摇头道："小范大人若是市恩，断不必亲自来此，万里你多虑了。我已决定，从今以后在朝中便以小范大人为念，定要做出一番事业来。"

史阐立愕然，心想一向清高自诩的侯兄为何突然转了性子？

杨万里叹道："可能是因为太敬重小范大人的缘故，我总希望他与朝廷官员有些许不同。"

"求全了，求全了。"成佳林责备道，"小范大人即便是诗仙，也是朝中官员、权贵子弟，能够亲身来此，已属不易。万里兄难道希望小范大人是个不食烟火的真仙人？何况真仙人对这个穷苦凡世，并不见得会比一位精于谋划的能吏要更好。"

史阐立拍掌赞叹道："佳林兄话虽少，今日这话说得透彻。"他转向杨万里说道："若说崇拜之情，万里你绝对不如我，《半闲斋诗集》我时常手捧诵读，里面那百余首诗可以倒背如流。但今日见着小范大人，我却没有丝毫失望。为何？全因为诗乃心声，这位小范大人确实是我辈洒脱中人，与朝中那等腐朽官员岂可一道而论。"他笑了笑，接着说道，"先前我提着烧鸡过来时，巷中打伞之人不多，我这人就爱玩个乱劲儿，瞅着一把伞下的年轻人面容清秀，气息清新可人，所发议论又有些新奇骇人，所以莽撞地钻到了他的伞下。一路走了过来，如果换作是一般的权贵官员，岂能容我如此无礼？偏那位小范大人却是满脸微笑，与我同行，面色没有一丝不自然。客栈中知道他便是范闲，说实话，愚兄真有些惊喜。范闲范闲，果然没有让我失望。"

众人才知道原来先前还有这么一段事情，怪不得范闲刚才说与史阐立有半伞之缘，想到其中感觉，不由得微笑起来。杨万里有些尴尬地摸摸脑袋："或许……总觉得小范大人应该是那种闲卧葡萄架、醒书万首诗、不理朝中龌龊事的清贵人物。"

侯季常不赞同地摇摇头，冷冷地说道："那种人物看似清逸脱尘，却实在是于国无用、于民无益。若范大人真是这种词臣模样，我反而会瞧不起他。"

"不见得，不见得。"杨万里叹气道。

侯季常淡淡一笑说道："说来不怕诸位笑话，读书人何以报国，只有入朝为官一条。而朝政之艰深可怕，又岂是你我这种局外人所能了解？所以小范大人今日前来，实际上不是他需要我们，而是他知道我们需要他。"顿了顿，又道，"我虽有些傲骨，却不是不知进退的酸腐人。既然我们有这个机会，当然要把握住，如果在朝中一定要跟随某个人物，我想小范大人应该是最好的对象。"

众人本就有些奇怪侯季常坚决的态度，听他再次强调，更感好奇。

侯季常从桌上端起茶杯，看着旁边范闲饮剩的残茶，略有些出神，半晌后才说道："一个雨天行路的当朝红人，居然会留神自己伞面上的积水落下时，不要滴入路边躲雨小贩的锅中，宁肯自己的身上被打湿，还要往外面侧一侧。如此细心仁厚的人物，不是大奸大恶，就是大圣大贤……一个十七岁的年轻人，不可能随时随地都能掩饰得如此之好，所以我认定小范大人是一位大圣大贤。我的判断就是如此简单，因为我被雨中那幕感动了。"

房中一片沉默，许久之后响起一阵唏嘘。

第二日，考院的墙上终于贴出了考生们翘首以盼的那张黄纸。庆国取士规矩不复杂，乡试之后是会试，会试后便要取出三甲人选，不定名次，依笔画排列在皇榜之上。三甲人数历年不等。庆历三年加开过一次恩科，后两年取的人数都有些少。今年皇榜上的名字只有一百零八个。正因为取得少，不论京中太学的学生，还是各郡各路来京赶考的贡生都有些紧张难安。

考院西向是一座桥，若想去朱墙下看榜，必须过桥而行。

墙下已经围满了穿着长衫的学生，人头攒动，正紧张无比地在大黄纸上寻找着自己的名字。

在桥的那头，已经吃了定心丸的侯季常与杨万里缓步走着。桥面上残留着昨日留下的雨渍，石砖间的青苔显得格外湿滑，成佳林险些滑倒，惹来一片笑声。成佳林自嘲一笑，虽然他与史阐立二人的步子与两位友人一般缓慢，内心深处却是难免紧张。

来到墙下，四人好不容易挤进了人群，从左手边开始看起，不知道看了多久，猛听着史阐立一声喜呼："侯兄，侯兄！中了！中了！"

其余三人听着声音，赶到了史阐立身边，果然瞧见头顶第三排里赫然写着侯季常的名字，不由得好生兴奋。杨万里轻轻捶了侯季常肩头一拳，满脸笑容。

皇榜上"侯季常"三个金粉写就的名字正在阳光下闪闪发亮，显得金贵无比，前程无限。

侯季常微微一笑，想表现出一丝自矜，但是这是何等样的大事！他虽自号清高，但想到十年寒窗之苦，家中父母殷切期望，诸多身旁士子艳羡的目光，也不免有些飘飘然起来，嘴唇不自禁地咧开，露出了极开心的笑容。

四人不再分开，仔细看去，又不知道过了多久，终于在皇榜里找到了杨万里的名字，才真正相信了昨天范闲的话。杨万里双目微红，喃喃道："真的中了，真的中了。"

忽然他怪叫一声，从人群里冲了出去，跑到桥边，对着桥下的水面大声吼叫了起来。声音回荡在桥洞中，发出嗡嗡的声音。

三位友人知道他为何如此激动——杨万里八岁丧母，自幼在泉州孤苦长大，全亏父亲忍着饥寒为他购了不少书，又力劝他入族学忍着白眼学习。他极其困难地过了乡试，这才来到了京都。但是京都一月，杨万里才发现自己才能是有的，自己的疏论道理比旁的士子还要更切实际一些，但怎奈家山偏远，族学简陋，没有学到京中学子们的繁华辞藻，一篇策论写出来总是干巴巴的毫不吸引人。就连侯季常、史阐立这些挚友也都认为他不可能取中。杨万里自己也没存什么指望，所以花了最后的银子买了一件学生间最流行的夹衫，将史阐立的文章夹在了里面，想赌上一赌。哪里料到，还没进考院，就被居中郎范闲给揪了出来。当时杨万里心丧若死，本以为这十年寒窗算是荒废了，没想到这位小范大人却给了自己第二次机会。

考完出院，他没敢动用夹衣里的小抄，自然做的策论诗赋毫无光彩可言。也就绝了念头，只是饮酒作乐，听说郭尚书被捕入狱才多了一丝欢颜。没想到昨天小范大人却亲自来同福客栈看自己，并且暗中点明自己可能会入三甲。

悲后是喜，绝望后是希望，这种情绪的冲击一直延续到了今天。过桥之后，杨万里站在朱墙下，越发觉得昨天小范大人的来访是一场梦，自己是不可能中的。

然而却真的中了！

杨万里望着微荡河水里自己那张有些扭曲的脸，渐渐冷静下来，自然明白为什么短短数日能得如此造化，心中对那位年轻大人好生感激。

没有士子注意到杨万里的癫狂举动，就连河对岸经过的京都市民都没有投来好奇的目光。因为在京都这种场景实在太常见，尤其是每年春闱放榜之时，总会凭空多出许多疯子。

桥那头看榜的士子脸色都有些异样，有的亢奋，有的颓然，中了的仰天长呼，未中的以头抢地，各色模样，真是说不出地滑稽可笑。更有惨者号啕不止，使劲抱着朱墙旁的那株大槐树，任由伙伴们如何拉也不肯放手，直到将自己的脸颊蹭出了鲜血，看着凄惨无比。

庆国以科举取士，非高族子弟不得授恩科，对于普通学子来说，春闱放榜是他们能够改变自己人生的唯一途径。这种压力与动力，足以将温文尔雅的书生变作癫狂不已的疯子。

与那些在河畔碎碎念叩首拜天、感谢上天让自己取中的士子们比较起来，杨万里只不过喊了两嗓子，确实显得有些平淡。当然这也更加突显了侯季常三人的沉稳。

等杨万里恢复了平静，兴高采烈地走回朱墙下时，三位友人已经将整张皇榜仔仔细细看了个清楚。出乎意料的是史阐立居然没有上榜，成佳林的名字却赫然出现在最后一排中。

成佳林满脸掩止不住的兴奋，但看着身边史阐立略有失望的脸色，也不好表现得如何过分，便安慰道："今次不中，明年再来。"

史阐立苦笑一声，看着身边那些失魂落魄的落第考生，勉强打起精神笑道："今次我们四人中了三个，已是大喜。比起往年，今年这榜单公允太多，至于我嘛，再作考虑也好。"

侯季常轻轻拍了拍史阐立的肩膀，知道他虽是四人中最洒脱的人物，今日受的打击依然不小，转开话题说道："也不知道小范大人是如何做的，竟能保了如此多人。我看榜单里比往年大不一样，那些有真才实学的名字多了起来，愚钝无能单靠家世之辈却少了不少。"

"应是监察院此次查科场弊案的关系。"几人走到了河堤一处清静所在，坐了下来，说话的声音依然压得极低，怕给范闲惹什么麻烦。

侯季常摇摇头道："此次抓的官员不少，但除了那几个江南士子，并没有别的士子出事。由此可见，监察院动手之前大人就已经做出了安排。"

这两天落马的官员着实不少，官场上人人自危，倒是范闲看模样自信得很。一直有些沉默的史阐立忽然开口说道："我看此次弊案被揭，只怕也与范大人脱不开关系。"

其余三人震惊极了，心想若真是如此，那小范大人……要比他们想得更了不起！

这两日京里太不平静，总裁官郭攸之，一位座师、一位提调都已经被监察院请去喝茶。范闲身为居中郎，主理糊名这个关键步骤却一点事也没有，不免会让有心人开始猜测。

只是监察院下手极有分寸，礼部尚书郭攸之倒了，东宫没有受到太多的牵连，而且此次榜单中东宫需要的六个人依然中了三个。比起大皇子和枢密院那边已经是很不错的结果，所以太子那边最多也只能对他生出一些怀疑。

范闲坐在书房里看着王启年抄来的皇榜，有些欣喜，自己看好的那几个学生，除了性情最讨自己喜欢的史阐立，都顺利进了榜单。殿试的结果如何纯看个人的造化，他无法帮忙。

出了书房，迎面看见一个青色身影走了过来，范闲心里哎哟一声，赶紧躲回房里。

范建冷冷推开儿子未来得及关上的房门，抬步走了进去，厉声喝道："你昨天又出去了？"

范闲苦笑着行了一礼，应道："父亲，昨夜京都有雨，所以想出去逛逛。"

"你以为你去同福客栈能瞒过几个人？"

林婉儿听着声音赶了过来，赶紧喊丫鬟给老爷端茶。范建温和地看着儿媳笑了笑，挥手示意她回房歇息，一转脸就寒若冰霜地说道："科场之事，其中关联何其繁复，你妄自做出那件事倒也罢了。我让你留在府里，便是要躲过这场风雨。你昨天又去同福客栈见那几个学生，今日皇榜一出，众人都看得清楚，那几个学生都在榜上，这让世人如何看你？"

范闲笑着应道："孩儿虽然年纪小，但表面上也是门师身份，去看看考生倒属寻常，至于这榜嘛……谁都知道是怎么回事，何必在乎。"

"监察院查弊案，这件事情的由头就是你递过去的纸条！"范建冷冷道，"如果你真是一心为国，就不应该安插自己的人手入三甲，如果你只是想借春闱培植自己的势力，那就不应该反水将郭攸之拉了下来。不论什么地方，都有自己的一套规矩，京都官场更是这样。官中有清官有贪官，臣中有谗臣有诤臣，这是泾渭分明的两条路。如果你想做诤臣，就不要走谗道。"

范闲沉默了一会儿，应道："孩儿不想做诤臣，也不想做谗臣，想做……权臣。"

此话一出，书房里的空气顿时寒冷得似要凝结一般。半晌后，范建幽幽地说道："权臣？怎样的臣子才能称得上是权臣？"他摇摇头，脸上浮现出一丝诡异的笑容，"宰相有权，为父有权，陈萍萍有权，但你以为做这样的臣子就能称得上是权臣吗？"

范闲平静地应道："不能，因为权都在陛下手中。"

"那你要做怎样的权臣？"

"手中有权，万事无忧。"范闲诚恳地应道，"孩儿想做一个连天子家都无法断我生死的权臣。因为我拥有保护自己的能力，却没有保护旁人的能力，所以孩儿需要权力。"

他会选择这条异常艰险且无趣的道路走，自然是因为内心深处那抹极浓重的黑色。

范建沉默了一会儿，说道："以后不要这样胡闹了，陈萍萍能保得住你一时，不能保你一世，所以不要和监察院方面走得太近。"

范闲低头受教："孩儿知道，所以需要父亲不时提点。"他知道父亲向来很忌惮自己接手监察院的事情，但他自己却不肯放弃。

范建缓缓闭上双眼，说道："今次之事你处理得非常差。就算郭保坤殿上发话，让你猜到他其实是长公主的人，你也不该亲自出手。如果事先你对我说了，凭着我与宰相的力量，可以天衣无缝地借科场弊案将他除掉，而不会落到目前进退两难的境地。"

范闲知道父亲说得对，自己冒险与监察院联手处理郭尚书，只会造成一种开放性的结尾，谁也不知道后面会发生什么，因为主动权被他交给了监察院。

猜到儿子在想什么，范建睁开双眼，目光里有一丝安慰、一丝忧愁："你可以放弃幻想了，陈萍萍一定会让所有人知道，此次揭弊案是你做的。"

范闲苦笑，知道父亲说得没错。陈萍萍才不怕什么东宫太子，只要能让自己树立名声，只要能让自己距离掌握监察院更近一些，他什么都敢做。

离开儿子的书房前，范建淡淡地说道："以后做事要成熟一些，像权臣这种幼稚的宣言，你自己搁在心里想想就好了，没必要对我说。"

二月底的某天，京都官场里忽然生出流言，说此次春闱弊案能被如此快速准确地查破，全依赖于监察院掌握了一个贿考学子的名单。这份名单却是今次科举居中郎、有诗仙之称的小范大人提供的。据说范闲对科场上的积弊深恶痛绝，对士子十年寒窗却无法拥有一个公平的晋身之阶感到异常愤怒，因此不顾官场中的层层罗网，上书陛下，更不惜将身卖与朝中贪官以获取那份重要名单。

总之传闻很离奇。传闻中的范闲大智大勇，明明那份名单算不上什么秘辛，却被说成了庆国官场里最神秘的东西。这种手段，范闲一眼便瞧出来是监察院八处那些家伙弄的玄虚。

传闻一出，范闲顿时成为官员们的眼中锈钉、肉中倒刺，同时在京城百姓与天下士子心目中的声望再上一步。所谓士林领袖似乎有资格争一争了。

范闲整整衣领，整整袖子，自嘲道："这领袖也太新了些吧？"然后轻轻拍拍身边妹妹满是担忧的脸蛋儿，说道："担心什么呢？哥哥可是庆国最厉害的太子党之一。"他说话的声音极轻，用词极古怪。范若若依然听明白了，虽然没有听明白内里隐着更深一层的意思。

林婉儿没有听见，听见了也不会懂，反正她不像小姑子那样担心。她笑眯眯地将皇后娘娘赐的玉如意小配件系到相公的腰带上，轻轻地掸了一下灰，说道："早些回来。"

果然如司南伯所言，范闲做事确实不成熟，留下了太多的麻烦。传言一出，京都震惊，因为弊案而垮台的官员背后的人物虽然忌惮范闲的背景，但还是开始蠢蠢欲动。今日晨间已有御史台的年轻御史上书宫中，言说范闲亦有舞弊之嫌，更有不德之行。

范闲出门便是要赴刑部受审。科场弊案一直是监察院在查，但那些官员哪里肯让监察院去对付他，用的是刑部途径。刑部方面向来与宰相不怎么搭路，与范建也没有什么交情。

走出小院，思思半蹲一礼，说道："少爷走好。"范闲看着这个近些日来不怎么见面的大丫鬟，笑道："小时候就说过'走好'两字不大吉利。"思思抿唇一笑道："那祝少爷早去早回。"

"成，给少爷煮碗小米粥喝喝，放些澹州的甜栗，许久没尝过你的手艺了。"范闲忽然转头问道："让你抄的那些东西怎么样了？"

这些日子范闲不知道该如何安置与自己一道长大的思思，又不想让她在范府里继续做丫鬟，后来干脆安排她去书房帮自己抄书。思思这些日子里极少与少爷说话，芳心深处自然有些不安，此时听着少爷发问，便喜气洋洋地说道："快抄完了。"

"如此就好。"范闲点点头,往外走去,对跟在身边的妻子、妹妹笑道,"瞧瞧,我一手带出来的丫鬟就是不一样,比若若你还要镇定。"

范若若担心道:"那是思思不知道今天这事情有多严重。"

范闲揭弊案得罪了太多人,看朝中官员不惜与宰相、司南伯撕破脸,也要上书参他,也要动用文书索他去刑部,就知道这事情相当严重。

今日安静的城南大街十分拥挤,刑部来拿人的官差愁苦着脸,像小偷一样躲在石狮后面。范府正门处,范思辙领着范府一帮护卫家丁,手执长帚将官打,嚣张无比。街上拥来许多士子百姓,他们知道范闲与这科场弊案的关系,简单的心思不会考虑此事背后隐藏着什么,只知道小范大人才学好、心肠好,是个好人。好人今日却要去受审,都替范闲感到冤枉。

范闲站在门口,微笑着看了一下府外的人群,发现里面大部分是年轻的学子。知道陈萍萍玩这招果然是有效的,便低声问身旁的藤子京:"史阐立那四个人如今在哪里?"

"依少爷吩咐,眼下有监察院的大人们暗中保护着,王启年大人建议应该将这四个人送到靖王府去,免得被朝中那些不长眼的官员借此事构陷大人。但属下以为少爷应该不想在此事上与靖王世子产生关联,所以拒绝了。"藤子京低声回道。

范闲有些意外地看了藤子京一眼,没想到他能猜到自己的想法。如果将那四个学子送到靖王府,看似安全,但落在东宫的眼中自己揭弊案就不再是纯粹出于正义感与陛下的旨意,而是想站在二皇子的立场上打击太子。那样一来自己与东宫的关系就再也无法缓和。

看着范闲走出府门,围观的士子爆出了一阵欢呼,纷纷向前拥来,大声喊着什么,无非是表达己等对于小范大人铁肩担道义的仰慕以及声援。范闲向前世的明星一般微笑着,挥了挥手,轻声对藤子京说道:"读书人最大的问题,就是太单纯了。"

藤子京笑了笑,没有说什么。范闲忽然问道:"日后若有机会你想不想出京做官？凭家中的势力，保你做个六七品的一方父母还是没有问题的。"

藤子京一愣，心想自己虽然读过书，但向来做的是护卫一路，怎么少爷扯到做官？接着想到少爷可能是需要在庆国的州郡里有自己信得过的人，一怔之下应道："全凭少爷安排。"

"我安排？"范闲笑了起来，"可惜庆国没有巴陵郡啊。"

他那张脸本就生得清美，此时开怀一笑，更是阳光无比，如春风一般，让那些前来声援的士子大感欣慰。纷纷想着，所谓诗仙便该是如此吧。

人群渐渐散了，那些赶考的士子也追向了刑部衙门，没有人注意到范府侍卫护着另一辆马车出了城南大街，往皇城方向驶去。林婉儿昨夜便与范闲在床上商量好了，今日她必须入宫一趟，向东宫和其他宫中解释一下，转圜一下关系。

话说另一边，范闲已经单身一人走进了刑部大堂。这大堂有些阴森，风飕飕地往里灌着，初春的天气竟让他感觉有些寒冷。他微微一笑，对着坐在高处的三位拱手一礼，道："见过三位大人。"

春闱弊案事大，范闲又是其中的关键人物，所以今天来听案的除了刑部尚书，还有大理寺与御史台的两位高官。大堂两侧各有一排刑部十三衙门的官差，看着十分恐怖。此次范闲毫不讲规矩地将礼部尚书郭攸之掀下马来，惹怒了无数官员，只是大多数官员看在宰相与范尚书的分上不敢如何。但这三位大人各自背后、各自心中却另有来头，另有盘算。

范闲发现对方迟迟没有回话，不由得微微皱眉。忽听到一阵喊威声起，只听那位刑部尚书韩志维冷冷地问道："堂下站着的可是太学五品奉正范闲？"

今日今时的范闲早已不是初入京都、在京都府衙里一味微笑的初生牛犊，他看了这位尚书大人一眼，淡淡道："正是下官。"

"今日唤你前来，主要是要询问一下春闱之事。"

范闲将话挡了回去：“据下官所知，春闱弊案应是监察院奉旨办理，与刑部何干？”

坐在上头的三位大人听着这毫无礼数的回话，大感恼怒，但知道面前这人正是当红之时，背后又有一位宰相、一位尚书，也不好拿他如何。刑部尚书韩志维向来自诩清明，最见不得此等娇贵模样，沉声说道：“本官乃是奉旨协理此案，你不要诸般推托。”

范闲摇头道：“下官不曾推托，只是不知尚书大人召下官前来，究竟所询何事？若是问春闱弊案中诸般细节，实在抱歉，监察院早有严令，案结之前不得妄自对外透露。”

大理寺少卿气极反笑，说道：“难道朝廷问你，你也不答？”

“监察院是朝廷一属，刑部衙门也是朝廷一属。”范闲叹道，“庆律里又没有写明白，应该听哪个的。”

一开口就着了个软钉子，这堂堂三司感觉竟是什么都没法问了。

韩志维寒声问道：“昨日御史上章参你，范奉正可曾知晓？”

“知其事，不知其详。”范闲平静地应道。

韩志维盯着他的双眼喝道：“范闲！你不要仗着你的些许才名、身后背景便如此狂妄。也不要以为本官会相信你揭此弊案真是一心为国为民，若你不把自己在春闱里的龌龊交代清楚，休怪本官对你不客气！”

范闲皱了皱眉头，回道：“大人此话有些问题，若下官在春闱中做了什么，难道还会甘冒奇险将此事上奏朝廷？‘龌龊’二字原物奉还，不敢领受。”

在京中这么多年，哪里见过如此狂妄的后辈。韩志维气得胡子直抖，痛骂道：“不要以为满城京官都会惧怕你身后背景，须知本官能够执掌刑部八年，靠的就是一身正气！”

范闲好笑说道：“查案之事，在乎实据，难道就凭大人慷慨激昂的做派便能断案？”

韩志维气极反笑，说道：“好好，那本官来问你，二月十六日你是否去过同福客栈？"

范闲知道他问的是那个雨天的事情，微笑着应道："正是。"

"你是不是去见了杨万里等四人？"

"正是。"

"杨万里在春闱入院之前，你是不是曾与他耳语？"

"正是。"

"你身为此次春闱居中郎，身负监场糊名重任……本官直接问你，杨万里是否被录入三甲？"

"正是。"

"当日院外，有多名人证可以证明你已经查出杨万里在衣衫中有夹带，你为何仍放他入考院？"

那件绸衣范闲早就交代王启年毁了，自然不会担忧，说道："此事决然没有。"

"没有？"韩志维闻言大怒。

"正是。"

"好好好，那本官问你，当日考院之外，很多考生被搜出了舞弊之物，你是不是依然将他们放了进去？"

范闲微微一凛，知道这事往小了说连事都算不上，但如果对方真的咬住这点不放，还确实有些麻烦。他仍沉稳地应道："正是。"

"好。"韩志维有些黑瘦的脸上闪着某种光彩，盯着范闲的双眼，寒声道："既然你都承认了，那本官只好收你入狱，留待详察。"

范闲异道："下官承认了何事？"

韩志维冷冷道："五品奉正范闲，身为春闱居中郎，暗中与考生杨万里等诸人勾结，营私舞弊，视律法如无物，视圣恩于无物，实在是胆大包天。这就是你承认的事。"

范闲眯眼看了这位尚书一眼："下官何曾承认过？不错，下官确实在二月十六日见过杨万里，那是因为下官欣赏此子才学。其时弊案爆发，若下官真有徇私之嫌，又怎会在当日就去与他会面？而且会面的地点就在同福客栈。其时学子云集，难道我就不怕旁人闲话？既然下官敢去，虽不能凭此便证明下官心中一片霁月清风，又怎能以此断定我与杨万里有勾连？我与杨万里第一次见面便是在考院之外，若说事先就有所勾结，实在冤枉。"

韩志维盯着他的眼睛追问道："那你如何解释私准夹带学子入考院？"

范闲心知当时看见的人太多，无法否认，无奈摇头道："下官受监察院所托要暗中盯着某些人，不好因小失大，其中详细缘故，尚书大人可发文去监察院令他们细细道来。"

韩志维怒哼一声，心想监察院是皇帝陛下的，自己如何去问？他越看范闲那张漂亮的脸蛋越是生气，将签筒一推，大声喝道："罢罢罢，既然你不肯认，来人啊！给我打！"

"打不得！"

堂上有两人同时喊了起来。其中一位是大理寺少卿，他苦笑着劝说刑部尚书，眼前这后生仔可不是一般权贵子弟，是万万打不得的。自己身后的贵人也只求能够教训他一下，哪里敢打？

韩尚书稍一冷静才想起来范闲不仅是宰相的女婿、尚书的儿子，更是陛下极欣赏的一代文臣，而且他也知道林婉儿身份，不由得皱起了眉头，心想还真是不能随便打。只是另一个说"打不得"的……又是谁？三位大人往堂下望去，才发现范闲正满脸无辜地看着他们。

大理寺少卿有些好笑，问道："为何打不得？"

范闲诚恳地解释道："下官是举人出身，依庆律不用下跪，问话时不得随意刑讯，故而言道打不得，不然若明日御史大人来了兴趣，参韩尚书一个不遵庆律，那岂不成了晚生的不是？"

审案三人中的都察院御史大夫郭铮其实是郭攸之的远亲，参范闲，他就是领头之人。此时听着对方言语中带刺，不由得笑了起来，轻声说道："范大人不只才学了得，连庆律也熟得很。但你可知道，庆律首疏中有十五大罪，可以不用理会你先前讲的规矩？"

他自然也不敢对范闲用刑，但用言语恐吓一下却是无妨。

来刑部之前，范闲早就查清楚了，刑部尚书韩志维看似公正廉明，实际上却是东宫的人。大理寺少卿与枢密院秦家的关系极好。那位御史大夫郭铮却是年轻时与长公主有些不清不楚的关系。当然这层关系极为隐秘，也只有监察院才能查到。

他摇摇头，满脸无辜地说："依然打不得。"

大理寺少卿是三司中与科场弊案牵连最少之人，好奇地问："事涉大罪，小范大人又不肯开口自辩，这堂上为何还是打不得？"

范闲应道："事涉院务机密，下官未得监察院相关职司允许，实在是不敢详谈。"

这就是千言万语，不如抬出监察院的把戏。这案子审得实在是憋屈，三位大人互视一眼，看出彼此的忌惮与恼怒，这打又打不得，如何才能让范闲开口认罪？他们身后各自的主子立意要让范闲吃些苦头，断没有就此将他放回府中的道理。

正此时，忽然一位师爷满脸紧张地从侧帘处跑了进来，附到刑部尚书韩志维耳旁说了几句什么。韩志维的脸色马上变了，双眼里有道寒光一现即隐。

范闲微眯着眼看着上面，体内的霸道真气早已运转起来——不知道是谁递了消息过来，也不知道是什么事情让这位刑部尚书如此惊悸难安。同一时间内，又有两张纸条传到了御史大夫郭铮与大理寺少卿的手里，郭铮面无表情地看了一眼纸条，大理寺少卿面露震惊之色，竟是起身对身旁两位大人拱手一礼道："人有三急，两位大人先审着，我去去就来。"

什么样的纸条竟然让这大理寺少卿玩起了尿遁？范闲正思忖间，忽听着堂上一阵厉喝："来人啊！太学奉正范闲咆哮公堂，事涉弊案，身犯十五大罪，给我打！"

韩志维尚书脸部肌肉一阵扭曲，似乎下了极大的决心。看来大理寺少卿知道接下来刑部的大堂上一定会出现很凶险的局面，而他的主子根本不想太过得罪范家与宰相，才会溜走。

范闲双目一寒，盯着韩志维的双眼冷冷道："难道尚书大人想屈打成招？"

御史大夫郭铮的眼中也闪过一丝噬厉之色，喝道："给我打！"

两根烧火棍朝着范闲最脆弱的胫骨处狠狠地敲了过来。刑部的十三衙门做惯了这等事情，棍下无风，依然凌厉。范闲脸色带霜，不动不避，只听得咔嚓两声，腿上裤子不禁力，颓然碎成数片——不是他的胫骨断了，而是两根棍子齐齐从中折断，露出森森然的木楂子来！

范闲冷冷看了一眼四周逼上来的十三衙门差役，知道今天的事情与自己的计划出现了极大的偏差。对方既然敢不给宰相和父亲留面子，真的动棍打人，那一定不止用刑这般简单！

他向前走了两步，将脚下断作两截的烧火棍踢开，看着堂上强作镇定的两位大人，知道自己犯了一个最大的错误，那就是忘记了那个远在信阳封地的疯女人，只是不知道韩志维牵涉其中。究竟是太子恼怒于自己的所作所为，还是皇后知道了一些很可怕的事情。

牛栏街杀人事件已经过去了许久，在京都人的印象中范闲只是一个诗才惊人的文官，却忘记了他本身也是位武道高手。

刑部十三衙门用的刑棍是特制的，一般的七品高手在这棍下也只有哎哟惨号的份儿。但谁知道范闲体内的霸道真气竟是如此狂烈，居然不躲不避硬挨两棍，反而将棍子从中震断！

这一幕吓坏了所有的刑部官差，此时才记起来，眼前这个看似文弱的漂亮文官，当年曾经是将北齐七品高手程巨树开膛剖肚的强者。

众人大惊，只闻一阵腰刀出鞘声，声声寒心，无数把利刀对住了傲立堂中的范闲。

十几把腰刀已然出鞘，在森寒的刑部大堂之上，散着森寒的光，将范闲围在正中。

范闲往前踏了两步，这十几把腰刀也畏惧地退了两步。

他看着堂上的韩志维与郭铮，轻声道："你们这般胡来，考虑过后果吗？"

韩志维与郭铮心头一寒，觉得堂下这个漂亮后生的话语虽然淡然，实则无比阴寒。宰相林若甫虽然因为吴伯安之事在朝中声势大减，但依然是庆国百官之首，加上那位与陛下从小一起长大的户部尚书……韩志维忽然有些后悔，自己不该按照那位贵人的吩咐办事。

郭铮恼怒于郭攸之的垮台，又仗着身后有长公主撑腰，知道事情既然已经开始，自然不可能和平结束，咬牙喝道："本官奉旨问案，能有什么后果？"

韩志维心想事已至此，再无反悔的余地，将心一横，寒声道："不错，小范大人，若你肯承认涉及春闱弊案，自然不需用刑，若你不肯认，依庆律本部自然可以用刑。"

范闲抿了抿自己的薄嘴唇，似笑非笑地望着他："十五大罪，十五大罪……"他摇摇头，叹了口气说道，"将来有机会得把庆律改改才是。"谁能改律法？当然只有皇帝。幸亏他这话语极轻，不然落在旁人的耳朵里，就凭这句话，也能将他范家满门抄斩。

韩志维皱眉道："将这犯官拿下！"话音一落，十三衙门官差已是手持腰刀围上来。刀风乱起，有两柄刀即将搁到范闲的脖颈上逼其就范。

范闲一直缩在袖子里的双手像弹出去一般，轻柔却又无比快速地伸开，化作两道轻烟，打在这两个近身官差的手腕上。紧接着又无比快速地收拳，轻轻在他们的胸腹上一推。

这一系列动作太快，根本没有人看清楚。片刻后才听到咔嚓两声响，噗的两声响，呼痛的两声闷哼！"咔嚓"是那两个官差的手腕断了，"噗"的声音是那两把腰刀被真气震飞，斜斜向上，深深地插入刑部"正大光明"匾额的两角。这两把刀插在红日上方，就像是太阳生出恶魔的两个角来！

而那两个官差胸腹间被范闲轻轻一推，整个人便惨惨向后飞了出去，摔在两把椅子上，将椅子砸得粉碎，发出了两声闷哼。

众人惧惊，想不到范闲的实力竟然强悍到如此地步，便向后退开了半步。

郭铮倒是不急，望着堂下的范闲寒声说道："当堂殴打官差，罪加一等。"

韩志维明白他的意思，能不能用刑是小事，只要能将罪名加诸到范闲身上就好——范闲越不肯束手就缚，反抗得越激烈，那就越好。

"小范大人还是老实一些的好，知道阁下文武双全，要从这刑部大堂逃离也不是什么难事。但是……难道您想落个造反的罪名？"郭铮的手指轻轻叩响案板，十分满意目前的局面，继续说道，"小范大人此时若反抗，便是心存不轨，若不反抗，就乖乖受刑吧。"

他最后又加了一句："若小范大人想杀出刑部，请自便，只是有些可惜……可惜啊，堂堂一代诗仙，士子心中的偶像，竟然要因为此等大罪名惹得阖府不安，声名涂地。"

范闲静静地看着他，忽然开口说道："我其实是被吓大的。"

这说的是小时候天天赏尸的经历。他觉得郭御史那几番话真有周星驰在《九品芝麻官》里的几分风采。知道自己不能杀出刑部，却也不肯受刑，那便只能拖到身后那些人反应过来，因此冷冷地说道："杀出刑部自然是大罪。也罢，我就在这儿陪二位大人聊聊天吧。"

他坐到一把椅子上，眼帘微垂说道："你们若要用刑，我自然会反抗。如果不用刑，我也不介意在这儿多坐一坐。二位大人，什么时候审完了，麻烦通知下官一声，我好回家喝粥。"

"好大胆的妄人！"韩志维喝道，"给本官拿下！"

这已经是今日审案他吼的第三次了。范闲脸上没有一丝表情，轻轻一拍身旁茶几，掌上霸道真气如云般轻释，顿时将木质茶几拍成无数碎片！然后他抬眼看了看四周的差役，被这目光一扫，想到小范大人表现出来的恐怖实力，十三衙门平素里鬼神不忌的官差们竟是没有一个敢上前一步！

自开国以来，刑部大堂上从来没有出现过今日这般荒诞的画面。不像是现实里面可能发生的事情，倒像是范闲前世时偶尔瞄过的看不懂的话剧——被审的犯人好整以暇坐在太师椅上，四周的官差不敢上前，偏生这犯人还不肯杀出刑部，别人却拿他没有办法。

在范闲这一世的人生中，椅凳总是会在某些很妙的时刻表示他的态度——或者愤怒，或者准备反击。在澹州的时候，十三岁的他曾经踩在小板凳上将二管家打得满脸桃花开。初入京都的那天，他曾在偏门之下，坐在太师椅上，把柳姨娘的所有警惕看成了青烟。今日也是如此。

郭铮并不着急。他知道今日户部尚书范建和宰相林若甫都被另外的事情拖住了，有的是时间等杨万里那干人证入堂，于是微笑着说道："明日我便将今日之事上奏陛下，看看你还能不能仗着父辈权势如此嚣张。不要以为我就不能入你的罪，一会儿等杨万里一干人证到来，韩尚书依然要拿你。若你到时候还敢反抗，休怪三司请旨，治你个谋逆之罪。"

范闲轻声说道："郭大人，今日既然双方脸皮已然撕破，那我也明言了：如果杨万里等人有什么问题，你就准备后事吧。"

这是赤裸裸的威胁。庆国开国以来，敢在刑部大堂之上凭倚五品官身威胁当朝尚书与都察院御史大夫的，当是第一人！

感受到范闲清淡话语里的杀机，韩志维无来由地心中一寒，眼角有些不吉利地跳了两下，寒声道："你是朝中官员，不是以剑立威的强者，今日你大闹刑部，到底准备如何收场？"

范闲轻声道："刑部想屈打成招，御史不忿郭尚书因弊案去职妄图报复。明日本官便将今日之事洋洋作一大赋，四海传去，也好教万民知晓今日之庆国官员竟是怎般嘴脸；也好教圣上洞察，今日之朝廷这些臣子到底是在听谁的。到时候你们怎么收场呢？"

郭铮知道以范闲如今的名声，做成此事倒不是不可能，幽幽说道："小范大人知道弊案详略，为何不报上司经朝廷查处，却通过监察院行事？

总之藐视朝廷这桩罪你是坐实了！"

此话咄咄逼人，范闲清秀的面容上忽然闪过一丝杀意，他站起身来，冷冷盯着台上那两位高官。四周的官差紧张起来，将手中利刃对住了范闲的要害。便在危机一触即发之时，刑部之外传来一道冷酷的声音："监察院领旨办事，何时需要向御史台交代首尾了？"

一阵急而不乱的脚步声后，监察院四处头目言若海从刑部外走了进来，身后带着一大群监察院的密探，声势煞是吓人。郭铮皱眉道："想不到言大人也来听案。"言若海理都不理这位都察院的御史大夫，看着椅子上那个漂亮的年轻人微微一笑道："本官言若海，见过范公子。"

范闲微笑道："你再不来，我今日只好拆了这刑部，然后逃亡天下。"

这自然只是句玩笑话。

韩志维脸色难看地说道："范闲咆哮公堂，殴打官差，其罪难赦。不论谁来，今日也出不了刑部。何况本部早已前去索拿杨万里等一干人犯，人证一至，真相自然大白。"

"不用了。"言若海说道，"十三衙门的官差前去同福客栈拿人，已经被我院一处沐铁大人亲自拿下，现正在监察院里喝茶。尚书大人待会儿若是有空，不妨去将你的下属领回来。"

拿人的反被人拿，刑部的颜面在今天完全丢光了！韩志维指着言若海的鼻子骂道："监察院什么时候有资格管我刑部之事？我刑部拿人，你们凭什么从中拦阻！"

"春闱弊案是本院在办，圣上旨意中刑部与大理寺只是协理。"言若海四处望了望，没有看见那位大理寺少卿，道："既然是协理，就要做好协理的本分，杨万里等四人一直在本院看管之下，尚未定罪，怎能移交刑部？"

郭铮寒声说道："杨万里之事罢了，但按照院务规矩，今天是刑部先发的文。既然范闲已经站在了刑部的大堂之上，任你监察院说破天去，也休想将人带走。"

直到此时，三司都不知道范闲与监察院之间真正的关系。只是以为范闲揭弊案与监察院打交道，加上与费介的师徒关系，监察院才会想要回护对方，所以抢先用规矩来压言若海。言若海却是不理，看着那些手中拿刀的十三衙门吏员，寒声道："居然敢对大人如此无礼！"

郭铮见他不听自己这位堂堂都察院御史的说话，无比恼火，心想你的品级比自己低如此多，怎敢如此无礼。

言若海望着韩志维抱拳一礼道："尚书大人，下官奉令请回小范大人，还请通融。"

韩志维看见监察院来人就知道麻烦了，自己背后的主子只怕也没有料到陈萍萍会插手，但今日已然势成骑虎，咬牙道："案未审结，怎能带人？……言大人，这不合规矩啊。"他学着郭铮的口气，处处以朝廷规矩压人。

言若海挥了挥手。无数声闷哼似乎在同一时间内响起，只见刑部大堂之上，拳风脚影相加，十三衙门的人根本来不及反抗，被击倒在地，生死不知。监察院四处向来是监察院除了五处之外武力最强的一个部门，又岂是这些刑部差役所能抵挡。

范闲走到了言若海的身边，笑道："麻烦了，本来以为只是让王启年来一趟而已。"

韩志维拍案而起，大怒道："如此无视朝廷纲纪，难道你们监察院也想造反吗？我明日上书圣上，定要治你们个死罪！"

言若海回身道："依朝廷规矩，监察院八大处官员只受皇命。遇紧急状况可暂避庆律，非圣上明旨，六部三司二院不得擅自审讯。难道尚书忘了这一条？"

郭铮怒道："言大人这种大头目，三司自然是不敢审的，但是范闲又与你们监察院有什么关系？八大处是哪八个人，这京都官员谁人不知谁人不晓！什么时候他成了八大处！监察院职司要经五年才能叙正，他今年才十七，难道十二岁的时候就开始掌管监察院一处事务？"

没人会相信，所以郭御史与韩尚书根本不担心范闲今日敢踏出刑部大门。只要他敢踏出刑部大门，那就是藐视庆律，大罪难赦。朝议汹涌，就算是宰相大人与范尚书也没有办法保住他。

言若海看了一眼范闲。

范闲微微一笑，手指伸到腰间，将皇后赐的如意小配件解了下来，随手扔给一位监察院吏员。然后掏出一块木牌。那木牌色泽微黄，上书着"提司"两个大字。

范闲将手直直伸向郭御史与韩尚书。那二人齐齐往前伸着脖子，看清牌子上写的是什么之后，震惊无比地颓然倒坐在椅子上，就像被人隔空扇了两个重重的耳光。

"二位大人再会。"说完这句话，范闲就与言若海向刑部大堂外面走去。

郭御史满脸铁青，韩尚书靠着椅背上沉思，谁都没料到范闲竟然有监察院提司的身份！提司是什么？是监察院八大处之上的超然存在。对这个职位朝中官员多有猜测，但谁都料不到那位传闻中阴森无比的提司大人，与满腹诗华、一脸阳光的小范大人竟是同一个人！

"怎么办？"韩志维睁开眼睛，眼中射过一道寒光，"不论六部还是三司，都没有资格审讯监察院提司，除非陛下下旨。但你我都清楚，陛下不可能下这道旨意。"

郭铮看着消失在刑部的那队人马，冷冷道："真是个铁做的乌龟，竟是找不到下手的地方。不过范闲为什么一开始不亮明身份？非要来刑部走这一遭，难道他真的不怕我们动用朝中高手，抢在言若海来之前将他擒下？"

韩尚书也很不解，但更多的是担心。既然今天没能咬死范闲，那么迎接自己的一定是马上到来的强大反扑。他想到范闲最后说的"再会"二字，慢慢品咂出一股苦涩之意，一种恐惧感渐起，不知道身后的势力能不能保住自己。

走出刑部，范闲问道："院长大人逼我亮明身份，何必非要玩这么一出无趣戏码？"

"院长以为既然要让天下知晓大人的身份，自然需要在正确的地点、恰当的时机，用一种相对戏剧化的手法展露出来。今日百姓士子云集刑部门外为大人鸣冤，正是大好的时机。"言若海继续说道，"院子的名声一向不好。院长大人将你揭破弊案的事情大肆宣扬，是想先替你树名，身份曝光之后，才不会让那些士子百姓一想到你就害怕反感。"

范闲心想，原来这是一个形象塑造工程。

言若海从身旁的下属手中接过范闲先前解下的玉如意，然后递到他的手里。范闲将如意放在手掌中轻轻抚摩着，忽然问道："婉儿入宫了，而且我自认此次春闱也没有怎么损伤太子的颜面，以太子的性格应该不会如此刚烈。先前韩尚书忽然狠辣起来，倚仗的究竟是东宫哪一位？"

言若海微笑道："不是太子，自然就是皇后了。"

范闲心想自己犯嫌得罪的人是越来越多，但不知道皇后是不是因为自己害怕的那个原因在对付自己。他握紧手中的玉如意配件，想到这配件也是皇后赐的，下意识里便想将其扔掉。

言若海微笑着提醒道："宫中赐物，你随意处置，这是大罪。"

范闲笑道："谢谢提醒。只是如今我提司的身份马上天下皆知，还有哪个衙门敢来审我？"

"衙门不敢审，宫里敢审。"言若海忽然发现这个年轻人比自己儿子的年纪还要小些。

范闲点头受教，说道："请放心，我一定会将世兄平安带回来。"

"多谢。"言若海说道。

走出刑部大门，一直围在街上的士子百姓们看见勇揭弊案的小范大人平安走了出来，欢喜无比，立时爆出一片欢呼声。范闲向四周微笑致谢，这才明白为什么今日会在刑部表现得如此嚣张。原来这是因为终于做了件自己认为十分正确的事情，就像前世看小说见到的那句话一样：什么是正道？正道就是做对的事情——自己认为对的事情。这种感觉很好，很强大。

刑部发生的事马上传遍了京都，人们预料之中监察院、宰相与范尚书这三大巨头，对刑部、都察院的大反击没有马上展开，这出乎了所有官员的预料。殿试的时候，皇帝陛下终于表明了自己的态度，范闲看中的几人都被选入了二甲，至于状元、榜眼、探花则并不出奇地归入到一些成名已久士子的头上。而传宴时，范闲更是令人震惊地坐在了最前排。

比他位置更好的，就只有太子与二皇子了。

在范闲大闹刑部之后，官场早就知道了他的真正身份。更知道监察院借题发挥，仗着范闲监察院提司的法外特权，将刑部尚书韩志维与都察院御史郭铮的脸皮全部扒光。

监察院提司是一个很阴森的职位，众官始终难以将手握无数密探、暗操官吏生死的角色与范闲联系起来。但无论如何，此时众官再看范闲，已不再将其看作一个文臣、一个背后有大背景的权贵子弟，而是第一次实实在在感受到了他的力量。

殿试之后，科场弊案在监察院的主理下缓慢而坚定地推进，范闲却安静了下来——知道内情的人猜到，他在准备数日之后的出使一事。

三月初三，殿试结束，传宴结束，插花结束。杨万里、侯季常、成佳林外加一个史阐立，这四位骤然间天降横福的书生，终于觑了个空儿，不安地坐着马车来到了城南大街的范府门口。

杨万里抬头看着范府那阔绰的门脸，有些紧张地瞄了瞄门口蹲着的凶恶石狮，讷讷道："有些紧张。"

侯季常是四人中最沉稳的人，但也是头一次来到这等豪贵之府，强撑笑颜道："小范大人咱们是见过的，年轻有为不说，谈吐也极有趣，紧张什么？"

成佳林在旁讷讷不知道该说些什么。前些天被刑部与监察院一闹，整个士林都把他们四人归到了范闲的门下，殿试已过，无论如何都应该来拜门。

史阐立性情最是温和洒脱，此次反正没中，比三位友人要轻松许多，他笑道："我看你们确实挺紧张，不过大约不是拜访门师的紧张，而是发现小范大人忽然摇身一变，成了监察院的提司大人，这才有些隐隐畏惧。我说的可有道理？"

杨万里又看了一眼那只石狮子，苦笑着说道："谁也想不到，诗仙范闲忽然就成了监察院权力最大的官员之一。你们又不是不知道，监察院那是什么地方，就连官员们都无比忌惮害怕，更何况你我？再说了，小范大人进了监察院，这名声确实有些不好听。"

"无知俗人的偏见罢了。"史阐立笑道，"那日在同福客栈中你也曾经说过，监察院在监督吏治上是极有好处的。"他转向有些不以为然的侯季常说道："郭尚书入狱后，你也曾经为监察院举杯。怎的，如今发现门师是监察院的高官，你们反而如俗人一般想敬而远之？"

杨万里叹了口气说道："此次春闱弊案一事，天下皆知是小范大人首功，后来才真正明白原来他一直在为监察院做事。大人此举不单单是造就我们三人的前途，也为这天下读书人谋了好处，人人感激。就算知道他是监察院的提司，也没有哪位士子敢对他稍有不敬。至于你我几人更不用多说，就算大人今后一直在监察院里，难道就不是我们老师了？"

侯季常微微一笑道："正是此理。只是有些可惜了，但凡在监察院任职的官员，依朝廷规矩，就再也无法入阁拜相，不免有些可惜了大人这身才学。"

此时成佳林才有机会插了句嘴："小范大人还有那个身份，本来仕途就无法大展，来年听闻还要执掌皇商内库，所以进监察院任职倒不算可惜。"

众人明白他说的是范闲那个"郡主驸马"的身份。一想到这位年轻的门师居然有如此多的身份，众人也觉得好生奇妙，摇头无语。

四人在范府门口低声商议良久，终于克服了心头紧张，抬步登上石阶，递上早已准备好的名刺。范府门房早就注意这四个秀才模样的人物，满脸狐疑地接过名刺一看，却发现是最近京中传了许久的那四个名字——范府下人都知道自己家的大少爷新收了四位学生，哪里敢怠慢，赶紧请入门房，上茶侍候着。不料过不多时，那位门房满脸不好意思地回报道："少爷今日出门，不在府中，四位大人是不是留个口信，或是择日再来？"

　　四人有些失望，转而又无来由地放松起来。此时一抬官轿停在侧门旁，门房上前迎着，从轿上下来一位面目肃然的中年官员。此人双眼静深有神，行过门房时，停住脚步看了他们一眼。

　　门房正要上前介绍，只见那位中年官员摆摆手，转头面向这四人和声问道："你们谁是杨万里？谁是史阐立？谁是侯季常？谁是成佳林？"

　　侯季常心想这位大人居然不问而知自己这四人的身份，而且竟是无一遗漏，想来是不想让己等生出厚此薄彼之感。如此人物不想而知一定是小范大人的父亲了，于是赶紧拜下："晚生侯季常，拜见尚书大人。"

　　旁边那三人此时才醒过神来，知道面前这位高官便是小范大人的父亲，也赶紧施礼。

　　司南伯范建微微一笑，看了侯季常一眼，略带赞许道："看来范闲的眼光还算不错。"接着又说道，"他不在家，若你们不嫌老人家啰嗦，陪我进府闲叙几句吧。"

　　这是门师的父亲，应该怎么喊来着？杨万里四人都将是庆国官场的新兴力量，但面对尚书大人哪敢多话，老老实实地跟在后面走进府里。

　　天河路上那座最丑陋的建筑仍然沉默在春光中，道路两边著名的落花流水里没有花瓣，春时尚早，花儿都还未全开，自然舍不得将衣裳扔入水中做景致。

　　京都的百姓们依然循着老规矩，远远躲着监察院行走。院门前的石碑安静地注视着他们，似乎在说，我们是保护你们的，你们为什么如此害怕？

不要问百姓为什么会害怕监察院，就像杨万里那四位士子一样，人们对监察院的恐惧仿佛是天生的。可能是因为那个衙门似乎没有光，拥有的只是秘密与黑暗。

监察院那个方方正正的房间里，七位官员正敛气凝神坐在长桌旁。朱格在这个房间里自杀之后，一处便一直没有首领，沐铁只是暂时领着京中的职司，所以今天只有七个人。

他们知道今天的会议很特殊，望着长桌尽头的目光带着些许疑问。

房门轻滑无声地开启，这七位监察院最厉害的角色自然察觉，下意识转头向门口望去，就连长桌尽头的陈萍萍也缓缓抬起头来，宁静的双眼里闪过一抹亮光。

一个有着微褐眼眸、满头乱发的老头子佝着身子走了进来。众人略觉诧异，却见费介将身子一转，不耐烦地说道："丑媳妇儿总是要见公婆的，进来吧，磨蹭什么？"

一位年轻人有些不好意思地从他身后闪了出来。只见他容颜清秀，睹之可亲，满脸挂着微羞的笑容，拱手对桌旁的监察院头目们行了一圈礼，轻声说道："大家好，大家早，我是范闲。"

会议室里一阵尴尬的沉默，谁也没有想到范提司在监察院的头一次露面竟是如此的情形，与监察院的肃杀气氛完全不合。半晌之后终于有人忍不住笑了一声。

范闲微笑着，双手抱拳往里面走去。这里的七位厉害官员，他只认识言若海一人，其余的人都很面生。幸亏费介老师今天一直跟在自己身边，不然还真有些害怕独自面对这整个庆国，或者说整个天下最阴森恐怖的密探头子们。

长桌尽头，有位老人坐在轮椅上，双眼清寒，却十分温柔地望着他。

范闲在心底叹息一声，缓步走向前去。他早就认出了对方，十六年前自己初次来到这个世界时就曾经见过他，而这十六年里老跛子的面容似乎没有什么变化。

陈萍萍看着这个离自己越来越近的年轻男生，脸上浮现出一种很奇怪、很满足的神色。范闲已经走到了他的身边，陈萍萍张开自己的双臂，轻声说道："孩子，到这里来。"

范闲缓缓低下身子，将头轻轻放在老人的肩膀上，又将身体投入对方并不宽广的胸怀，轻轻一抱。

陈萍萍很瘦，两人的身体接触有些轻柔，很温暖。

一老一小二人就这样拥抱着，似乎身边那些庆国的密探头子们都不存在一般，且容放肆这一时吧。许久之后，二人才缓缓分开，范闲很恭敬地行了一礼："终于见着您了。"

陈萍萍忽然发出极尖锐的两声笑，笑声中显得极其快意。

不知道内情的七位密探头子都保持着礼貌的沉默，内心深处却是一片震惊，谁也不知道这位提司大人与向来离群索居的院长大人究竟有着怎样的关系。

今天是范闲以提司身份正式进入监察院的第一天，所以八大处的成员都在这里等着。一番简单的自我介绍之后，范闲安静地坐到了陈萍萍左手边的椅子上，费介坐在了陈萍萍的右边。

"他就是范闲。"陈萍萍看着自己的下属们，轻声说道，"大家多支持。"

院长大人介绍新晋人员时，从来没有像今天这般郑重其事。七位官员都知道这两句话的分量，站起身来向范闲正式行礼，神情非常严肃。

自从小时候认识费介开始，范闲就知道自己与这个天下畏惧、百姓避之不迭的特务机构一定会发生一些故事。知道母亲与这个院子的关系后，他更是确定这个故事肯定会很长。

小时候他从费介的口中就知道了很多监察院的机构设置与工作流程，入京后与监察院配合多次，并且还弄了个"启年小组"。今日对监察院的了解自然更深了一层。

监察院是直属皇帝陛下的特务机构，权在六部之外，不受庆律所限，只依圣旨办事。下面共设八大处，一处专门负责监察京中百官，在各部衙与大臣府邸里安插了许多探子，是监察院最要害的部门。前任头目就是暗中倒向长公主、刚死数月的朱格。

二处负责各处情报的归拢分析以及进策，以供陛下及军方做出计划。

三处是范闲感觉最亲切的部门，他的老师费介没有退休之前一直是三处的头目。三处专门负责研制药物与各类偏门武器，此时他身上带着的迷药、毒药、春药都是三处的研制成果。

四处就是言若海的部门，专门负责京都外各郡各路官员监察以及相关情报工作，权力范围远至国境之外，还包括了北齐与东夷城的部分。单以权限来论是一处之外权力最大的部门。

监察院五处一直驻在京外，是由皇帝陛下亲旨成立，专门负责保护陈萍萍安全的黑骑，在必要时也可以进行千里突袭。当年深入北魏擒获肖恩，便是五处最光彩的一次战绩，可以说是监察院中武力最强大的部门。

六处最不出名，也最恐怖，范闲入京这么久也没有怎么与对方打过交道，因为六处专门负责处理暗杀事宜。当然反过来，六处也要负责保护陛下指定的人选。

七处则是专门负责刑讯囚敌之事，是比刑部十三衙门更专业的部门。范闲当初在监察院大牢里看见的那位不起眼的牢头就是七处前任头目。

至于八处……范闲看见那位中年官员就想笑，这是监察院里自己打交道最多的一个部门了吧？澹泊书局可没少给八处上贡，虽然有关系可用，七叶掌柜还是很小心地按月给八处上供。

七位监察院高官不需要范闲的自我介绍，因为他的履历实在是太清楚、太明白、太光彩，整个庆国的人都知道，更何况这七位奸如狐、狼如狼、猛如虎的密探头目。

范闲对六处和三处的头目比较感兴趣。因为在介绍的时候，负责暗杀的六处头目自我介绍前加了一个"代"字，这让他不禁有些好奇，庆国最厉害的刺客究竟在哪里？

至于他对三处的头目之所以好奇，则是因为费介在旁边无聊地说话，他才知道这位姓冷的官员是费介师弟的首徒，算来范闲应该叫对方一声师兄才是。

见面会结束之后，范闲与冷师兄凑到一处嘀咕了好一阵子，说到毒药暗器什么的不免有些眉飞色舞。言若海在一旁看着有些毛骨悚然，才想起来这位提司大人是费老的关门弟子，是和毒物一道长大的小怪物，自己以后还是不要太过亲近的好。

见二人说得高兴，费介皱着眉头说道："肖恩是何等样的人物，他早就已经算好了这些事情，我估计使团入北齐之后，他会要求在雾渡河那里停一个月，在北庆方面的保护下，确认自己身体内没有余毒，才会往京都去换人质。我都配不出来这种能绵延一个月、定时发作的毒药，你们两个嘀咕再久又有什么用？"

范闲与这位初次见面的大师兄知道费介说的是对的，互视黯然叹气丧败颓息拱手告别。

陈萍萍轻轻拍了拍手，将还留在屋子里的几个人的注意力收拢了过来，轻声说道："此去北齐，有四项任务。"

范闲坐了下来，认真听着。

"第一，确保言冰云平安回国，接任一处职务。第二，在换俘结束、确保两国协议成功之后，马上杀死肖恩。"陈萍萍像在说一件很家常的事情，"第三，执行'红袖招'计划，这个计划的详细内容，待会儿有案卷给你。第四，在完成前三项任务的基础之上，整合北齐方面的谍网，确保不会因为言冰云的离开而导致情报工作停滞不前。"

四个任务，一个比一个难，范闲神情平静，内心却有些隐隐的兴奋与不安。陈萍萍面无表情地转向言若海说道："相关的资料你去准备好，范闲离开前，你对他做个交代。"

言若海点点头，起身离开房间。

屋中只有范闲、陈萍萍与费介三人。

　　一阵长时间的沉默之后，陈萍萍的双手轻轻抚平膝上毛毯的皱褶，脸上浮出一丝微笑，望着范闲说道："我相信，当你看见院外那个名字之后，就应该猜到了很多事情。"

　　"五竹叔说过一些。"范闲望着面前这位跛子老人，心里涌起十分复杂的感觉。虽说自己的人生有很大的一部分都是他安排的，但不知道为什么他生不起一般人的那种抵触情绪，反而有一种很古怪的信任，似乎面前这整个庆国最恐怖的高官完全值得自己信任。

　　这是直觉，范闲一向相信并尊重自己的直觉。

　　陈萍萍皱着眉头，似乎陷入某种回忆中。他忽然说道："他的记性到底好点儿了没有？"

　　范闲轻声说道："也许该记得的都记得，不想记得的都忘记了。"

　　陈萍萍尖声一笑，搓了搓自己有些粗糙的手指头，说道："他现在在京都吗？"这个问题，费介在范闲的大婚之夜也曾经问过。范闲摇摇头，像上次那般回答道："听说到南边找叶流云去了，不知道什么时候能回来。"

　　此时，范闲似乎隐约听见这房间某个阴暗的角落里，有一个人发出了一声很遗憾的叹息。他皱了皱眉头，袖中的手指抠住了暗弩——三人此时谈的内容太可怕，不论是谁听到了，对于范闲和陈萍萍来说，都是难以承受的后果。

　　"出来吧。"陈萍萍似乎看见他袖中的反应，轻声说道，"我想你一定很好奇，六处真正的头目是谁。"

　　一个人，准确来说是一道黑影从房间阴暗处飘了出来，缥缥缈缈地浑不似凡人。这道黑影飘至陈萍萍的身后，才渐渐显出了身形，是一位浑身上下笼罩在黑布里的强者。

　　范闲感受到对方刻意散发出来的气势，瞳孔微缩。他见过对方。在遥远的十六年前，这个黑影一般的刺客站在陈萍萍的马车上，像鹰隼一般掠过，秒杀了一个神秘的法师。

"他就是监察院六处头目，从来不见外人。"费介微笑着解释道，"当然，你不是外人。"

那位庆国的刺客头目没有说话，沉默地站在陈萍萍的身后，似乎对范闲没有什么兴趣。陈萍萍的声音有些嘶哑，接着费介的话说道："除了五大人之外，他是这个世界上最可怕的刺客。当然，也是最好的保护者，因此我才能活到今天。"

黑影微微欠身，向这位轮椅上老者的称赞表示感谢。

陈萍萍微笑着说道："影子是五大人的崇拜者、追随者，甚至他的很多技巧，都是他年纪还小的时候，看见五大人的手段逐步模仿而来。所以刚才听你说五大人不在京中，他有些失望。"

此时范闲再看那个影子刺客的眼神就有些不一样了。单单只是模仿五竹叔，就能有如此强大的实力，这位庆国第一刺客天分果然惊人！

当然，这也说明五竹更可怕。

费介推着陈院长的轮椅去了后院，那位影子又消失在了光天化日之下，不知去了何处。这个庆国最厉害的刺客和五竹的风格还真是有些像。

想到这里，范闲的心情略有些烦闷。他已经有许多天没有看见五竹了，虽然不担心什么，但出行在即，总想与最亲的人见上一面。

这是他第一次进入监察院戒备森严的后院。院落极其宽大，院墙外数十丈内都没有高大的建筑，没有人能够从外面窥视院中情形。与世人想象完全不同，这个院子很是美丽，四处可见青青草坪，数株参天大树往地面散播着阴影，青石板路旁小野花偶露清颜。

监察院的职员在不同的建筑之间沉默来往，远远看着那架黑色的轮椅，便会恭敬无比地伛身行礼。每行一段距离，范闲都会皱皱眉，因为在那些美丽的假山下、清嫩的矮林之中，似乎随处都隐藏着暗梢，竟是比皇宫里的防卫还要严密许多。

"熟悉一下，以后这院子是你的。"陈萍萍很随意，突然说出这句话，那感觉就像是扔块馅饼给范闲吃一般轻松。

范闲心里咯噔一声，虽然早就知道这个安排，却没有料到对方会这么简单地说了出来。

他沉默了一会儿，说道："有几个问题。"

轮椅停在一方浅池的旁边，池水透亮，可见水中金色的鱼自在游动。

陈萍萍双眼望着池水，说道："说来听听。"

"科场案我得罪了很多人，但是为什么郭御史和韩尚书敢对我下手？难道他们不怕家父与宰相的愤怒？"范闲看着陈萍萍那一头缭乱的花发问道，"皇后又为什么要对付我？"

陈萍萍叹了口气，挥了挥手。

费介拍了拍学生的肩膀，对于他的勇气表示赞赏，随后离开了水池。

范闲上前代替老师，推着轮椅沿着小池走了起来。陈萍萍说道："逼我摊牌？"

"您至少得让我知道，对方知道多少我们的牌面。"

陈萍萍尖声笑了起来："还真是一个谨慎的年轻人啊，看来你猜到了一些原因，又害怕皇后是因为那些原因在对付你。"

范闲微笑道："是啊，如果皇后真知道我猜到的那些事情，那她对付我就是理所当然的了。我也只能想到这一个理由。如果真是这样的话，我觉得自己离死就不远了。"

"敌人都是纸老虎。"陈萍萍忽然说道。

范闲没想到会从对方嘴里听到这句话，不由得大惊，紧接着又听到陈萍萍淡淡地说道："这是你母亲当年说过的话。她当年还说过我们要在战略上藐视敌人，在战术上重视敌人。"

范闲有些想笑的感觉，想来这位跛子一定不知道这些话的原创者，根本不是母亲大人。

"而你现在最大的问题，就是在战略上过于重视敌人甚至害怕敌人，做起事束手束脚。想那日在刑部大堂上，你就算打将出去，难道还有谁敢对你如何？而在战术层面上你又思忖得太少，如果不是有院子给你擦屁股，你进京后做的这些事情早就会让你死几百次。"

陈萍萍双手温柔地放在毯子上，轻声说道："不要把东宫看得太过强大，在整个庆国没有真正强大的势力，包括宰相大人，包括范建。"

范闲若有所悟地说道："暴力才是真正的力量，所以只有军方和监察院才真正可怕。"

陈萍萍抬起一只手，用修长却苍老的手指头摇了摇："不对，在整个庆国，只有一个真正强大的人。"

范闲低下头去，说道："是皇帝陛下。"

陈萍萍微笑着说道："不错，陛下可以什么都不管，只要他的手上还掌握着天下的军权，随便百官后宫如何折腾，他都懒得抬一下眼皮子。"

范闲嘲讽地笑道："还真是一位很清闲的皇帝。"

陈萍萍搓了搓有些发干的双手，缓缓地说道："监察院是陛下的，我只是代管而已，将来你也只是代管而已，牢记这一点。"

范闲望着这位老人，心想自己是否该怀疑一下传说中他对皇帝的忠心。

黑色的轮椅绕着那方浅池走了许久，那些金色的鱼缓缓沉到水底，不再理会池边这一老一小无趣的二人，开始用鱼嘴拨弄着细砂玩耍。

监察院的官员们远远看见院长大人与新近才揭开身份的提司大人密谈，自然不敢打扰。陈萍萍忽然叹息了一声说："时间过得很快，一晃眼，你母亲的儿子也这么大了。"

范闲心想这种说法真是怪异，什么叫作"你母亲的儿子"？为什么不直接说我？

"我很遗憾，不知道母亲究竟长得什么样子。"

陈萍萍微笑着说道："全天下只有你母亲的一幅画像，是当初的国手偷偷画的，后来那位大画师险些被五大人杀了。"

范闲沉默了一会儿，问道："那幅画不会在皇宫里吧？"

陈萍萍没有正面回答，幽幽地说道："东宫方面不需要太过担心，先前就说过了，皇后的势力早在十二年前就被陛下除得差不多了。"

范闲知道那个京都流血夜的故事，眉头微皱地问道："为什么陛下没有废后？"

"毕竟她是太子的生母，而且一向得太后喜欢。最关键的是……"陈萍萍似笑非笑地说道，"咱们的皇帝陛下，再到哪儿去找一个身后没有一点势力，并且如此愚蠢的皇后？"

范闲内心深处一片阴寒，那个皇帝果然不是什么善茬儿。陈萍萍不知道他在心里如此形容陛下，犹自说道："不要担心会被人发现你的身份，十六年前那个婴儿的死亡在宫中看来是不争的事实。皇后此次让韩尚书动你是站在太子的角度上考虑问题，那时候她并不知道你是监察院的提司，只是愤怒于你在花舫上与二皇子的见面。"

说到这里，陈萍萍忽然生气了，寒声道："范建应该和你说过不要与这些皇子走得太近，你难道以为你们在花舫上的见面，京里的人能不知道？"

范闲窘迫地一笑，他是真没有想到皇后是因为忌惮二皇子的缘故，才要用刑部的烧火棍来警告自己，当时还以为对方知道了自己的身世。

陈萍萍折下一朵粉红的小花别在自己的发梢。看着那花颤巍巍地随时会落下，范闲赶紧用手指头把老人的发鬓捋了捋，让花插得更稳一些。

陈萍萍十分开心地笑了起来，轻轻拍拍范闲的手，说道："折腾了十六七年，你终于入了京，终于长大成人，我也算对你的母亲有个交代了。"

范闲一直很好奇当年的故事，忍不住问道："当年你们一共有几个人？"这问的自然是跟随母亲、想改变这个世界的那些厉害人物。

"你自己数一数。"

范闲屈指一数，试着说道："六个人？"

"你母亲是一个很了不起的人物，看来你也还算聪明。"

"前一句在我很小的时候费介老师就已经说过了。"

"估计他没有说过，我们其实都很想念你的母亲。从某些角度上说，她是我的领路人。"

"有些意外。"范闲微笑着道，"不过也能猜到一点。"

"对司南伯尊敬一些，对范家好一些。"陈萍萍忽然严肃地说道，"他们为你付出了很多。"

范闲微垂眼帘，当年能在那般可怕的情形下保住自己一个小小婴儿的性命，又让宫里的人相信自己已经死了，不问而知……父亲一定付出了许多。

"我真正需要防范的敌人究竟是谁？不可能是长公主那个疯子，当年她的年纪还很小。"

"对于皇室的人来说，小姐的光彩太过夺目，她一辈子都生活在你母亲的阴影里。自诩聪慧能干，为庆国谋取了不少利益，却在陛下心中始终及不上你母亲的地位，所以有些因嫉生狂。至于敌人……没有敌人，没有敌人。"陈萍萍轻声反复着，似乎是想说服自己。

范闲问道："先执监察院，后掌内库，总会有些人察觉到不对。您究竟想让我做些什么呢？"

陈萍萍轻声说道："你不是想做一位权臣吗？"

范闲静静地看着陈萍萍的双眼，忽然开口说道："我想，我知道您要做些什么。"

陈萍萍表情不变，微笑着说道："我希望你能一直装作不知道我要做什么。"

范闲皱了皱眉头："虽然我对他们没有什么手足之情，但仍然不希望看见太多流血。"

"还早着。"陈萍萍轻声说道，"而且流血这种事情，往往是愚蠢的人首先拔出刀子，想划破别人的脖子，却不小心划到了自己的脖子上。"

范闲没有说话。他尊敬并且信任这位老人，但饭总得自己吃，路总得自己走，如果将来真有什么事情，导致二人产生不一样的想法，他会选择首先尊重自己的意愿。

陈萍萍挥挥手，说道："你以后要学会把目光放开一些，不要总是盯着一部一司，区区官员，区区京都。你要学会站得更高些……"

范闲笑着应道："难道要将目光放在天下？"

陈萍萍微微一笑道："也许更高一些。"

范闲默然。

"此去北齐，小心一些。"陈萍萍咳了两声，将鬓上的小粉花取了下来，用手指轻轻搓揉着，轻声说道，"肖恩要死。除此之外，那三项任务你自己斟酌着办。如果情况允许，你可以尝试着打探一下神庙究竟在哪里。不过这个世间只有北齐国师苦荷曾经与神庙接触过。"

范闲有些吃惊地说道："神庙……太突然了，我没有什么信心。"

"五大人教了你这么多年，你还不能活着从北齐爬回来，我会在葬礼上表达对你的失望。"

陈萍萍微笑着，将手指间的花瓣碎末洒在地上，顿时粉艳一片。

告别了母亲最亲密的老战友之后，范闲回到楼中与言若海碰了一下头，认真请教此次出使应该注意的事项，还有北齐方面需要注意的人物。

北齐那边的局面异常复杂，就算陈萍萍想借此事让范闲真正掌控监察院，但如果范闲不愿意，想来也没有谁能逼着他去那个陌生的国度……但他是真想去。前世被囚禁在病弱的身体中，不得自主。今世被囚禁在离奇的身世中，不得自主。难得此次出使北齐，可以天高海阔一次，他哪肯放过这种机会。

言若海说道："北齐太后太年轻，皇帝太小，不过去年那场战争之后双方似乎稳定了许多。提司需要注意三个人，分别是上杉虎、何道人，还有极少见人的苦荷国师。何道人是后党高手，范提司去年杀死的程巨树就是他的徒弟。上杉虎是北齐难得一见的虎将，一直在北边雪地里对抗蛮人，听说去年北齐战败之后，被小皇帝调回了京都。至于苦荷国师，身为天下四大宗师，应该不会涉入这些世俗之事。但是……他收了一位关门弟子，今年正式入世修行。提司大人名满天下，还是要小心一下对方前来生事。"

范闲没道理地想起前世小说里的那些什么静斋之类的门派，警惕地说道："不会是女子吧？"

"不知男女，只知道三个月来这位大宗师的关门弟子周游北齐全境，挑战了无数上品高手。甚至有传闻，对方便是传说中的天脉者。"他看了范闲一眼，"提司大人知道天脉者吧？"

范闲感觉这个词似乎有些熟悉，听完言若海的解释，他皱眉说道："五百年才出一位的天才人物，上天的血脉，又不是地里种的韭菜，砍完一茬儿又来一茬儿，我不相信。"

言若海点点头，说道："院里分析，估计是北齐连年战败，需要塑造出一位绝世年轻强者的形象，以此来增强信心。"

范闲笑道："就像是院里这段时间塑造我一般……那人叫什么名字？"

"海棠。"

范闲怔住了。

二人又随意说了几句。最后言若海望着范闲，眼角的鱼尾纹皱得极无力，轻声说道："小儿的事情，就劳烦提司大人了。"

"在刑部大门口我就说过，"范闲很认真地回答道，"我会平安地把言公子带回庆国。"

出了四处房间，一直在外面候着的王启年赶紧过来将范闲手上那堆案宗接了过去。范闲的眼睛望着前面，对他轻声说道："去北齐，我是一定会带着你的。"

"谢大人信任。"王启年笑着应道。此行北齐，如果没有别的安排倒真是一趟镀金之旅、逍遥之游。这世上没有谁敢对庆国的使团下手。范闲笑道："带你去，是因为你是监察院里跑得最快的一个人。当然，除了那个叫宗追的。"

王启年苦笑着没有说话，他先前还跑到宗追那里去叙了半天旧。他与宗追二人当年并称"监察院双翼"，只是后来王启年安于文事，渐趋平凡，宗追一直大感郁闷。如今王启年成了提司心腹，宗追觉着当年老友如今总算恢复了些光彩，大感高兴。

三处头目冷师兄早已等在密室门边，看见范闲来了也不打招呼，推开密室门进去，扑面而来一道清风，风速却不迅疾。范闲眉头一挑，马上知道这种空气流通的地方，一定和炼毒没有关系。冷头目看了小师弟一眼，忽然咧开嘴笑了笑，说道："身材不错。"

　　范闲看了一眼自己这位刚刚相认的师兄，打了个寒战，心想……不会吧？马上又听着师兄朝着里间大声喊道："标准！"

　　过不多时，里间有五六个人推出一张大桌，桌上放着几个盒子和一件材质有些古怪的衣裳。那五六个人看了范闲一眼，面无表情，也许是在三处这种诡异的部门待久了，都显得有些木讷。但仔细端详过后，他们还是忍不住露出了赞赏之色，连连说道："身材果然不错。"

　　监察院三处这些古怪官吏说范闲身材不错的意思是：范闲的身材很标准，刚好和三处研制出来的配件能够契合，而不需要重新改过大小。意思就这么简单。

　　范闲穿上那件衣服，皱了皱眉，想起来了自己五岁时候的那个夜晚。费介老师摸进卧室时，穿的好像也是这种衣服，这衣服特别耐撕。冷头目解释道："防火效能有，但不强。能有效减轻锐锋兵器的杀伤力，但如果对手拿的是开山斧，小师弟你还是躲一躲。"

　　范闲将双手摊开，发现式样倒是京中时新模样，只是后面多了个隐着的连衣帽。

　　"将暗弩取了。"冷头目一眼就瞧出了他左手小臂上的那把暗弩。

　　范闲叹口气，有些依依不舍地将陪伴自己四五年、极少离身的暗弩放到了桌上。

　　冷头目看了看他手臂的粗细，打开桌上的一个盒子，取出一把式样小巧、浑身涂成黑色的暗弩，仔细地安放在他的袖子里。然后调试了一下，又看了一眼范闲刚刚取下的暗弩，皱眉道："什么破烂东西，七年前的型号你居然一直在用。"

　　范闲苦笑道："够用就好，我很知足。"

冷头目向自己的师弟认真解释暗弩的构造和发射原理："……这是连弩，不过体积太小，所以只能容纳三支。这三支上面用的是甲四号毒，师弟应该了解。"

范闲了解，三处甲四号毒是金瓜葛的毒液，谈不上见血封喉，但起效极快。他小指微动试了一下扳机的手感，提醒道："我需要三丈的距离。"

"只能保证一丈，三丈的距离不能保证射中眼睛、咽喉或者阴囊。"冷头目平静地说道，"至于你的匕首，是费师伯最心爱的短武器，锋利无比，就不用换了。这里有些偏门武器，还有些辅助工具，不知道你此次完成哪些方面的任务，你自己挑一挑。"

范闲知道这次挑选对于自己在北齐的行动会有很大影响，认真地看了又看，最后挑了几样，却没有选择一种可以弹射出十丈高的攀墙爪。

一位三处官员有些好奇，说道："提司大人，虽然下官不知道具体任务，但想来总是不免要进北齐皇宫去逛逛。那北齐上京皇宫的城墙，可不比咱们京都皇城矮。"

这话说得很天真、很单纯，很有王启年的捧哏风，惹得范闲笑了起来。他看看那个设计精巧的铁爪，摇摇头，没有解释什么——在这个世界比他还爬得快的人，还没有出现。

"毒药这种东西，费师伯说过，你的天赋远在三处人员之上，所以我们没有准备。"冷头目又仔细检查了一遍范闲身上的装备，有些满意地点点头。

一听这话，范闲的眼里放光，他说道："我差材料。"

冷头目来了兴趣："差哪些？"

"猫扣子、砒石、马钱子、南海樟。"

"砒石、马钱子常见，但猫扣子苦味太重，而且和你这次的计划不相配。"冷头目不解地回道。

"我现在的身份，还真不方便托人代买这些东西，很容易引人注目。"

"那再整点哥罗芳吧，老师前年才试验出来，很有效的迷药。比马钱子好。"

范闲连连点头："但砒石一定要，我在澹州的时候试过，这东西好用，比箭毒的反应更快。"

师兄弟二人一说到毒药这种东西就开始兴奋起来。二人身边的三处官员也都是同类中人，围上前去展开了热烈的讨论，争论哪种毒药能让人死得最慢、死得最痛苦，哪种迷药能让牌坊下住着的寡妇马上变成流晶河上最凶猛的动物。

总之，监察院三处是一个变态的部门，这里住着一群变态的人。

从三处出来之后，王启年发现今天的范提司大人远不如平日那般沉稳，清秀的脸上带着一种亢奋的淡红，似是做了某些事情。

范闲眉飞色舞地说道："天天扮才子，真是太辛苦，还是在这种地方讨论一下生活实用技术比较幸福。"

变态三处的变态老祖宗费介先生此时正端着一杯茶，在长廊尽头似笑非笑，略带一丝满足地看着自己的年轻学生。

"要不然你就留在三处吧。"费介与学生一道往前走着，轻声说道，"北齐不要去了，朝官也不用当了，内库也不要理了，安安静静地过完这一辈子倒也不错。"

范闲沉默着，知道老师是在担心自己。

"你小时候很清楚自己想要什么。"费介的双眼有些浑浊，淡淡的褐色显得有些郁结，"入京后你的心防更加牢固，但是权力这种东西很容易让人迷失。你到底清不清楚自己想要什么？"

范闲略沉吟一阵后说道："学生清楚。"

费介忽然嘎嘎地笑了起来："如果你想走那条路，就要学会杀人，舍得杀人，享受杀人。"

范闲苦着脸说道："学生又不是小变态。"

费介眨眨有些疲惫的双眼，说道："这个世道很变态，你若不变态，又怎么玩得转？"

范闲在费介面前总觉得自己还是当初那个拿着瓷枕的小孩子，甜甜笑道："玩也分很多种的嘛……对了老师，为什么先前陈院长会叹一口气？"

费介说道："嗯，也许是有些失望，你不像小姐当年那么……嚣张？"

范闲怔了怔，说道："好男不和女比。"

太子脸色阴沉地坐在东宫里，手里握着酒杯不停用力，手指微微战抖，半晌之后，才从牙齿缝里吐出一句话来："为什么宫里的这些女人从来就没有学会安分？"

太常寺辛少卿不敢插话，他知道太子殿下今天的心情特别不好。这段日子里发生的事情，实在令整个东宫都感到异常愤怒与恼火，就连一向温和的太傅大人都发了几次脾气。

东宫方面是此次弊案受损失最小的一方，十几位被捕官员中真正属于东宫的寥寥可数。礼部尚书郭攸之倒了台，但上次夜宴之后太子便发现此人与长公主的真正关系。所以此次范闲将郭攸之扳倒，他非但不怒，反而有些隐隐的欣慰。

"谁也没有料到，小范大人竟然是监察院的提司。"辛其物微微皱眉。他与范闲喝了很多次酒，怎么也没有想到一脸温柔的范闲竟是这样一位人物。

太子李承乾摇了摇头："范闲揭弊案是职司所限，事先未与本宫沟通也属应当。更何况那日婉儿妹妹专程入宫，将范闲的亲笔信递了过来，我相信他不是有意针对本宫。"

辛少卿与范闲交好，更希望东宫能在监察院里拥有范闲这样一个强助，连连点头表示同意："不错，范提司事前虽未言语，但事后做足了补救功夫……可惜他马上要出使北齐，不然下官应能出面安排他来拜见太子。"

太子冷哼一声，重重地将酒杯搁在了桌上，怒道："如今就算要见，难道范闲还敢对本宫推心置腹？刑部那件事情闹得满城风雨，虽然宰相与范尚书如今都没有什么动作，但他们难道不知道韩志维与本宫的关系？只怕范家恨本宫都来不及，更遑论投靠。"

辛少卿黯然无语，知道太子在此事的处理上真是不错，怎奈何这东宫的主人却是有两位。

一主一臣正不甘心的时候，忽听得外间太监高声宣道："皇后驾到！"

辛少卿看了太子一眼，用眼神示意殿下一定要控制住情绪，然后抢先跪到一边，对推门而入的皇后殿下行了大礼，告退出宫。

生着一双丹凤眼的皇后静静注视着自己的儿子，沉默不语。

太子满脸微笑地坐在一旁，却不肯首先说些什么。

皇后咬了咬下唇，眼中闪过一丝失望与悲伤，忽然一抬手，便是一个耳光扇了过去！

太子一侧头，躲过了母亲的这记耳光，反手握住了她冰凉的手腕，静静地看着自己的母亲。

皇后没有想到一向怯懦的太子眼神竟然如此锐利，下意识里身子微颤一下，将手从儿子的手中抽了回来，缓缓说道："难道你真认为母亲做错了？"

太子皱了皱眉头，轻声道："孩儿不敢。"

皇后忽然提高声音说道："难道你不知道范闲与老二在花舫里见面？"

太子突然抬起头来，直视皇后的双眼，静静地说道："这些事情，母后能不能容孩儿自己处理？范闲身为一代诗家，与二哥见面也属寻常。"

皇后又急又气，却不知该如何向这怯懦中带着一种狠厉的儿子说话。

太子看了她一眼，轻声说道："母后，我时常在想，您能不能不要这么敏感？您这样只会将有可能成为孩儿助力的臣子，都赶到其他几个兄弟那里。"

皇后咬牙说道："本宫乃一国之母，稍加惩治一个小臣，难道他还敢如何记恨？"

太子淡淡讥讽道："母亲，那日您不该让韩尚书动手，您又不可能真的将范闲打死，何必去得罪范家和宰相？我想再过些日子，韩尚书在朝中就站不住了，朝中愿意亲近东宫的实权大臣本就不多，您却偏偏要自断一指，真不知道您是怎样想的！"

皇后皱眉道："韩志维毕竟是当朝尚书，当日又是奉旨依律审案，难道宰相和范建能够如何？有东宫保他，想来陛下总要给你这储君留些面子。"

"不要忘了，范闲是监察院的提司，而且父皇一向很欣赏他。"太子摇头叹息道，"韩志维这次得罪的人太多、太厉害，要知道整治科场之风是父皇的意思，根本没人保他。"

皇后冷笑道："不要忘记范闲也得罪了多少京官，更何况此次还有都察院牵涉其中。你姑母虽然远在信阳，但她在朝中的势力想来也不会袖手旁观。"

"不要提姑母。"太子似乎有些厌恶长公主，"这两年她太古怪了，居然和北齐方面勾结，胆子未免太大，将庆国的脸面放到了哪里？至于都察院姓郭的御史，只是她当年玩弄的小白脸而已，就算被监察院暗杀了，她也不会眨一下眼睛。"

太子毕竟是一国储君，虽说这些年长公主与东宫一向走得极近，但当范闲的言纸像雪花一样撒遍京都之后，他对长公主难免生出了一些忌惮。当然还有一些别的不能说的原因。

皇后心痛地说道："我们没有别的助力，只有依靠长公主。"

"本宫会依靠父皇。"太子平静地应道。直到此一刻，一向显得有些懦弱的他终于表现出来了皇室子弟天生的政治嗅觉和判断。

皇后缓缓闭上双眼，说道："总之我不喜欢范闲，我要想办法让他死。"

太子气得一拍桌子，怒道："死？您难道忘了范闲是晨儿的相公！您不要事事都听姑母劝唆，那个女人是个疯子，是个疯子，您知道吗？难道您也想变成疯子，被赶出皇宫去？"

皇后大怒，气得浑身颤抖，指着太子的鼻子，抖着声音说道："你知道什么？你知道什么？你知道什么？你……你知道什么？"也许是太子的话触动了皇后的经年之伤，气愤之下，竟是连说了四句"你知道什么"。

太监宫女们早就远远地躲开，东宫中，只有这母子二人。一阵极长久的沉默之后，皇后才站起身来，只是身体似乎有些虚弱，晃了一晃。太子赶紧起身扶住了她，有些无奈地请罪。

皇后看着自己的儿子，凄苦无比，那双美丽的丹凤眼旁已经有了皱纹。她幽幽地说道："历朝历代，太子都是最难坐的一个位子。你要防着身前防着身后，母后家中又没有人。十四年前那场动荡，你大概没有什么记忆了。但母亲记得清楚，如果你自己不去争夺，那么本来属于你的东西，都会被人夺走。"

太子尽量将声音放柔和一些，轻声说道："孩儿明白了，母后先回宫休息吧。"

皇后摇了摇头："你不明白，你不明白……这些天里，我始终有些不祥的预感，这种感觉很强烈……就像很多年前，那个女人进入京都时一般。"

"哪个女人？"太子好奇地说道。

正在此时，东宫沉重的木门忽然被人推开了。

"谁？！"太子皱眉怒斥道。

一位老太监佝偻着身子走了进来，极恭敬地说道："老奴洪四庠，奉太后令，请皇后往含光殿闲叙。"

皇后脸上的一丝惊恐一闪即逝，旋即堆上满脸微笑，仪态端庄地在宫女的搀扶下，跟着那个佝偻着身子的洪老太监，往皇宫真正的女主人宫殿行去。

太子微微皱眉，虽然极为不喜这条老狗的无礼，但知道对方是祖母最亲近的宦官，连母后都不大愿意得罪，自己自然不会多出什么事来。

宫中烛火渐暗，太子李承乾想着那日刑部上的荒唐闹剧，心头更是郁闷，实在不明白的是，为何母后就这般听长公主的话？一想到那位年轻妩媚的姑母，太子心头一热，面上一惭，略现惶恐，但眼神中却渐渐流露出了情欲之意……

他拂袖往后殿行去，片刻之后，传来阵阵隐不可闻的春意呻吟，一个宫女正在他的身下辗转求欢。太子将那女子的宫衫全数掀至脖颈脸上，遮住她的容颜，只露出那片白晃晃的丰满胸脯来。他一面用力侵伐着，一面沉重地喘息，心想这天下的柔媚女子，为什么都不甘心老实地躺在床上，非要卖弄自己那些愚蠢的手段呢？

春天来了，花儿开了，小鸟叫了，杨万里四位新晋官员再往范府去，想沐一沐小范大人的春风。不料今日小范大人依然不在府中，而更令侯季常有些头痛的是，刚得到的消息，小范大人明日就会出使北齐。

二甲进士不入翰林，依往年规矩都会放至地方。眼看着吏部派遣马上就要开始，除了史阐立，其余三人自然都要来听听范闲的意见。此次春闱，三人全靠着范闲才能够走到这一步，理所当然地以为范闲肯定需要他们在地方上做些什么。

哪里料到范闲竟是不与他们见面，只给他们留了两封信，一封是留给马上要离京的三位新官，一封是留给准备回乡再比的史阐立。四人坐在范府的书房里，有些不知滋味地喝了一口下人端上来的好茶，也顾不得避嫌，就将门师留给自己的两封信拆开了。

范闲给侯季常三人的信里是一张白纸，上面只写着很简单的两句话：
"好好做人，好好做官。"

末了还有单一句是留给侯季常的，范闲在信里写道："季常莫要太过惧内。"

这是范闲才明白的冷笑话，他们自然不明白是什么意思，只将注意力凝在前两句当中，越品越觉得这简单话语里包含着极实在的道理——要学做官，自然要先学做人。但还有另一层意思，不知道他们中的哪位品出来了——好好做人，不是做好人；好好做官，也不见得就是做好官。

看完这封信后，杨万里自然对史阐立手中的信大感兴趣，不知道小范大人专门给史阐立留的信中又写了什么，毕竟四人中只有史阐立的前途有些黯淡。史阐立有些惴惴不安地在三位友人的目光中拆开信，细细一看却是几句破落句子，险些笑出声来。

"至老方知事不协，三分在人七在天。莫愁伞下无知己，好生要着只等闲。"

最后三字"只等闲"，自然是等范闲回来的意思。

此时范闲正坐在当初自己买的那个小院里。他的手指抚过中空的腰带，摸到小时候费介给自己的那粒丸药。当时老师说，如果自己体内的霸道真气出什么问题，就要靠这粒药丸保命。不过入京以后体内的霸道真气一向极听话，他有些忘记了这事，今日白天整理装备的时候才想了起来。可是这么多年过去了，也不知道费介配的这药究竟失效了没有。

"人已经找好了。"王启年有些犹豫，"像固然是有些像，提司大人精通化妆易容之术，稍加琢饰，想来一般人远远看着应该看不出破绽。不过总有些不妥之处。"

"什么不妥？"范闲微微一怔道，"你不是说挺像吗？养了一个月，肤色也近了。"

王启年轻声回答道："要在这些浊男儿中，找到一个如大人般丰姿英朗的人来，本就是难事；就算形似了，但要扮出提司大人这等天生风流气质、书香诗华，实在是很难。"

范闲愣了愣，马上明白过来，笑骂道："你这捧哏，如今拍马屁是愈发地不堪、愈发地不羁、愈发地美妙了。"

当夜回府知道杨万里四人来过，范闲也不以为意，要说的话在客栈中就说过了，只要他们好好做官，爱护百姓，官位越高越好。他不是为国为民的侠之大者，但如果门生里出几个人物，自然也会高兴。至于将来有可能安排给他们做的阴污事，那就将来再说。

将要临别时，自然不免要与若若妹妹执手相看，无语不凝噎，与思辙细细叮嘱挣私房钱的问题，再拜了父亲，敬过柳姨娘，这才回到卧房中。正准备脱衣上床，好生慰劳一下自己可怜的小妻子，却发现大舅哥、那位憨憨的大宝居然在房中。

范闲微笑着与大宝说着话，林婉儿在一旁看着，心里也觉着奇怪。相公与哥哥的关系实在是有些奇妙，都不知道两个人怎么有这么多话讲，也不知道范闲为什么会如此耐得住性子。

许久之后，范闲与大宝笑嘻嘻地将各自的右手放到对方的肩膀上，喊了一声像口号般的声音，才让下人将大宝领了出去。

"和大宝说什么呢？"林婉儿可怜兮兮地抱着薄被看着他，嘟着嘴，像是吃自己哥哥的醋一般。此时她那一双赤足露在被缘之外，雪足黄衾，分外美丽。

范闲坐到床侧，伸手轻轻地抚摸着妻子的脚，手指头坏坏地挠着她肉肉的脚心，应道："他答应小闲闲，小闲闲不在京里陪他玩他也会乖乖的。"

林婉儿感觉脚心一阵酸麻，听着这语带双关的调情话，雪白的脸蛋倏的一下就红了，甚至连耳根那里都有些红润，看上去煞是可人。她赶紧缩回双脚，羞怯地说道："还早着呢。"

范闲调笑道："不早不早，明日就走了，得尽早尽早。"

"对了，白天父亲是不是让你去了一趟？"林婉儿碰着人前温文尔雅、人后赖皮赖脸的相公，实在是不知如何是好，只得玩了招声东击西。

"老丈人把我骂了一顿，怨我不肯听父亲与他的安排。"白天在相府范闲看出了岳丈大人的担忧，只是不知道这担忧从何而来。他一面应着，一面双手却不老实地沿着妻子的赤足往上摸去。片刻间穿叠被，拨开五指山，握住柔腻，引得婉儿一声惊呼。

夫妻夜话之时不免要重温一下当初庆庙情形，正甜蜜像枣的时候，范闲想到北齐那位大宗师苦荷，想到虚无缥缈的神庙，不知怎的心情渐渐沉重起来。感觉到他的异样，林婉儿撑起身子，懒洋洋地伏在他的胸膛上，说道："明日就要走了，又在想什么呢？"

感觉到妻子的发丝在自己赤裸的胸上滑过，一阵微痒，范闲笑了笑，将那些有的没的东西全赶了出去，视线在她的身上慢慢移动，然后停在了某处。

婉儿正看着他的双眼，觉着相公清亮的眸子似乎会说话，柔顺的眼波竟是比一般的女儿家还要纯净些。一时似乎在说想着自己，一时似乎在说舍不得，一时似乎在说会早些回来……噫，这目光怎么好像是在说着下流的话？她顺着范闲的目光一看，才发现自己的内衣早已滑落到腰间，上半身竟是光光的，一时间羞得不行，哎哟一声轻唤，赶紧钻进了薄被中。

第二日，监察院大牢外，那位范闲曾经见过一次的牢头、当年的监察院头目之一，面无表情地站在铁门之外。范闲有些震惊地发现对方眼中竟然出现了些许不安。

范闲站在离马车约有十步远的地方，发现所有的监察院官员都很紧张，不由得皱起眉头，想起关于马上要被转移出狱的那位大人物的传言。

肖恩，北魏密谍大首领，当年麾下缇骑无数，纵横天下，在诸国内大肆安插谍子，最擅忖人心思，善用毒计，不知颠覆了多少小国王室，直接或者间接死在他手上的人足以堆成一座骨山。而且他拥有极其高明的头脑与手段，不知躲过多少次来自敌国的暗杀。

当年魏王最倚重的文臣是庄墨韩，最倚重的武臣是战清风，但真正最信任、最好用的却是这位一向隐藏在黑暗里的肖恩大人。

其时天下纷乱，也亏得肖恩下手太狠除去了庆国周边的一些国家，为北魏带来大片疆土，也间接帮助庆国稳住了局面。但当庆国渐渐崛起之后，肖恩的黑手自然而然地伸向了南方。那些年里京都的官场一片混乱，开国皇帝驾崩前后，两位亲王闹得不可开交，势如水火，这背后自然少不了肖恩的推动——北魏万骑早已虎视眈眈，只等两位亲王为夺皇位大打出手，便会南下将庆国吞入魏国疆域之中。但恰巧就在此时，一个叫叶轻眉的女子带着一位盲少年仆人入了庆国的京都，那仆人的身上背着一个黑箱子。

于是两位亲王莫名其妙死去，如今陛下的父亲、当初安分无比的诚王殿下登基。庆国的国力没有受到真正的损失，京都渐渐安定，北魏失去了最好的入侵时机。

也就是在此时，一个叫陈萍萍的人渐渐出现在历史舞台上。陈萍萍最初只是诚王府一个下人，不知什么缘故极得当初诚王世子的信任。当监察院这个古怪、不合古制的机构设立之后，陈萍萍就成为了监察院的院长，直到如今。

人们起初并不知道监察院是做什么的，也不知道监察院的背后依然有那位叶家女主人的影子。只知道陈萍萍的狠辣渐渐显现了出来，与黑夜有关的天赋也渐渐显现了出来。

世上最恐怖的两个秘密机构分别服从于两个最庞大的国家机器，随着北魏与庆国间的形势越来越紧张，也开始在暗中进行试探性的互相攻击。

某一年，庆国开始冒险进行第一次北伐，这次以鸡蛋砸石头的举动，在北魏这个天下第一强国遭到很惨的失败。在战清风的铁骑面前，在肖恩的重重谍网中，当时的太子、今日的陛下连番战败，险些死在北方的山河之中。后来全靠陈萍萍率领一队黑骑，在凶险万分的战场上杀出一条血路，将他的命给捡了回来。同时陈萍萍命令潜伏在北魏上京的监察院暗探散布流言，买通高官，构陷大帅战清风，几番用命终于让北方山峦间的战场露出了一道缝隙。

回国路遥且险，好多次队伍陷入绝境之中。粮绝水尽之时，当时还不像如今般苍老的陈萍萍面无表情地将所有食物都留给了太子殿下和属下，而自己却喝马尿、吃草根……最后能够回到京都的黑骑，只有当初的十分之一。

路上又依赖一位东夷城的女俘房服侍太子，才让重伤后的太子恢复了健康。这位东夷女俘便是如今庆国大皇子的母亲，宫中那位宁才人。

很久以后，人们还在猜测，陈萍萍究竟用的什么阴谋能让战清风这样的一代雄将失去了北魏皇室的信任？但谁也没有真正的答案，就连庆国太后也没有问出来。只是有些人隐隐知道一些隐情，据传是和北魏的皇后阴私事有关联。

从那一天起，陈萍萍获得了皇帝陛下和太子的绝对信任，同时天下也开始流传一句话——

北有肖恩，南有陈萍萍。

沉重的铁门缓缓开启，一直上油保养着的机枢并没有发出咯吱咯吱的声音。这种无声的压力，却让守在门外的监察院众人开始紧张起来。

范闲微微低着头，左边的眼皮跳了两下。

铁门后面隐隐传来的气息有些寒冷，那位已经七八十岁、应该只是活在历史黄纸上的大人物，被囚禁了二十年之后，似乎依然从骨子里散发着一位密探头目应有的气息。

铁索在石板路上拖行的声音有些刺耳，声音越来越大，意味着里面那个人离这扇大铁门越来越近。范闲抬起头来，静静看着那扇大铁门，心里想着当初陈萍萍在二次北伐的时候，率领黑骑突袭千里，将秘密回乡参加婚礼的肖恩捉回北齐，那是何等样的风采！

但陈萍萍也因为此事遭致双腿被废，这位肖恩也实在是位强人。

肖恩被庆国擒住之后，庆国再次北伐，终于将强大到不可一世的北魏打得奄奄一息，最后分裂成无数小国。直接继承了北魏正统和大部分疆域的正是战清风的战家，立国号为齐。

这便是如今北齐的来历。当年战清风大帅无辜被贬，北魏才会分崩离析，最后却还是战家从这个烂摊子上生出新枝，说起来世事还真是有些奇妙。

春天的阳光温柔地穿过大牢外的高树，洒向那扇铁门，在门上烙下斑驳的光痕，同时也轻印在那张苍老的容颜上。铁链拖地的声音戛然而止，一声苍老的叹息声响了起来。

铁门外监察院六处的四位剑手如临大敌握紧索套，远远套着中间的枷板。枷中有个人，那人满头乱发披着，头发早已全白，看着潦倒不堪；手腕脚脖子全是精钢铸就的镣铐，身上的衣裳却是洗得极干净。那声苍老的叹息，就是从此人那张枯老的唇中发出的。叹息之后，只听他幽幽再叹道："阳光的味道，久违了。"

这自然就是被庆国关了二十年的肖恩，看到他从天牢里走了出来，四周负责戒卫的监察院众人无来由地紧张起来，似乎嗅到了空气中开始弥漫着血腥的味道。众人手中握紧了腰刀，或是指头抠紧了劲弩的扳机，瞄准了那个身材高大却佝偻着的老人。

砰的一声闷响！

七处前任主办、如今眼神浑浊的牢头走上前去，毫无理由地一棍敲打在肖恩的后背上！

肖恩却像是没有感觉到什么，缓缓转头看着监察院七处前任主办，轻轻吐了口气，吹散面前乱发，露出那双阴寒幽深的双眸和那张枯干的双唇，嘶哑着声音说道："老邻居，我们一起住了二十年，我这就要走了，你就这么送我？"

七处前任主办缓缓闭上眼睛，将提着木棍的手垂了下来，似乎有些害怕肖恩的双眼，沉重地呼吸了两声说道："都是后辈，何必激他们？如果孩子们失手将您杀了，我想您也不会甘心。"

肖恩缓缓眨了一下眼睛，看了一眼围着自己的人群中那个漂亮的年轻人。

范闲发现对方在看自己，强行用真气稳住心神，平静回视过去。

肖恩有些意外这个年轻人竟然如此镇定，微一摇头，对牢头说道："我离开庆国，想来你也不用再待在天牢里。不过我想，你一定会很希望我死掉，不然这二十年的相伴，我总有法子让你偿还给我。"

牢头面无表情："祝你一路顺风，永远不要再回来。"

肖恩嘶声笑道："我一定会再回来的。"他看着牢头的脸，一字一句轻声说道，"你对我用了多少刑，我都会一样一样地用在你孩子的身上。"

牢头紧闭着双眼，知道如果肖恩能够重掌北齐的黑暗力量，专门对自己进行报复，自己真的没有保护自己家人的能力。

肖恩仰天大笑，身上系的沉重铁链当当响着，似乎也很害怕这个恐怖的人物即将获得自由。

监察院大牢外的空气紧张无比，似乎感觉到隐隐有血光正从那个枷中人的身上散发开来。

便在此时，吱吱声响起，那辆普通的、黑色的轮椅缓缓靠近了大枷。

推着轮椅的是费介，轮椅上坐着的是陈萍萍。

轮椅滚动的声音不大，却像梵钟一般，将众人从紧张的情绪中解脱出来。众人看见院长大人来了，都无来由地舒了一口气。

陈萍萍看着枷中的老熟人说道："你笑什么呢？"话语中带着一丝不屑，一丝有趣。

满头乱发的肖恩看着轮椅上的陈萍萍，忽然开口说道："我笑你的一双腿，毁在我的手中。"

陈萍萍微笑着摇摇头："我以为你在笑自己的悲惨人生。被我关了二十年，还需要说什么呢？我是胜利者，你是失败者，这是历史早就注定了的事实，永远无法改变。"

肖恩怒吼一声，白发如剑般向后散去，狂怒之下，往前踏了两步，铁链剧震，四位牵拉着重枷的六处剑手拼命用力才拉住他。劲气相冲之下，大狱前灰尘大作。

陈萍萍却是一点也不紧张，面无表情地说道："都这么老了，怎么还这么大的火气？"

肖恩忽然闭目仰天而立，许久之后，双目一睁，寒光大盛，凛然说道："陈萍萍，你真敢放我回北方吗？"

陈萍萍微笑地说道："回去好好养老吧，安分一些，如今我也是老胳膊老腿儿，懒得再跑那么远捉你回来。"

肖恩的声音像刀子一般尖利，苍老的音色就像刀子上的锈迹，刮弄着所有人的耳朵："我的儿子已经死了，我想你再不会有任何机会抓到我。"

陈萍萍招招手，范闲满脸微笑地走了过去。离肖恩越近，越发感觉到对方那股子天生的阴寒，但他依然面色不变。

"我们已经老了，你还能做什么呢？万一将来要捉你……"陈萍萍微笑着说道，"他叫范闲，是我的接班人，此去北方一路由他相陪，想来你不会寂寞。"

肖恩微微侧身，重枷与手脚上的铁索又发出碰撞的声音。他透过眼前的发丝，注视着这个年轻的、清秀的监察院官员，半晌没有说话。只有范闲才能看到他眼里的怨毒与残忍。

费介说道："婚礼上的毒是我下的。很凑巧，范闲是我的学生。"

范闲微笑着开口："肖恩前辈，日后有什么事情，便是我来陪您了。"

肖恩笑了两声，笑声中却没有一丝快意，只有血腥的味道。

他这一世最大的失败便是拜陈萍萍与费介所赐，却没有想到此行押送自己回北方的年轻人竟然与他们有这么深切的关系。看着范闲，他面无表情地说道："你还太嫩，路上你要多留些神。"

范闲很有礼貌地躬身行礼："一路上，我都会向前辈学习。"